Detrás de nosotros
estamos ustedes

PLAZA  JANÉS

Subcomandante Insurgente Marcos

Detrás de nosotros estamos ustedes

Recopilación y notas
Nadie

PLAZA JANÉS

Primera edición: octubre 2000

© 2000, Plaza y Janés Editores, S.A.
Travessera de Gràcia, 47-49. 08021 Barcelona, España.

Plaza y Janés México, S.A. de C.V.
Av. Coyoacán 1878, Piso 14 Col. Del Valle,
C.P. 03100 México, D.F.

ISBN: 968110447-1

Diseño de portada: Eleazar Maldonado
Diseño de colección: Times Editores, S.A. de C. V.
Cuidado de edición y tipografía: Times Editores, S.A de C. V.
Gabriela Rodríguez y *Nadie*

Impreso en México / Printed in Mexico

Prólogo

Crónica de Chiapas
(Viene el zapatismo de lo más lejos del tiempo
y de lo más hondo de la tierra)

Lluvia

"Está lloviendo ayer", me dice un lugareño, a la salida de la ciudad de San Cristóbal de Las Casas. Ayer fue el día de San Cristobalito, que siempre viene con lluvia y esta vez vino seco, y por eso es de ayer esta lluvia de hoy.

En el camino hacia la comunidad de Oventic, bajo la lluvia, la frase me zumba en la cabeza. En Chiapas está lloviendo ayer, pero no sólo porque San Cristobalito se había olvidado de mojarnos.

Casa

Nos han abierto su casa los olvidados de la tierra. Tenían que ser los más generosos, estos que son los más pobres entre los pobres de toda pobrecía. En las comunidades zapatistas de la Selva Lacandona y de los Altos de Chiapas, nos hemos juntado los venidos de más de cuarenta países.

—Vengan a ofrecer su palabra —invitaron los dueños de la casa.

A machete limpio, ellos han levantado pirámides de troncos, para darnos cobijo ante la lluvia incesante. Amuchados en el barro, entre perros flacos y niños descalzos, compartimos ideas, dudas, proyectos, delirios. Durante toda una semana, chapoteamos juntos cinco mil mujeres y hombres que nos negamos a creer que la ley del mercado es la ley de la naturaleza humana, desde el Superbarrio mexicano hasta las madres argentinas de Plaza de Mayo, pasando por los campesinos Sin Tierra del Brasil y las feministas, los homosexuales y los sindicalistas y los ecologistas de todas partes. Nuestros anfitriones andan enmascarados:

—Detrás de estos pasamontañas —nos dicen— estamos ustedes.

Niebla

La niebla es el pasamontañas que usa la selva. Así ella oculta a sus hijos perseguidos. De la niebla salen, a la niebla vuelven: la gente de aquí viste ropas majestuosas, camina flotando, calla o habla de callada manera.

Estos príncipes, condenados a la servidumbre, fueron los primeros y son los últimos. Les han arrancado la tierra, les han negado la palabra, les han prohibido la memoria; pero ellos han sabido refugiarse en la niebla, en el misterio, y de allí han salido, enmascarados, para desenmascarar al poder que los humilla.

Los mayas, hijos de los días, están hechos de tiempo:

—En el suelo del tiempo —dice Marcos— escribimos los garabatos que llamamos historia.

Marcos, el portavoz, llegó de afuera. Les habló, no le entendieron. Entonces se metió en la niebla, aprendió a escuchar y fue capaz de hablar. Ahora habla desde ellos, es voz de voces.

Aviones

De vez en cuando, algún avión o helicóptero sobrevuela las cinco distantes comunidades donde está ocurriendo la multitudinaria reunión internacional que han convocado los zapatistas. Son los militares, que avisan a los indios:

—Ellos se irán, nosotros quedamos.

Ya ocurrió en Guadalupe Tepeyac. Era comunidad, ahora es cuartel. Allí se hizo la primera concentración de solidaridad con los zapatistas. Miles de gentes llegaron. Cuando se fueron, el Ejército invadió. En febrero del año pasado, el Ejército usurpó la tierra, las casas y las cosas, expulsó a los indígenas y se quedó con todo lo que ellos habían creado, abriendo selva, en medio siglo de trabajo; pero desde entonces el zapatismo ha crecido mucho. Cuanto más fuerte resuena su voz en el mundo, menos impunidad tiene el poder.

—No podemos salvarnos solos —dicen los zapatistas, y repiten:

—Nadie puede.

Exorcismo

Cuando una comunidad se portaba mal, y se negaban sus hombres a ser esclavos de las haciendas, la tropa se los llevaba —y nunca más. Hartos de morir por bala o hambre, los indígenas se armaron. Con más palos que fusiles, pero se armaron.

Como en Guatemala, la tierra vecina donde viven otros mayas, no fue la guerrilla la que provocó la represión. Más bien fue la represión la que hizo inevitable a la guerrilla. De los delegados de las comunidades que acudieron al Primer Congreso Indígena de Chiapas, en 1974, pocos sobrevivieron. En el Quiché, en Guatemala, entre 1976 y 1978, el gobierno asesinó a 168 líderes de las cooperativas que habían florecido en la región. Cuatro años después, invocando a la guerrilla como coartada, el Ejército guatemalteco redujo a cenizas a cuatrocientas cuarenta comunidades indígenas.

A uno y otro lado de la frontera, las víctimas son indígenas, y los soldados también. Estos indios usados contra los indios, están al mando de oficiales mestizos, que en cada crimen rea-

11

lizan una feroz ceremonia de exorcismo contra la mitad de su sangre.

Mundo

Cuando el año 94 olía a bebé recién nacido, los zapatistas aguaron la fiesta del gobierno mexicano, que estaba loco de contento declarando la libertad del dinero. Por las bocas de sus fusiles resonaron las voces de los jamás escuchados, que así se hicieron oír.

Pero los fusiles zapatistas quieren ser inútiles. Este no es un movimiento enamorado de la muerte, no siente el menor placer en disparar tiros y ni siquiera consignas, y tampoco se propone tomar el poder. Viene de lo más lejos del tiempo y de lo más hondo de la tierra: tiene mucho que denunciar, pero también tiene mucho que celebrar. Al fin y al cabo, cinco siglos de horror no han sido capaces de exterminar a las comunidades, ni a su milenaria manera de trabajar y vivir en solidaridad humana y en comunión con la naturaleza.

Los zapatistas quieren cumplir en paz su tarea, que en resumidas cuentas consiste en ayudar a que despierten los músculos secretos de la dignidad humana. Contra el horror, el humor: hay que reír mucho para hacer un mundo nuevo, dice Marcos, porque si no, el mundo nuevo nos va a salir cuadrado, y no va a girar.

Lluvia

Chiapas quiere ser un centro de resistencia contra la infamia y la estupidez, y en eso está. Y en eso estamos, o quisiéramos estar, los que nos hemos enredado en las discusiones de estos días. Aquí, en esta comunidad llamada La Realidad, donde falta todo menos las ganas, cae la lluvia a todo dar. El estrépito de la lluvia no deja oír las voces, que a veces son ponencias de plomo o discursos de nunca acabar, pero mal que bien nos vamos entendiendo en la tronadera, porque bien valen la pena la voluntad de justicia y la luminosa diversidad del mundo.

Y mientras tanto, como diría aquel lugareño de San Cristóbal que quizá se llama Julio, está lloviendo mañana la lluvia que llueve y llueve y llueve.

Eduardo Galeano
San Cristóbal de Las Casas, Chiapas,
agosto de 1996

Cartas
y comunicados

Cinco años del "¡Ya basta!"

1 de enero de 1999

Al pueblo de México
A los pueblos y gobiernos del mundo
Hermanos y hermanas:

El día de hoy se cumple el quinto aniversario del alzamiento de las tropas zapatistas en demanda de democracia, libertad y justicia para todos los mexicanos. Por este motivo, el CCRI–CG del EZLN dice su palabra.

I. Acteal: el etnocidio y la impunidad como políticas de Estado

El año de 1998 fue el año de guerra gubernamental en contra de las comunidades indígenas de México. Este año de guerra se inicia el 22 de diciembre de 1997 con la masacre de Acteal. Ese día, bandas paramilitares armadas, entrenadas y dirigidas por los gobiernos federal y estatal asesinaron a 45 niños, mujeres y hombres, indígenas todos ellos. El brutal acto significó el inicio de una larga ofensiva militar y policiaca en contra de los pueblos indios de Chiapas.

Acteal sintetiza el mejor ejemplo de la forma de hacer política del gobierno de Ernesto Zedillo. Los crímenes cometidos por el poder reciben garantía de impunidad y encubrimiento por parte de todo el aparato de Estado. El mal llamado "Libro Blanco" de la Procuraduría General de la República, no tiene otro objetivo que garantizar la impunidad de los cerebros enfermos que concibieron, diseñaron y ordenaron la matanza de Acteal. Será inútil. Los responsables intelectuales directos de la masacre de Acteal tienen nombre y apellido. La lista la encabeza Ernesto Zedillo Ponce de León, y le sigue Emilio Chuayffet,[1] Francisco Labastida,[2] general Enrique Cervantes,[3] Julio César Ruiz Ferro[4] y Adolfo Orive.[5] Se les han sumado, en la labor de encubrimiento, Rosario Green,[6] Emilio Rabasa Gamboa,[7] Roberto Albores Guillén[8] y Jorge Madrazo Cuéllar.[9] Estos criminales ocupan u ocuparon diversos cargos gubernamentales en los ámbitos federal y estatal, y tarde o temprano, habrán de comparecer ante la justicia y responder por su grado de implicación en este hecho brutal y sangriento que marcó ya definitivamente el fin del siglo mexicano.

La activación de grupos paramilitares, constituye la columna vertebral de la guerra sucia del gobierno de Zedillo en contra de los indígenas mexicanos. Desde febrero de 1995, cuando fracasó la ofensiva militar desatada por la traición gubernamental, Ernesto Zedillo conoció, aprobó y echó a andar la estrategia paramilitar para resolver, mediante el uso de la fuerza, la lucha zapatista. Mientras el Partido Revolucionario Institucional (PRI) ponía la mano de obra de esta empresa de muerte y el Ejército Federal daba armamento, municiones, equipos, asesoría y entrenamientos, el gobierno de Zedillo iniciaba la simulación de un diálogo y una negociación que no buscaban ni busca la solución pacífica del conflicto. Por el contrario, los distintos equipos "negociadores" del gobierno han tenido y tienen una sola consigna: "Simular disposición al diálogo y posponer continuamente el logro de acuerdos y su cumplimiento, e impedir la firma definitiva de la paz". Esteban Moctezuma Barragán, Marco Antonio Bernal, Jorge del Valle,[10] Gustavo Iruegas y Emilio Rabasa Gamboa, son los distintos nombres que ha tenido la hipocresía gubernamental. Ninguno de ellos ha tenido el valor de, sabiéndose usados para la guerra, negarse a ser cómplices de los asesinatos, que son el único haber del gobierno en el conflicto del Sureste mexicano.

Un nombre resume la posición gubernamental respecto a Chiapas: *Acteal*; el etnocidio que quiere ser ocultado con hipocresía, la impunidad garantizada por la legalidad institucional.

II. Los ataques contra la paz en Chiapas

Al crimen de Acteal le siguió una cadena de hechos violentos, protagonizados todos por el gobierno, cuya dirección fue clara: romper toda iniciativa de paz, destruir toda esperanza de una solución pacífica del conflicto, y renovar una y otra vez el canto de guerra y muerte en contra de los habitantes originales de estas tierras.

A) *Ataques a los municipios autónomos.* Reconocidos por los acuerdos de San Andrés, firmados por los representantes de Zedillo en la mesa del diálogo, los municipios autónomos fueron objetivos militares de las fuerzas armadas federales y de la jauría que simula gobernar el estado de Chiapas. Taniperla, cabecera municipal de Ricardo Flores Magón, y Amparo Aguatinta, cabecera del municipio Tierra y Libertad, fueron tomados a sangre y fuego por tropas conjuntas del

Ejército Federal, la Judicial Federal y las policías del estado de Chiapas. Más de mil hombres armados destruyendo casas comunitarias, farmacias y bibliotecas, golpeando y torturando niños, mujeres, hombres y ancianos. Solitarios, el gobierno y algunos medios de comunicación que lo acompañan en la pérdida de legitimidad,[11] se aplaudieron a sí mismos. A nombre de una legalidad construida sobre la simulación y la corrupción, se golpeaba y destruía la esperanza de una paz real y pronta a la guerra en el Sureste mexicano.

Cada nuevo golpe represivo de esa mezcla de perro faldero con perro de caza que se llama Albores Guillén, fue acompañado por un Zedillo dispuesto a avalar personalmente la guerra en contra de los indígenas.

El municipio autónomo de San Juan de la Libertad recibió el sello sangriento que Acteal prometía en los choques armados de Chavajeval. Tres indígenas fueron asesinados, y en Unión Progreso, cinco indígenas fueron tomados presos y ejecutados sumariamente por tropas conjuntas del Ejército Federal y la policía de Seguridad del estado de Chiapas. Así, Ernesto Zedillo Ponce de León sumaba a su lúgubre haber más muertes morenas.

B) Ataques a la Conai y a la Cocopa. Las instancias de mediación y coadyuvancia fueron definidas también como objetivos a destruir en la guerra vergonzante del gobierno mexicano.

Los ataques a la Comisión de Concordia y Pacificación (Cocopa), siguieron la lógica de los "ajustes de cuentas" de la clase política en el poder. Siguiendo el peligroso juego de "ahora sí, ahora no", el gobierno primero aceptó el Proyecto de Ley elaborado por la Comisión Legislativa y luego se desdijo. Teniendo la solución pacífica al alcance de la mano, Zedillo dio una patada a la mesa de diálogo y presentó, *unilateralmente,* una iniciativa de ley indígena al Congreso de la Unión, desconociendo así lo que sus representantes firmaron en la mesa de San Andrés. Después de tratar de anular políticamente a la Cocopa, el gobierno federal la emplazó a definirse a su favor (es decir, a favor de la guerra). Los legisladores se negaron y ahora el gobierno pretende hacerlos a un lado y convertirlos en un adorno inútil y aparatoso. El Ejecutivo Federal no concibe de otra forma al Poder Legislativo: o lo sigue incondicionalmente en sus aventuras bélicas o es un estorbo.

Por esta vez el Congreso de la Unión hizo valer su independencia como Poder de la Federación, y voces dignas y razonables dentro de las distintas fracciones parlamentarias detuvieron la iniciativa del Ejecutivo Federal, y pararon así lo que detrás de ella se ocultaba: la reanudación de la guerra abierta en contra de los zapatistas.

La derrota de la iniciativa de Zedillo en el Congreso no le preocupa al gobierno. Lo que le preocupó y preocupa es no encontrar consenso ni apoyo, ni siquiera dentro del partido de Estado, para su proyecto de guerra.

Si Acteal y los alevosos ataques en contra de los municipios autónomos son muestra de que el gobierno de Zedillo no quiere otra cosa que la aniquilación de los indígenas mexicanos, la presentación de la iniciativa de Ley de Zedillo, es un síntoma de su decisión definitiva de no cumplir su palabra y de su desesperación por darle una careta de legalidad a la guerra ilegítima que lleva adelante.

En forma paralela al ridículo al que redujo a la Cocopa, Zedillo desarrolló una verdadera campaña de ataques (que incluyó los intentos de asesinato) en contra de la Comisión Nacional de Intermediación (Conai), especialmente en contra de su presidente, el obispo Samuel Ruiz García. A las emboscadas fallidas realizadas por el brazo militar de la Secretaría de Desarrollo Social,[12] la banda autodenominada "Paz y

Justicia", el gobierno sumó una intensa campaña de desprestigio en prensa, radio y televisión, el hostigamiento conjunto de la Secretaría de Gobernación y del alto clero católico, y los golpes policiacos del Instituto Nacional de Migración. La destrucción de la Comisión Nacional de Intermediación se consumó apenas unas horas antes del asesinato vil de cinco indígenas en Unión Progreso y tres en el choque armado en Chavajeval. La muerte de la Conai fue seguida inmediatamente por su consecuencia lógica: la muerte violenta de indígenas y la reanudación de los combates.

Si la reducción a la inmovilidad de la Cocopa y el envío unilateral de su iniciativa de Ley fueron las señales que Zedillo envió al Congreso para que se entendiera que no aceptaba que el Poder Legislativo impidiera su guerra, la destrucción de la Conai significó el desmantelamiento del único puente de diálogo y comunicación entre las partes.

Atacando al Congreso de la Unión y a la sociedad civil nacional, representada simbólicamente por la Conai, el gobierno federal repitió el mensaje que escribió con sangre en Acteal.

c) *Ataques a los observadores internacionales.* La evidente decisión guerrera de Ernesto Zedillo no sólo recibió el rechazo del Poder Legislativo Federal y la franca oposición de la sociedad civil nacional. La comunidad internacional vio con horror el genocidio que esas medidas gubernamentales anunciaban y prontamente se movilizó para hacer lo posible y detener la muerte que ya se sembraba en tierras indígenas. Observadores de norte, centro y Sudamérica, así como de Europa y Asia, cruzaron miles de kilómetros y atravesaron océanos enteros para llegarse hasta las montañas del Sureste mexicano con un solo mensaje: *paz con justicia y dignidad.* El gobierno federal decretó entonces que la guerra de exterminio en contra de los indígenas era una muestra de la soberanía nacional y exigió que no hubiera testigos sino cómplices. Así, todos aquellos que no simulaban y no aplaudían la guerra fueron, son acusados de "turistas revolucionarios" y de "pretender la injerencia en asuntos internos". A las acusaciones siguieron los deportados y el resultado es hoy claro: en Chiapas son bienvenidos los extranjeros que aplauden la guerra y la destrucción; los que buscan la paz y la construcción son hostigados y expulsados.

Borracho de sangre, el gobierno no sólo desprecia al Congreso de la Unión y al pueblo de México, también ignora el clamor internacional que se hace eco de una misma exigencia a Zedillo: *detenga su guerra y comprométase con la paz.*

Esto fue 1998 para el gobierno federal en el conflicto del Sureste mexicano: la masacre de indígenas, el ataque a los municipios autónomos, la reanudación de los combates, la destrucción de la Conai, la inmovilidad de la Cocopa, el incumplimiento de los Acuerdos de San Andrés, el desprecio al Congreso de la Unión y la expulsión de observadores internacionales.

Este es el resumen de un año, el de 1998, para el gobierno federal: guerra de exterminio en contra de los indígenas mexicanos, impunidad para los criminales, incumplimiento de los acuerdos pactados, destrucción de los puentes de diálogo y negociación, y desafío a la opinión pública nacional e internacional.

En 1998 el gobierno mexicano no ofreció a los indígenas mexicanos otra cosa que no fueran la guerra y la destrucción.

III. La política económica del gobierno: la otra guerra

Mientras el gobierno llevó adelante su guerra de exterminio en contra de los pueblos indígenas, otra guerra continuó. La política económica neoliberal que el señor Ernesto Zedillo impone con el apoyo de un puñado de cómplices y en contra de la voluntad de la inmensa mayoría de los mexicanos, siguió destruyendo las bases materiales del Estado Nacional. Presa de una crisis financiera internacional que no ha hecho sino apenas anunciarse, la economía mexicana sólo promete ser cada día peor para los mexicanos más pobres y asegura, a las llamadas "clases medias", un lugar entre los desposeídos. Ni la pequeña ni la mediana empresas tienen las mínimas posibilidades reales de sobrevivir dentro de este modelo económico. Incluso las grandes empresas nacionales enfrentaron y enfrentarán condiciones desventajosas en la competencia por los mercados.

El crecimiento desmesurado de los precios en los productos básicos, los recortes presupuestales, las deudas impagables por intereses usureros, la impunidad para banqueros delincuentes, el aumento de impuestos, la inseguridad pública como patrimonio, todo es parte de un modelo económico *importado,* que opera en México como un cruel nivelador social.

La mayoría de los mexicanos están en condiciones igualitarias de vida, pero no en la bonanza o en los niveles mínimos de una vida digna. No, por el contrario, la pobreza iguala hoy a las clases medias de ayer con los pobres de siempre. Lo único que crece de manera apreciable en este modelo económico son los índices de pobreza, el número de desposeídos y la cantidad de empresas nacionales en bancarrota.

En 1998 las señales de que el modelo económico neoliberal es criminal e ineficaz no sólo vinieron del interior. De los puntos más lejanos de la geografía mundial llegaron, una tras otra, oleadas de crisis financieras que terminaron de arruinar la empresa nacional, devaluaron el peso mexicano y angostaron más aún las ya raquíticas expectativas de re-

24

cuperación; pero ni las protestas y el descontento de los nacionales, ni las serias advertencias de las crisis financieras en Asia, Europa y Sudamérica, convencen al reducido grupo de ciegos iluminados que dirigen los destinos de este país. En contra de todos los ciudadanos, en contra de la historia, incluso en contra de la realidad, los zedillistas han decidido no variar el rumbo hacia el abismo.

En la maltrecha nave de la economía nacional, el ebrio timonel ha decidido ya a quiénes sacrificar primero en el inminente naufragio. Decenas de millones de mexicanos verán reducirse sus condiciones de vida a niveles por debajo del mínimo, los gobernantes privatizarán hasta la bandera y el escudo nacionales, los ricos serán menos pero más ricos, y en la radio, la televisión y la prensa se nos dirá que todo es por nuestro bienestar... y el de nuestra familia.[13]

La administración de la impunidad en el crimen económico que se llama neoliberalismo, tuvo en 1998 una oportunidad de lucir toda su podredumbre. Con el Fobaproa[14] no sólo se condenó a generaciones enteras de mexicanos a pagar el enriquecimiento ilícito de banqueros y gobernantes, también se exhibió el verdadero objetivo de la política económica gubernamental: proteger al rico y poderoso, aun a costa de todo y de todos.

El cambio de nombre que el PRI y el PAN dieron al Fobaproa no alcanza a ocultar la naturaleza de su acción: a pesar de las pruebas evidentes de violaciones a la Constitución por parte del Ejecutivo, a pesar de que el fondo fue usado con fines políticos partidarios, a pesar de que el dinero se usó para financiar a delincuentes de *cuello blanco*, y a pesar de que es innegable la responsabilidad del gabinete económico en este sucio asunto, la traición legislativa se consumó y demostró que el ciudadano común y corriente se encuentra indefenso ante las acciones del mal gobierno.

En este oscuro túnel neoliberal no hay salida. La única salida real, posible y necesaria, es el cambio de modelo económico.

IV. Un botón de muestra de la crisis del sistema político mexicano

La última de las instituciones del Estado mexicano que se mantenía soportando el desmoronamiento, el Ejército Federal, encontró en este año de 1998 la confirmación de que su crisis no es sólo de legitimidad. Gracias a las decisiones y órdenes de su "mando supremo" (Ernesto Zedillo), el Ejército Federal se vio a sí mismo en el trabajo de "bombero" de los políticos. Ahí donde falla la política, se recurre al Ejército. Y como la política está fallando en todas partes y en todos los niveles, los militares se han visto en un terreno que no es el suyo como institución. Los resultados no se han hecho esperar, además de las evidentes violaciones a los derechos humanos en Chiapas, Oaxaca, Guerrero, la Huasteca y Jalisco, el contagio del narcotráfico aumentó y el descontento interno volvió a manifestarse.

Después de una costosa campaña publicitaria que buscaba recomponer su maltrecha imagen, el Ejército Federal vio desmoronarse, en cuestión de minutos, lo poco que había ganado.

El 2 de octubre de 1998, treinta años después de un crimen que creían olvidado, la historia vino a pasar la cuenta y el Ejército pagó, y pagó caro. Apenas unas semanas después, en vísperas de que el primer aniversario de la matanza de Acteal volviera a poner a los militares en el banquillo de los acusados, un grupo de militares disidentes con el nombre de "Comando Patriótico por la Concientización del Pueblo", tomó la voz y las calles para denunciar una serie de irregularidades dentro de las filas castrenses.

Los militares del Comando Patriótico de Concientización del Pueblo recibieron, como respuesta a sus demandas, lo mismo que reciben de parte del Poder todos los mexicanos que individualmente o en grupo exigen sus derechos: condenas, campañas publicitarias en contra, difamaciones, descrédito, acusaciones de traición, persecución, silencio.

Ciertamente, el Comando Patriótico despierta no pocas dudas y el camino que deberá recorrer para ganarse legitimidad ante el pueblo es largo todavía. Falta ver y conocer.

V. EZLN: contra la guerra de exterminio, la resistencia

La oferta gubernamental de muerte no fue comprada por los zapatistas. A la guerra de exterminio no opusimos nuestra guerra. A la destrucción no respondimos con destrucción. A la muerte no contestamos con muerte.

Una palabra sintetiza un año de callado heroísmo protagonizado por decenas de miles de indígenas, hombres, mujeres, niños y ancianos: resistencia.

Todo el esfuerzo organizativo del Ejército Zapatista de Liberación Nacional se volvió hacia adentro. Callados hacia fuera, los zapatistas volteamos hacia dentro nuestro y organizamos la resistencia de nuestros pueblos. Todos nuestros recursos humanos y materiales se dedicaron no a la guerra sino a la resistencia contra la guerra. Toda nuestra fuerza se orientó no a la destrucción, sino a la construcción. Nuestra bandera no fue la muerte sino la vida.

Un análisis sereno de las acciones gubernamentales nos hizo entender que su objetivo era la guerra abierta. Decidimos entonces no sólo no seguirlo en su invitación al horror, también nos esforzamos por hacerlo fracasar rotundamente.

Una guerra no se derrota con iniciativas de guerra. Se derrota con iniciativas de paz. Y para preparar esas iniciativas de vida nos encerramos en nosotros mismos y levantamos entonces el arma del silencio. Protegidos por ella miramos al pasado inmediato y vimos nuestros compromisos, miramos al lejano pasado y vimos nuestras experiencias y conocimientos, miramos al futuro colectivo y vimos el mañana de todos. Así decidimos la resistencia, así la vivimos, así la sostenemos.

Para no caer en el juego de la muerte, en esa trampa sangrienta de la guerra entre indígenas, miles de zapatistas dejaron todo lo que tenían y se convirtieron en desplazados de guerra. Hombres, mujeres, niños y ancianos, tzotziles, tzeltales, tojolabales, choles y mames, abandonaron sus casas y tierras porque queremos la paz con justicia y dignidad. No queremos ni la rendición ni la paz simulada ni la guerra entre pobres.

Por eso los nuestros no hacen la guerra contra indígenas ni civiles, pero tampoco aceptan las limosnas gubernamentales. No nos alzamos para obtener beneficios propios. Nuestra lucha es para todos, todo, nada para nosotros. Esta es nuestra resistencia. Una apuesta a un mejor mañana, sí, pero con todos.

Después de transcurrido este quinto año de la guerra contra el olvido, los zapatistas podemos decir que somos más y más fuertes. Lo somos porque nuestro corazón y fuerza principal, los pueblos zapatistas, han resistido con paciencia y sabiduría una de las peores ofensivas en contra nuestra. No es la primera. No será la última, pero tarde o temprano habrán de verse cumplidas nuestras demandas y entonces, sólo entonces, la paz será verdadera.

El Comité Clandestino Revolucionario Indígena-Comandancia General del Ejército Zapatista de Liberación

Nacional hace aquí y hoy un reconocimiento público a los pueblos indígenas zapatistas. Ellos son nuestros verdaderos jefes, nuestra sangre, nuestra arma y bandera.

Después de haber demostrado que el silencio es también arma en mano de los desposeídos, fortalecidos y claros, los zapatistas lanzamos en junio de este año la *Quinta Declaración de la Selva Lacandona*. En ella llamamos al pueblo de México y a los pueblos del mundo, a una movilización por el reconocimiento de los derechos de los pueblos indios y por el fin de la guerra de exterminio.

A pesar de que de parte del gobierno sólo recibimos mensajes de invitación a hacer la guerra, los zapatistas respondemos con una iniciativa política que es, en esencia, un nuevo esfuerzo de diálogo y paz.

Entendiendo que en el gobierno no hay ni el ánimo ni las intenciones ni el compromiso sincero de asumir la vida del diálogo con todas sus consecuencias, el EZLN insiste en dirigirse a los elementos de la sociedad mexicana que desean y promueven la paz como camino, ruta y destino.

La sociedad civil nacional, esa nueva fuerza política y social despreciada en todo tiempo y lugar que no sean los electores, está llamada a convertirse en el arquitecto principal y protagónico, no sólo del proceso de paz, también de las transformaciones fundamentales que harán de este país una nación democrática, libre y justa. A esta sociedad civil es a la que el EZLN reconoce como interlocutora en un nuevo diálogo.

El Congreso de la Unión es otra parte del Estado mexicano que tiene la oportunidad de construir la paz. El Poder Legislativo es eso: el poder de hacer leyes que beneficien, que reconozcan y hagan justicia. Vendrá la hora del Congreso, y en esa hora deberá responder una cuestión importante, incluso más que cualquier ley de ingresos y egresos, y definirse a favor de la paz.

Como parte de la movilización a la que llama la quinta declaración, se ha lanzado la iniciativa de una consulta a todos los mexicanos sobre el reconocimiento de los derechos de los pueblos indios y por el fin de la guerra de exterminio. Esta consulta se realizará el día domingo 21 de marzo de 1999 en todo el país, y en todos los lugares del mundo donde mexicanos y mexicanas se organicen para participar y dar a conocer su opinión.

Para promover y realizar esta consulta, 5 mil delegados zapatistas (2 mil 500 hombres y 2 mil 500 mujeres), se movilizarán para visitar todos los municipios del país. La consulta se hará con base en cuatro preguntas: dos sobre los derechos indígenas, una sobre la guerra y otra sobre la relación entre gobernantes y gobernados.

Compuesta por varias etapas, la consulta está ahora en la difusión y promoción. Hoy reiteramos nuestra invitación a todos los mexicanos y mexicanas para que formen *brigadas* de promoción y difundan la realización de esta movilización democrática que busca sólo dos cosas: el reconocimiento de los derechos indígenas y la paz en México.

VI. El reconocimiento de los derechos de los pueblos indios, principal demanda del EZLN

Hoy, a cinco años del inicio de nuestro alzamiento, el Ejército Zapatista de Liberación Nacional repite: nuestro objetivo no es hacernos del poder, tampoco obtener puestos gubernamentales ni convertirnos en un partido político. No nos alzamos por limosnas o créditos. No queremos el control de un territorio o la separación de México. No apostamos a la destrucción ni a ganar tiempo.

Nuestras demandas principales son el reconocimiento de los derechos de los pueblos indios, y democracia, libertad y justicia para todos los mexicanos y mexicanas.

En estas demandas nos acompañan no sólo los más de diez millones de indígenas mexicanos, también caminan junto nuestro millones de hombres y mujeres obreros, campesinos, desempleados, maestros, estudiantes, artistas, intelectuales, colonos, amas de casa, homosexuales y lesbianas, discapacitados, seropositivos, jubilados y pensionados, religiosos y religiosas, choferes, vendedores ambulantes, pequeños empresarios, pilotos y sobrecargos, diputados, senadores, mexicanos que viven en el extranjero, organizaciones no gubernamentales, niños, niñas, hombres, mujeres, ancianos... y militares.

Con el reconocimiento de los derechos de los pueblos indios, la paz será posible. Sin ese reconocimiento, ningún punto de la ya larga agenda de pendientes nacionales podrá resolverse a cabalidad. Con la democracia, la libertad y la justicia para todos los mexicanos será posible otro país, uno mejor, uno más bueno.

VII. 1999: la vieja y la nueva política

Hermanos y hermanas:

Este es el México que tenemos al iniciar este año de 1999. En este año, el sexto de la guerra, se enfrentarán de nuevo dos formas de hacer política.

Por un lado, los partidos políticos con registro habrán de definir sus candidatos a la Presidencia de la República y al Congreso de la Unión. Con la selección de esos candidatos se elegirán, explícita o implícitamente, las diferentes propuestas de nación, los proyectos económicos, las posiciones políticas.

Para la clase política mexicana, 1999 es el año de los partidos políticos, de los ajustes internos (que en el caso del PRI podrían llegar de nuevo al asesinato), de las preparaciones y de las elecciones internas. Esta es la vieja política, la que se decide entre profesionales y sólo se vuelve a ver al ciudadano cuando lo necesita como elector. Después de ese momento le secuestran su capacidad de decisión, lo suplen en sus derechos ciudadanos y le oponen la maquinaria del Estado su manifiesta inconformidad, rebeldía o desacuerdo. Esta política ha demostrado su ineficacia, su exclusión, su autoritarismo.

Los partidos políticos son ciertamente necesarios. Lo que es innecesario es un modo de hacer política, ese que no manda obediencia ni tiene los mecanismos para mandar obedeciendo.

Por otro lado, las fuerzas sociales, ciudadanas e individuales deberán definir el espacio de su participación política. No sólo para el año 2000, pero también para el 2000. Desde este 1 de enero y hasta el 21 de marzo de 1999, un espacio se ha abierto para intentar construir otra forma de hacer política, una que incluya y tolere, una que escuche permanentemente, una que se construya hacia los lados y mire hacia arriba con dignidad, y también con las herramientas necesarias para obligar a los de arriba a estar mirando continuamente hacia abajo.

Con un nuevo esfuerzo de diálogo, como una muestra de nuestra disposición a una salida pacífica, como una reafirmación de nuestro compromiso con los pueblos indios, como una reiteración de nuestro anhelo de vida, como una colaboración en la lucha por abrir espacios de participación ciudadana, como una lucha más por construir una nueva forma de hacer política con la gente, por la gente y para la gente, este 1 de enero de 1999, año sexto de la guerra contra el olvido, los zapatistas llamamos a todos y a todas, a participar en la *Consulta por el Reconocimiento de los Derechos de los Pueblos Indios y por el Fin de la Guerra de Exterminio* el día domingo 21 de marzo.

Para este año de 1999 no llamamos al pueblo a la guerra, pero tampoco lo llamamos al conformismo ni a la inmovilidad.

Lo llamamos a la movilización pacífica, a la lucha por los derechos de todos, a la protesta en contra de la injusticia, a la exigencia de espacios de participación democrática, a la demanda de libertad.

Llamamos a todos y a todas no a soñar, sino a algo más simple y definitivo, los llamamos a despertar.

¡Democracia!
¡Libertad!
¡Justicia!

Desde las montañas del Sureste mexicano
Comité Clandestino Revolucionario Indígena–
Comandancia General
del Ejército Zapatista de Liberación Nacional
México, enero de 1999

Tecnología maya

(No olvidamos que el día 12 fue
el quinto aniversario del otro alzamiento)

A la prensa nacional e internacional
Damas y caballeros:

Van dos comunicados dos. El uno y el otro señalan nuevas arbitrariedades del Estado de Derecho. En resumidas cuentas está claro que cuando un Estado pierde toda legitimidad, sólo le queda el pírrico sostén de las cárceles y las bayonetas. ¿Y la justicia? "Eso es populismo irresponsable", responde el responsable de la ruina económica, social y política de México.

Enero ha sido de dolores para el país, doble dolor para los de abajo. Primero fue la muerte de monseñor Bartolomé Carrasco, miembro de la Comisión de Seguimiento y Verificación,[15] y religioso comprometido con las causas de los mexicanos pobres, especialmente de los indígenas oaxaqueños. Por él, acá duele también el dolor que duele en las comunidades indígenas de Oaxaca.

Después fue la muerte de Rodolfo F. Peña, editorialista de *La Jornada*.[16] A ese gran hombre de acción y de pensamiento, muchos lo recuerdan como periodista honesto y defensor de los derechos de los trabajadores del campo y de la ciudad. Nosotros también, pero además lo recordamos y lo tenemos cerca por su apoyo a la lucha de los pueblos indígenas de México. Por eso la pena de sus cercanos es también nuestra pena.

Acá, *Super Can* Albores sigue los pasos de las dictaduras del Cono Sur y presenta su iniciativa de ley para amnistiar militares y paramilitares criminales, y para darle argumento legal a la nueva ofensiva que realiza en contra de las comunidades zapatistas. El Ejército Federal esconde su brutalidad detrás del frágil pretexto del combate al narcotráfico (cuando ellos son los principales promotores de la siembra e importantes beneficiarios de su tráfico). Y la misma estrategia de 98 para Chiapas: vez que viene Zedillo a estas tierras, vez que atacan comunidades con uno u otro pretextos. ¿El Congreso de la Unión marchará detrás de esos llamados a la guerra?

No importa, hagan lo que hagan, 5 mil zapatistas 5 mil, saldrán a todos los municipios para la consulta del domingo 21 de marzo de 1999. Por cierto, ¿ya registraron su brigada de promoción y difusión?

Oficina de Contacto para la Consulta.
Teléfono y fax: (967) 8-10-13 y (967) 8-21-59
Correo electrónico: contacto@laneta.apc.org

La página de Internet (creo que le llaman WEB) está en trámite todavía, pero va a estar de *peluquines.*

Vale. Salud y, si el exigir los derechos ciudadanos es un motín, entonces tendrán millones de amotinados.

Desde las montañas del Sureste mexicano
Subcomandante Insurgente Marcos
México, 14 de enero de 1999

P.D. Preguntona (favor de mandar sus respuestas "A quien corresponda. Los Pinos. México, D.F."):
1. Cuando Labastida declara sobre Chiapas las tonterías que declara, ¿lo hace porque ya es el candidato del PRI para el 2000 o porque ya no lo será? ¿Al aviador Rabasa le pagan

por coordinar el diálogo o por viajar al extranjero a tratar de hacer lo imposible, es decir, lavarle la cara al gobierno mexicano, o por suplantar al Congreso de la Unión y amenazar con suspender la Ley para el Diálogo? El hecho de que la "estrategia gubernamental para Chiapas" se vaya a difundir en el extranjero y no en México, ¿significa que el gobierno pretende internacionalizar el conflicto? El llamado *Libro blanco sobre Acteal* de la PGR, ¿apesta por lo que dice o por lo que no dice? Ahora que Labastida salga, ¿Liébano o Diódoro[17] seguirán la misma estrategia? ¿O ellos sí querrán la solución pacífica del conflicto?

2. Si los maestros, que emplazaron a los senadores a escuchar sus demandas, son acusados de secuestro, ¿de qué se le va a acusar a quienes han secuestrado la política y reparten prisiones y muertes como advertencias? ¿Cuántas cárceles se necesitan para hacer callar a un pueblo?

3. Cuando Zedillo nos dice a todos los mexicanos que el rumbo económico que perpetra mejorará nuestro nivel de vida, ¿es tonto o cínico o hipócrita o perverso o todo lo anterior? El precio de la tortilla, ¿mejora nuestro nivel de vida? ¿Y el de la leche? ¿Y el del pan? ¿Y el de la carne? ¿Y el del huevo? ¿Y el de las verduras? ¿Y el de las medicinas? ¿Y el del transporte? ¿Y las empresas quebradas? ¿Y los despidos? ¿Y los bajos salarios?

P.D. Para las FARC. Colombia, América Latina: Que sean buenos el camino y el paso iniciados en el diálogo de paz de sus representantes con el gobierno de Colombia. Va nuestro respeto, nuestro saludo y nuestro deseo de que el gobierno de Pastrana no imite al del señor Zedillo en México, quien, a más de tres años de firmados los primeros acuerdos de paz con el EZLN, se niega a cumplirlos.

P.D. Militarista: El *Pedrito* (tojolabal, dos años y medio, nació en el primer Intergaláctico), juega con un cochecito sin llantas ni carrocería. De hecho, a mí me parece que con lo que juega el *Pedrito* es un pedazo de esa madera que acá llaman "de corcho", pero él me ha dicho muy decidido que es un cochecito y que va a Margaritas a traer pasaje.

Es una mañana gris y fría de enero y estamos de paso en este pueblo que hoy elige a los delegados (un hombre y una mujer) que enviarán a la consulta del 21 de marzo.

El pueblo está en asamblea cuando un avión del tipo *Commander*, azul y amarillo, de la *Fuerza de Tarea Arcoiris* del Ejército, y un helicóptero pinto de la Fuerza Aérea Mexicana, inician una serie de sobrevuelos rasantes sobre la comunidad. La asamblea no se interrumpe, los que hablan sólo aumentan el volumen de la voz.

El *Pedrito* se harta de tener encima suyo las aeronaves artilladas y va, fiero, a buscar un palo dentro de su choza. Con el pedazo de madera sale el *Pedrito* de su casa y declara enojado que "lo va a pegar al avión porque mucho molesta". Yo me sonrío frente a la ingenuidad del niño.

El avión da una pasada sobre el techo de la champa del *Pedrito* y él levanta el palo y lo blande con furia frente a la aeronave de guerra. El aeroplano desvía entonces su curso y se aleja rumbo a su base.

El *Pedrito* dice "Ya está" y vuelve a jugar con su pedazo de corcho, perdón, con su cochecito.

La *Mar* y yo nos miramos en silencio. Despacio nos acercamos al palo que dejó botado el *Pedrito* y lo levantamos con cuidado. Lo analizo con detalle.

"Es un palo", digo.

"Es", dice la *Mar*.

Sin decir más, lo llevamos.

A la salida topamos a *Tacho*.

"¿Y eso?", pregunta señalando el palo que le quitamos al *Pedrito*.

"Tecnología maya", responde la *Mar*.

Arriba, un cielo súbitamente despejado se dora junto a nubes como mazapanes.

Vale de nuez.

> El *Sup*, tratando de recordar
> cómo es que el *Pedrito* hizo lo que hizo
> (Arriba, el helicóptero es un inútil buitre de hojalata.)

Juan Pablo II visita México por tercera ocasión

17 de enero de 1999

A la prensa nacional e internacional
Damas y caballeros:

Va comunicado sobre la consulta a mexicanos en otros países y llamando a una jornada internacional por los excluidos del mundo.

Viene ya el papa Juan Pablo II, y en Gobernación y Los Pinos apuran cosméticos y maquillajes. El rostro que deben ocultar es el de la guerra en Chiapas, guerra que cobra víctimas también en la Iglesia católica. Tienen problemas Zedillo y Labastida. ¿Cómo ocultarle al papa que los 45 indígenas que mandaron asesinar en Acteal estaban rezando por la paz cuando fueron ejecutados? ¿Cómo esconder los templos religiosos que los paramilitares de "Paz y Justicia" mantienen cerrados? ¿Cómo maquillar las iglesias transformadas en cuarteles por el Ejército Federal? ¿Qué cosmético puede simular la campaña de hostigamiento que siguieron en contra del obispo Samuel Ruiz García para que renunciara a la Conai y hacer a un lado a la Iglesia católica en su labor de mediación? ¿Qué máscara puede hacer callar las declaraciones del general del Ejército Federal que, con una traducción al tzeltal de *El Evangelio según San Marcos* en la mano, "demostraba" la liga de la Iglesia católica con los "transgresores de la ley" (o sea nosotros, los zapatistas)?

¿Y los maestros presos por exigir su derecho? ¿Y la militarización en Oaxaca, Guerrero, Chiapas, Veracruz, Jalisco y la Huasteca? ¿Y los observadores internacionales expulsados del país? ¿Y el descontento popular por la política económica? ¿Y las empresas quebradas?

Se truenan los dedos y nada encuentran que pueda tapar estas verdades. Hacen cruces y ruegan: "Que no haga declaraciones políticas, ¡por favor!".

Acá hay quien nos dice que no nos preocupemos de las provocaciones gubernamentales durante la visita del Papa, pero que cuando se vaya...

Vale. Salud y, ¿no es en el Evangelio donde dice "La verdad os hará libres"?

Desde las montañas del Sureste mexicano
Subcomandante Insurgente Marcos
México, enero de 1999

P.D. Que duda ante el menú. Entre el chilorio sinaloense y el mole poblano, ¿cuál es el aperitivo y cuál es el plato fuerte?[18]

P.D. Cibernética. La página de la consulta está en la siguiente dirección: http://www.laneta.apc.org/consultaEZLN/

Bajarle el "dobladillo" a la esperanza

Enero de 1999

Para: Guadalupe Loaeza
Periódico *Reforma*
México, D.F.

De: Subcomandante Insurgente Marcos
CCRI–CG del EZLN
Chiapas, México

Madame:

Recién leí su carta publicada el 31 de diciembre de 1998 en las páginas del periódico *Reforma*. Le agradezco no sólo sus líneas, también la sinceridad que las anima y el honesto interés que, desde el inicio de nuestro movimiento, ha tenido respecto a Chiapas en particular y a los indígenas mexicanos en general.

No conozco el libro de Jean Marie Le Clezio, ni sé si *Federal Express* tenga servicio a la Selva Lacandona (por si es chicle y pega, la dirección es: Subcomandante Insurgente Marcos, EZLN, Cuartel General *Playa de Trigo*, montañas del Sureste mexicano, Chiapas, México). Sería bueno que también le mandara un ejemplar al señor Zedillo. Además de que evita usted así el que la critiquen de parcial, a Zedillo le ayudará leer algo que le abra el estrecho horizonte de su visión política.

Bien, vayamos a su misiva. Pregunta usted si las comunidades indígenas zapatistas están peor que antes del alzamiento. No. Seguimos *sin* escuelas, maestros, hospitales, médico, medicinas, buenos precios para nuestros productos, tierra, tecnología para trabajarla, salarios justos, alimentos de calidad y cantidad suficiente, viviendas dignas, exactamente igual que antes de 1994. Las comunidades que no son zapatistas están en las mismas condiciones. Nosotros no hemos aceptado las limosnas (eso son) del gobierno. No las hemos aceptado ni lo haremos porque, como lo demuestran las condiciones de vida de los indígenas que sí las aceptan, los problemas no se resuelven y el nivel de vida no mejora en lo más mínimo. Pero sobre todo no las aceptamos porque nosotros no nos alzamos por escuelas, créditos y tiendas de Conasupo para nosotros. Nos alzamos por un país mejor, uno donde, entre otras cosas, se reconocieran nuestros derechos como pueblos indios, se nos respetara y se nos tomara en cuenta como ciudadanos y no como mendigos.

Con todo, hemos tratado de mejorar nuestras condiciones de vida y hemos levantado, en algunos lugares, escuelas con maestros, clínicas y farmacias con agentes de salud. Esto poco que tenemos lo hemos construido y reconstruido (porque una de las heroicas tareas del Ejército Federal en Chiapas, es la destrucción de escuelas, clínicas, farmacias y bibliotecas), con nuestras fuerzas y con la ayuda de personas buenas, organizadas y no, que se llegan hasta estas tierras.

Y sepa usted, Madame, que mucho nos han ayudado (como nunca antes en la larga historia de los pueblos indígenas), pero nunca para hacer la guerra. Nadie se ha llegado a ofrecer armas, balas o entrenamiento militar.

Todos han llegado ofreciendo ayuda monetaria y conocimientos para mejorar la educación, la vivienda, la alimentación, la salud, el trabajo. Estas personas viven un tiempo con nosotros, nos ven como somos, con nuestros defectos (que no son pocos ni pequeños) y con nuestras virtudes (que también las tenemos pero no más ni más grandes que las personas de otras latitudes, colores, culturas). Tal vez algún día pueda hablar usted con alguna de estas personas, cualquiera de ellas le dará un panorama más real y más completo que lo que yo intento, inútilmente, transmitirle en estas líneas.

Nosotros ahora tenemos cosas que antes no teníamos y es muy poco comparado con todas las necesidades; pero la diferencia entre nuestras carencias de antes y las de ahora, es que antes a nadie le importaba el que no tuviéramos lo mínimo indispensable. Lo que sí teníamos antes del 1 de enero de 1994, y que perdimos desde entonces, es la desesperanza, es la amargura, es la resignación.

Somos pobres, sí; pero viera usted que nuestra pobreza es más rica que la pobreza de otros y, sobre todo, más rica que la que teníamos antes del alzamiento. Y es que ahora nuestra pobreza tiene mañana. ¿Por qué? Bueno, porque hay algo muy importante que no teníamos antes del alzamiento y ahora se ha convertido en nuestra más poderosa y temida (por nuestros enemigos) arma: la palabra. Viera usted qué buena es esta arma. Es buena para combatir, para defenderse, para resistir. Y tiene una gran ventaja sobre todas las armas que tiene el gobierno, sean sus militares y paramilitares, ésta no destruye, no mata.

Sé bien que el señor Labastida nos acusa de ser responsables del deterioro en el nivel de vida de las comunidades zapatistas. Labastida representa a un gobierno que tiene a la mitad de su ejército dentro de las comunidades indígenas, que mantiene con bayonetas a un gobernador sustituto, interino, ilegítimo e ilegal, que derrocha miles de millones de pesos, no en la mejora del nivel de vida de las comunidades no zapatistas, sino en pagar costosas campañas de prensa y en financiar grupos paramilitares; un gobierno que ordena a sus soldados que impidan el trabajo de la tierra, que violen mujeres, que promuevan el cultivo y el tráfico de enervantes, que prediquen la religión del alcohol y la prostitución.

Dígame, ¿no es cínico acusarnos a nosotros de lo que ellos clasifican en sus manuales como Guerra de Baja Intensidad? ¿No es una burla a todos que el mismo gobierno que ha promovido el deterioro del nivel de vida del pueblo mexicano (cito información del periódico que tiene el honor de tenerla entre sus editorialistas: *"En 1999, 4 millones de pobres dejarán de recibir asistencia alimenticia o para su desarrollo comunitario, un millón 116 mil niños ya no recibirán leche subsidiada, el gasto de la* UNAM, IPN *y* UAM *cae 50%, el financiamiento de investigación científica pierde el 42%, la construcción de unidades de salud se reduce en un 20%, Conasupo reduce sus gastos en 75% y se alista a su desaparición, 34 millones de mexicanos que compran maíz en tiendas de Diconsa enfrentarán un aumento del 100% en el precio"*. *Reforma*, 2–I–99), nos acuse a nosotros de ser los responsables de la baja del nivel de vida de las comunidades indígenas?

Ahora, suponga usted *madame* que soy un farsante con sorprendentes dotes de manipulación. Suponga que he logrado embaucar a los medios de comunicación más importantes de los cinco continentes, a las Organizaciones No Gubernamentales de varios países, a millones de mexicanos y a usted. Suponga que los he engañado y que en el México indígena y en Chiapas no pasa nada: ni los indígenas han vivido en la miseria más indignante ni es cierto que la vida de un indio en Ocosingo valía menos que una gallina, ni es verdad que todavía en 1993 los finqueros ejercían el derecho de *pernada* en las familias de sus peones. Suponga que es un invento que el mejor ejemplo de la aplicación del Estado de Derecho en Chiapas, es la historia (real, créame) del indígena preso hace unos cuantos años y condenado a 30 años de cárcel por haber asesinado a su padre ("con alevosía, premeditación y ventaja", rezaba el expediente firmado orgullosamente por el juez encargado del caso) que pagaba su "deuda con la sociedad" en el Penal de Cerro Hueco, mientras del exterior sólo recibía regularmente un paquete de tortillas que sin falta le llevaba personalmente... ¡su papá! Suponga que es mentira que el ejército y la policía participaron y participan con singular entusiasmo en los ataques a comunidades indígenas, que es falso y que es una calumnia el que el apresurado paso de México a la modernidad pretendía hacerse olvidando a los más de 10 millones de habitantes primeros de estas tierras.

Vamos *madame*, suponga que todo es así como lo escribo. ¿Ya? Bueno, ahora le suplico que me responda lo siguiente:

1. Si el EZLN no se hubiera alzado en armas el 1 de enero de 1994, ¿el gobierno, México, el Mundo, usted, esos articulistas, el que se apunte, hubieran volteado a ver a los pueblos indios? ¿No era, hasta antes del 94, un insulto el llamar "indio" a alguien?

2. Si las causas fundamentales (y nacionales) que provocan la marginación de los pueblos indios de México, y que están en la raíz del alzamiento zapatista no se han resuelto ni se

44

han sentado las bases para su solución (es decir, pueden provocar otro alzamiento), ¿no sería irresponsable firmar la paz sabiendo que la guerra vendrá de nuevo? ¿No es más responsable exigir que se termine con el alzamiento zapatista pero también con todo lo que lo provocó y lo hizo posible y necesario?

3. Si Marcos es el culpable de que las comunidades indígenas zapatistas no mejoren su nivel de vida, porque las induce u obliga (depende del articulista) a rechazar la ayuda gubernamental, ¿por qué las comunidades indígenas que no son zapatistas están igual o peor que las que sufren la "opresión" zapatista? ¿Por qué, a pesar de los miles de millones que el gobierno dice que ha invertido en Chiapas "para resolver las causas del conflicto y el rezago social", los más de un millón de indígenas no han mejorado su nivel de vida? ¿Son todos zapatistas?

Bueno, ahora suponga usted que esos articulistas que la desvelan dicen la verdad y es Marcos el que impide que el conflicto se solucione, y que sólo busca alargarlo para poder así *cartearse* con las escritoras de las páginas editoriales de *Reforma* (cosa que sería impensable, dicen, si la paz ya se hubiera firmado), que los zapatistas dicen que quieren la paz pero no regresan a la mesa del diálogo con el gobierno porque en realidad no les interesan los pueblos indios sino sus cálculos políticos.

Suponga usted que Zedillo, Labastida, Rabasa, Albores, Green y el que se apunte, tienen razón y las comunidades indígenas (claro, exceptuando a los necios pueblos zapatistas), viven ahora en la abundancia que el gobierno ha tenido a bien facilitarles. Suponga que es cierto eso de que el gobierno ha dado muchas muestras de disposición al diálogo, y las multimencionadas visitas de Zedillo a Chiapas –en 1998–

fueron para respaldar su voluntad a la paz y no para amenazar o para apoyar los golpes represivos que Albores protagonizó a lo largo de ese año. Suponga que es cierto que el gobierno no ve al EZLN como un problema militar sino político y que es cierto que quieren resolverlo con política.

Suponga todo esto *madame* y, entonces, responda estas otras preguntas:

4. Si los zapatistas no somos un peligro militar y nos pueden acabar en cuestión de minutos, ¿por qué el gobierno tiene a más de 60 000 efectivos en lo que ellos llaman la *zona de conflicto*? ¿Para que las comunidades indígenas conozcan las ventajas de la vida occidental, es decir, la prostitución, las drogas y el alcohol que acompañan a las guarniciones federales cuando se instalan DENTRO de las comunidades?

5. Si el gobierno tiene a 60 000 soldados "aplicando la Ley de Armas de Fuego y Explosivos" en territorio chiapaneco, ¿dónde consiguieron y consiguen sus armas, *parque*, equipos y entrenamiento los paramilitares de Paz y Justicia, Máscara Roja, MIRA, Chinchulines, Los Puñales y Albores de Chiapas? ¿Dónde están las armas de grueso calibre que se usaron en la matanza de Acteal?

6. Si el objetivo del diálogo y la negociación es llegar a acuerdos (como los de San Andrés, firmados por el gobierno y el EZLN el 16 de febrero de 1996), y los acuerdos no se cumplen, ¿para qué son el diálogo y la negociación?

7. Si el gobierno no cumplió con los primeros acuerdos de paz que firmó, ¿qué les garantiza a los zapatistas que el gobierno va a cumplir los acuerdos finales cuando se pacte su salida a la vida civil?

No, *madame*, no es tarea ni castigo. Es el viejo método del Viejo Antonio: preguntar para caminar.

Si, no obstante todo esto, la confusión prevalece, le sugiero algo. Llame usted a su amiga Sofía e invítela a visitar, junto a usted, las comunidades indígenas de Chiapas (las zapatistas y las no zapatistas). Vengan de incógnitas, así no podremos preparar una escenografía para engañarlas. Si quieren palpar directamente el ambiente de xenofobia que el gobierno ha logrado crear en Chiapas, acuerden no hablar en español en ningún retén militar o de migración (inglés o francés está bien, aunque para los de migración todo lo que no sea español, es inglés). Tomen el avión a Tuxtla, de ahí viajen a San Cristóbal de Las Casas y, haciendo base ahí, pueden recorrer comunidades zapatistas y no zapatistas en la zona de Los Altos, de la Selva o del Norte de Chiapas. Con el *look* de extranjeras podrán ustedes disfrutar del trato humanitario que militares y agentes de migración brindan a las personas de otros países que osan salirse de las rutas turísticas. Vengan. Lleguen hasta las comunidades. Vean y escuchen a la gente. Tal vez no encuentren la verdad absoluta, pero es seguro que encontrarán donde está la mentira.

Casi al final de su carta, usted dice, y dice bien, que no queremos otro Acteal. No, ni ustedes ni nosotros lo queremos; pero ellos, los que dicen que gobiernan, están dispuestos a repetirlo las veces que sea necesario para destruir no sólo a los zapatistas, sino a los pueblos indios en su conjunto. Lo quieren repetir hasta que los indígenas dejen de serlo y, o desaparezcan o se "occidentalicen".

Nosotros no pensamos permitirlo, y creemos que muchos como usted tampoco van a permitir que ese horror se repita. Por eso estamos haciendo un nuevo esfuerzo de paz y de diálogo con la *Consulta por el Respeto a los Derechos de los Pueblos Indios y por el Fin de la Guerra de Exterminio.*

Sí, ya sé que el nombre es muy largo pero su aspiración es aún mayor.

Por eso le digo que hable con su amiga Sofía y se ponga de acuerdo con ella, formen su brigada de promoción y difusión de la consulta (ojo: esto no significa que estén de nuestro lado, que se vuelvan zapatistas o que suscriban ni total ni parcialmente nuestras posiciones), regístrenla en la Oficina de Contacto para la Consulta (tel. y fax: (967) 8-10-13 y (967) 8-21-59, e-mail: contacto@laneta.apc.org), y empiecen a explicar entre sus amistades y conocidos (que no siempre son los mismos) que la consulta será el domingo 21 de marzo de 1999, en todo el país y en los países donde los mexicanos se organicen para dar su opinión; que son sólo cuatro preguntas y que pueden participar todos los mexicanos y mexicanas mayores de 12 años.

No las estoy tratando de reclutar, *madame* (como seguramente le van a decir algunas de sus amistades), sólo las estoy invitando a trabajar por la paz. Por eso, díganles algo muy sencillo y urgente: Acteal no debe repetirse, y para que no se repita, es necesario reconocer los derechos de los pueblos indios y detener la guerra de exterminio. ¿Parece consigna? Créame que no, *madame*, es algo más definitivo: es un deber.

Si después de todo y de todos sigue usted confundida, no se preocupe *madame*. Mire usted hacia ese puente que une el cerebro con el corazón, el pensamiento y el sentimiento (alma, le dicen unos). Mire usted y escuche, estoy seguro que sabrá lo que es bueno, que no siempre es lo mejor, pero jamás es innecesario.

Por último, para aumentar su confusión, aquí le va una anécdota zapatuda: por acá hicieron una tienda cooperativa de modas, se llamó *La Zapatista Elegante* y su lema era *Contra el mal gusto reaccionario, la elegancia revolucionaria.* Qué tal, ¿eh? ¿No es evidente nuestra perversidad?

Vale. Salud y, ya verá usted, de lo único que somos realmente culpables es de haberle bajado el dobladillo a la esperanza.

Desde las montañas del Sureste mexicano
Subcomandante Insurgente Marcos
México, enero de 1999

P.D. Le mandamos muchos saludos y agradecemos lo del pasamontañitas.[19] No hay tal... todavía, pero la mantendremos informada.

El arbolito y los otros

20 de febrero de 1999

A la Sociedad Civil nacional e internacional
De: *Sup* Marcos
Señora:

Nosotros de nuevo. Sí otra vez. ¿Qué? ¿Que era mejor cuando estábamos en silencio? ¡Voooy! ¿A lo macho? ¿Qué? ¿Era broma? ¡Ah bueno! Pues fue de muy mal gusto. Ahora de castigo no le voy a contar nada de como van las brigadas en

México. Así que usted no sabrá que para el 16 de febrero (dos días después de que le dijéramos que iban 600) se habían ya acreditado mas de 800 brigadas y que son más de 10 000 voluntarios los que en ellas trabajan.

Y no sabrá que ya se están acreditando Coordinadoras de varios estados, ni que algunas de ellas están tan avanzadas en su trabajo que ya tienen el plan y el modo para cubrir todos sus municipios. ¿Qué? ¿Duele? Ya pues, estamos a mano.

Mire, yo le escribo para avisarle que ya hay un número de cuenta bancaria para que usted pueda aportar económicamente a la Consulta. El número de cuenta es Cuenta Maestra Bancomer Núm. 5001060–5, Plaza 437, San Cristóbal de Las Casas, Chiapas, México, y está a nombre de doña Rosario Ibarra de Piedra. Les aclaramos que este número de cuenta es independiente de las finanzas de cada estado. Así que les pedimos a todos y todas, de México y de todos los países que quieran ayudar, que manden su donativo a esta cuenta. Los gastos que se harán son muchos y, no obstante que hemos recurrido ya a nuestro fondo de guerra (que en realidad es de paz, porque sólo lo usamos para iniciativas pacíficas), no la libramos. Les solicitamos que confirmen sus depósitos en la Oficina de Contacto para la Consulta del EZLN (e-mail: contacto@laneta.apc.org. Tel. / fax: (967) 8 10 13 y 8 21 59).

Aprovecho el viaje para responder afirmativamente a la invitación que recibimos de la Universidad Autónoma Metropolitana–Unidad Xochimilco, en el sentido que delegados zapatistas visiten esa casa de estudios en las fechas en que andarán por la ciudad de México (ojo: del 14 al 21 de marzo). Por supuesto que aceptamos, ahí estaremos (claro, siempre y cuando cambien el menú de la cafetería). Hay más peticiones de Instituciones de Educación Superior, las cuales iremos respondiendo.

También le aviso (vea como no soy rencoroso), que ya está a la venta el video zapatero sobre la consulta, es de 20 minutos, vale 20 varos y se consigue (creo) en la Oficina de Contacto para la Consulta. ¡Apúrese porque se agotan! (¡Ojalá!).

Vale. Salud y ya casi terminamos un "video clic" (que es distinto al anterior), nos está quedando de peluquines y aspiramos, modestamente, a un *Grammy* por el mejor "video clic" o a una nominación al *Oscar* en micro–cortometraje (dura menos de 4 minutos). ¡No se lo pierda!

Desde las montañas del Sureste mexicano
Subcomandante Insurgente Marcos
México, febrero de 1999

P. D. Que llama a la unidad. Una de estas madrugadas estaba *la Mar ídem* de cansada. Yo, entonces, encendí la pipa y recurrí a mi libro de *Cuentos del Hipocampo* y le leí el cuento de...

El arbolito y los otros

Había una vez un arbolito que muy solito se estaba pero muy dispuesto de adornar y cantar en el huerto del otro.

Ahí estaba pues el arbolito y entonces llegó el otro a mirarlo y llevarlo; pero resulta que el otro no era otro sino otros. Los otros querían llevar el arbolito a su respectivo huerto, pero sólo había un arbolito pues, y los otros eran varios otros. Y el arbolito estaba pues dispuesto a plantarse en todos los huertos, pero solo un arbolito había y los otros pues eran varios otros.

Entonces los otros empezaron a discutir que quién se quedaba con el arbolito para llevarlo a su huerto. Y el uno de los otros decía que él lo llevaba porque él era más otro que los otros de los otros. Y el otro uno de los otros decía que no, que él llevaba el arbolito porque él tenía un huerto más bonito y etcétera, y otro otro decía que mejor él porque él era mero jardinero y qué mejor que él para cuidar al arbolito y así se estuvieron peleando un rato y no llegaban a ningún acuerdo de unidad, porque aunque eran otros, no respetaban al otro que era de ellos pero era otro. Y entonces acabaron peleando y dijeron que cada quien se iba a llevar un pedazo del arbolito.

Entonces el arbolito habló y dijo así: No estoy de acuerdo porque, además de que no hay que andar cortando árboles porque atenta contra el balance ecológico, nadie va a salir ganando. Si uno de ustedes se lleva mis ramas, y otro se lleva el tronco, y el otro la raíz y cada cual lleva su pedacera a su huerto pues no va a salir bien. El que lleve las ramas y las plante pues no va a tener nada porque no tienen el tronco para sostenerse ni la raíz para alimentarse. El que lleve el tronco tampoco va a tener nada porque, sin ramas ni raíz, el tronco no va a poder respirar ni alimentarse. El que lleve la raíz igual, porque sin tronco ni ramas la raíz no va a poder crecerse ni respirar. Si, en cambio, hacemos un buen acuerdo entre todos, puedo plantarme un tiempo en el huerto de uno y luego otro tiempo en el huerto del otro y así. De esta manera todos tendrán frutos y semillas en todos y cada uno de los huertos.

Los otros quedaron pensando.

Tan–tan.

—¿Así termina? —pregunta la *Mar*.

—Sí pues —digo yo cerrando el libro. La *Mar* insiste:

—No sé, hay que esperar —respondo mientras esquivo el lapicero que la *Mar* me arroja.

Vale de nueve.

El Sup tarareado aquella que dice
"Mi padre y yo lo plantamos,
en el límite del patio
donde termina la casa,
etcétera…"

Comunicado apócrifo en Internet

4 de marzo de 1999

A la Sociedad Civil nacional e internacional
A los usuarios de "Internet":

Primero. Desde el día 3 de marzo de 1999, está circulando en Internet un comunicado apócrifo que llama a la Sociedad Civil a hacer depósitos a favor de la consulta del EZLN, pero da un número de cuenta que, en realidad, corresponde a la asociación "Amigos de Vicente Fox A.C./Coalición".

Segundo. Con el fin de simular autenticidad, este apócrifo utiliza partes textuales de comunicados del EZLN, mezclados

53

con llamados a participar en una supuesta coalición para el año 2000, está firmado por un falso "Comité Organizador de la Consulta Nacional", y le llega a la gente como si procediera de la oficina de contacto de la consulta del EZLN.

Tercero. El auténtico número de cuenta bancaria para hacer depósitos de apoyo a la consulta es: Bancomer. Cuenta Maestra Número 5001060–5. Plaza 437. San Cristóbal de Las Casas, Chiapas, México. A nombre de Rosario Ibarra de Piedra.

Cuarto. Hacemos un llamado de alerta a la opinión pública nacional e internacional, y a los cibernautas de México y el mundo, para que no caigan en estos engaños que sólo buscan hacer fracasar la iniciativa de paz del EZLN.

¡Democracia!
¡Libertad!
¡Justicia!

Desde las montañas del Sureste mexicano
Subcomandante Insurgente Marcos
Por el Comité Clandestino Revolucionario Indígena–
Comandancia General
del Ejército Zapatista de Liberación Nacional
México, marzo de 1999

A las distintas organizaciones político–militares

10 de Marzo de 1999

A las Comandancias, Grupos de Mando, oficiales y tropas
del Ejército Revolucionario del Pueblo Insurgente (ERPI),
del Ejército Popular Revolucionario (EPR),
y de las distintas Organizaciones Político–Militares
Revolucionarias de México:

De: Subcomandante Insurgente Marcos
CCRI–CG del EZLN

Les escribo a nombre de los hombres, mujeres, niños y ancianos del Ejército Zapatista de Liberación Nacional.

Como ustedes sabrán, el próximo domingo 21 de marzo de 1999, se realizará la *Consulta por el Reconocimiento de los Derechos de los Pueblos Indios y por el Fin de la Guerra de Exterminio.* En ella, haremos cuatro preguntas a todo el pueblo de México para conocer su opinión sobre cuatro puntos esenciales de la agenda nacional: el reconocimiento de los derechos indígenas, el cumplimiento de los Acuerdos de San Andrés, la desmilitarización y la transformación democrática de México.

Para preparar esta consulta y acompañarla, el EZLN ha designado a 5 000 de sus miembros (2 500 hombres y 2 500 mujeres) para que recorran los municipios de los 32 estados de la República Mexicana. Estos 5 000 delegados zapatistas inician el día 12 de marzo su gira por todo el país y estarán haciendo su trabajo hasta el día 21 de marzo inclusive.

Tanto la gira de los delegados zapatistas, como la realización de la jornada del 21 de marzo incluye territorios que se encuentran dentro de las áreas de control, influencia e interés de las tropas revolucionarias bajo el mando de ustedes, en mi calidad de jefe militar del EZLN, me dirijo a ustedes para solicitarles respetuosamente que, dada la importancia de esta movilización pacífica, tomen las medidas que consideren pertinentes y adecuadas para que, tanto la visita de nuestros delegados en los municipios que se encuentran en sus territorios, como la consulta del 21 de marzo de 1999, se lleven a cabo en las mejores condiciones posibles.

Sabemos que la causa que anima sus luchas respectivas es alta y que sabrán escuchar esta solicitud que, con seriedad y respeto, les hacemos.

Vale. Salud, y que el mañana sea mejor para todos.

Desde las montañas del Sureste mexicano
Subcomandante Insurgente Marcos
México, marzo de 1999

Sobre los "desertores"

31 de marzo de 1999

A la prensa nacional e internacional
Damas y caballeros:

¿Hay alguien todavía por ahí? ¿No? ¿A poco sólo *notearon* el numerito de Albores y se fueron de vacaciones? Bueno, pues ahí para el regreso les mando un comunicado (donde

56

viene, ¡en exclusiva y desde el corazón de la selva Lacandona!, la verdadera y triste historia de los 14 "desertores" zapatistas, que en realidad son 16 según el medio informativo), y de cómo Moctezuma Barragán usa el dinero de Sedesol para apoyar ¡la campaña de Labastida! Y una carta para amable señora.

Bueno, por ahí nos vemos. Felices vacaciones, pero eviten Kosovo y sus alrededores. Dicen que el clima no es muy bueno.

Vale. Salud y, si queréis conocer a los verdaderos zapatistas, los verdaderos campamentos guerrilleros y el verdadero "corazón de la selva Lacandona" (y no un balneario), haced vuestra solicitud y veremos de atenderos en la medida de nuestras posibilidades.

Desde las montañas del Sureste mexicano
Subcomandante Insurgente Marcos

P.D. Para Azcárraga Jean. ¡Chale! ¿Ya en la onda de *Wag the dog?* ¿Y qué sigue? ¿También ustedes van a mandar un helicóptero a destruir escuelas y a descubrir extranjeros con pasamontañas? ¿La nueva Luisa Lane es la alternativa de Televisa frente a Dolores de la Vega? ¡Yaaa! Entiendo que le den su empujoncito a Albores y Labastida, pero ¿no que el bueno era don Miguel? ¿O de plano se queda en Veracruz?[20]

P.D. Con pastel de cumpleaños. ¡Felicidades Lucha! Que los pases muy contenta. Atentamente: todos.

P.D. A quien corresponda: Al PRD le están pegando en lo de su proceso de selección interna, ¿por haberlo hecho abierto?

¿Por ventilar públicamente sus errores y diferencias en lugar de optar por el magnicidio y el esconderse? ¿Por instrucciones de muuuuy arriba? ¿Porque Kosovo queda muy lejos? ¿Por qué? Digo, es sólo *curiosidá*, me cai.

Otra P.D. ¡Salud guerrerenses! Con lo poco que somos y tenemos los apoyamos. La lucha por la democracia es allá, acá y acullá. Los zapatistas estamos con ustedes.

Ejército Zapatista de Liberación Nacional

Al pueblo de México
A los pueblos y gobiernos del mundo
A la prensa nacional e internacional
Hermanos y hermanas:

En algunos medios de comunicación electrónica y en alguna prensa escrita nacional ha aparecido una información sobre la supuesta deserción de 14 miembros del EZLN. Esto, no obstante que es evidente que se trata de una farsa, ha provocado que diversos personajes de la política nacional aprovechen para poner en primera fila su ignorancia y falta de inteligencia.

Con el fin de aclararle a estos personajes la trampa en la que cayeron y que permitió que exhibieran su torpeza, el EZLN les informa lo que realmente ocurrió:

1. El señor Alfredo Jiménez Cruz, que trabaja en la presidencia municipal de Ocosingo y es uno de los proveedores de armamento y equipo del grupo paramilitar MIRA en Las Cañadas, recibió órdenes, provenientes de Tuxtla Gutiérrez, de preparar un simulacro de rendición de zapatistas. Para

este acto, en Tuxtla Gutiérrez decían tener ya preparado un grupo de periodistas que le darían al hecho el vuelo necesario para opacar el rotundo éxito que la consulta zapatista del 21 de marzo de 1999 había alcanzado.

2. En coordinación con las guarniciones federales asentadas en la zona de Las Cañadas, el señor Alfredo Jiménez Cruz se internó en la selva en horas de la noche del día 28 de marzo, llevando uniformes semejantes a los usados por los zapatistas y armas de diversos calibres. En ninguno de los retenes que supuestamente tiene el Ejército Federal "para aplicar la ley de armas y explosivos" fue detenido o molestado el señor Jiménez Cruz.

3. A las 1:00 horas (una de la mañana) del día 29 de marzo, el señor Alfredo Jiménez Cruz llegó, con un camión de tres toneladas (propiedad del ayuntamiento municipal de Ocosingo), al ejido La Trinidad, ubicado en la cañada de Las Tazas, cerca de la comunidad de Avellanal.

4. En ese lugar lo esperaban los 16 miembros del MIRA que simularían ser zapatistas "arrepentidos". Todos ellos pertenecen al PRI y, desde que se activaron los grupos paramilitares en la selva Lacandona, entrenan bajo la tutela de mandos del Ejército Federal y reciben apoyo económico de la Secretaría de Desarrollo Social. Sus nombres son: Domitilo Hernández Paniagua, Héctor Hernández Paniagua, Jesús Hernández Paniagua, José Hernández Paniagua, José Álvarez López, Jesús Álvarez López, Francisco Álvarez López, Alejandro Álvarez López, Francisco Álvarez Méndez, Vicente Pérez Castellanos, José Pérez Castellanos, Heriberto Constantino Pérez, Florentino Hernández Méndez, Miguel Mendoza Pérez, Omar Pérez Mendoza y Simón Lorenzo Hernández.

5. El mismo día 29 de marzo, a las 2 de la mañana, los paramilitares disfrazados de zapatistas salieron de La Trinidad rumbo a la cabecera municipal de Ocosingo. Armados y uniformados, no hubo retén federal que los detuviera o revisara.

6. En horas de la mañana llegaron al lugar que las autoridades estatales habían preparado para la puesta en escena: un balneario a orillas del río Jataté, en las afueras de la ciudad de Ocosingo. Lo que siguió es ya conocido: la farsa del cruce del río, la lectura del texto (redactado por el señor Alfredo Jiménez Cruz), la "entrega" de las armas, las fotos, las declaraciones.

7. Las armas "entregadas" a Albores, regresarán al grupo paramilitar MIRA a través de los mandos del Ejército Federal, y los "zapatistas arrepentidos" recibirán a cambio de su actuación en este teatro, 20 cabezas de ganado y un montón de promesas.

Todo esto lo informamos para que la prensa tenga la historia completa y no sólo el "acto" del balneario.

Ojalá y le den a esta información el mismo realce que le dieron al teatro de la "deserción". Los paramilitares (hoy supuestos "zapatistas desertores") están ahora en su comunidad. Pueden ustedes viajar a esos lugares y preguntar con los habitantes de ésa y de las comunidades vecinas sobre la "militancia" de esas personas. Ahí está la verdad.

Sobre todo lo que ocurrió queremos repetir lo siguiente:

Primero. El dinero que supuestamente se invierte en Chiapas no es para mejorar el nivel de vida de los indígenas, es para sostener la campaña de contrainsurgencia. Los proyectos económicos no llegan ni siquiera a los indígenas priístas, porque

60

van dirigidos a tratar de romper la unidad zapatista. Como los zapatistas no se venden y para los priístas no hay nada (porque eso no es noticia), entonces se opta por disfrazar a miembros del PRI como zapatistas y hacerlos participar en las ridículas operetas de Albores Guillén.

Segundo. Es de esperar que, dada la desesperación de los priístas por obtener aunque sea un poco del mucho dinero que el gobierno de Chiapas recibe, otros indígenas se presten a la simulación de convertirse al zapatismo para luego "rendirse". Así que habrá, es seguro, más espectáculos "todo pagado" de la compañía teatral que habita en el palacio de gobierno de Tuxtla Gutiérrez.

Tercero. Es de lamentar que los gobiernos federal y estatal, en lugar de cumplir con los acuerdos de San Andrés y comprometerse con la vía del diálogo, opten por faramallas de este tipo y se nieguen a reconocer que su política de guerra y mentiras fue derrotada ya en la opinión pública, según se demostró en la consulta del 21 de marzo.

Cuarto. Los zapatistas no se rinden ni entregan sus armas, mucho menos al *Croquetas* Albores.

¡Democracia!
¡Libertad!
¡Justicia!

Desde las montañas del Sureste mexicano
Comité Clandestino Revolucionario Indígena–
Comandancia General
del Ejército Zapatista de Liberación Nacional
México, marzo de 1999

Sobre la continuidad de la consulta

Marzo de 1999

A la Sociedad Civil nacional e internacional;
A las coordinadoras estatales, especiales, regionales
y municipales de la consulta;
A todos y todas las y los brigadistas:

Saludos múltiples, multiplicados y multifacéticos. Caravanas *ídem.*

Sólo le escribo para no perder la costumbre, para desearle unas felices vacaciones de Semana Santa y para pedirle que no se desespere por ver qué sigue de la consulta. No, no sigue otra etapa de silencio. Siguen muchas palabras y muchos encuentros. Diálogos pues.

Resulta que ahora estamos checando que todos los compañeros y compañeras lleguen bien a sus respectivos pueblos y, como son 5 mil, pues está tardando. Tan pronto estemos cabales en este asunto, se lo haremos saber con toda solemnidad, pompa y circunstancia.

Aguántenos pues.

Mientras tanto le informo que, hasta el 21 de marzo de 1999, se habían registrado 2 635 brigadas que agrupan a más de 28 mil brigadistas. ¿Qué? ¿Le sorprende que sean tantos? ¿No? ¿Qué? ¿Que cómo está eso de que "se habían registrado"? ¿Que si eso quiere decir que todavía se pueden registrar brigadas? Sí, claro. Faltan etapas de la consulta y tareas que debemos hacer, y para ellas vamos a necesitar la ayuda de todas esas personas que, como usted, voltearon este país de cabeza, lo sacudieron y le dieron voz. En breve, tan pronto tengamos los resultados cabales de la consulta del 21, le presentaremos a usted un informe completo de todo lo que significó en términos de movilización esa fiesta del 21 de marzo que, por supuesto, no ha terminado.

Así que descanse usted estos días, no le crea al *Croquetas* Albores ni haga caso de sus funciones de títeres. Seguramente encontrará algo mejor en cartelera.

No le pierda el ojo a Kosovo, esa película ya la vi y el final (si lo hay) no será nada agradable. No es con bombas como se construye la paz (ni con teatritos).

Vale. Salud y ¿cómo se computa el entusiasmo de ese 21 de marzo?

Desde las montañas del Sureste mexicano
Subcomandante Insurgente Marcos
México, marzo de 1999

P.D's y más P.D's

5 de abril de 1999

A la prensa nacional e internacional
Damas y Caballeros:

63

¿Qué tal de vacaciones? Van comunicado y carta. Por fin llegaron todos y todas a sus casas (ahora el *Croquetas* ya tiene otros 5 000 potenciales "desertores").

¿Así que estoy loco y desesperado porque me estoy quedando solo? Ah bueno, yo pensé que era por el calor.

¿Y qué tal las cuentas, eh? Así que entre 15 000 y 20 000 que salieron del EZLN de diez municipios... Pero, ¿no dice Labastida que sólo somos entre 300 y 500? ¿No que sólo estamos en cuatro municipios?

Vale. Salud y una súplica: ¿No me pueden mandar una copia del comunicado que sacó el tal Sebastián Guillén?[21] Digo, para ver si redacta igual de mal que el gobierno.

Desde las "solitarias y desesperadas"
montañas del Sureste mexicano
Sup Marcos

P.D. Qué está de necia con eso de que Zapata vive. ¡Este 10 de abril! ¡Gran fiesta baile en el *Aguascalientes* más cercano a su corazón! Eso sí: no habrá entrega de armas ni servicio de helicóptero. Sí habrá boletín de prensa, pero bien redactado.

P.D. Que se disfraza de comunicado Ezelenita.
"*A etcétera:*

Primero. *El EZLN celebra, aplaude y manifiesta un regocijo mayúsculo por el hecho de que el gobierno reconozca que ya sólo hay 15 311 indígenas priístas y que se hayan circunscrito a 57 comunidades de 10 municipios del estado de Chiapas.*

Segundo. *El EZLN también se muestra comprensivo de que estos indígenas priístas no den sus nombres. A cualquiera le da vergüenza declararse públicamente priísta en Chiapas.*

Tercero. *El EZLN ofrece al gobierno sus servicios de redacción de comunicados para elaborar textos con tan gratificantes nuevas como las del 2 de abril. Digo, porque, además de los números, da pena la redacción.*

Desde etcétera. Etcétera".

P.D. Que le hace la tarea a los columnistas políticos, aplica la lógica y saca nuevas cuentas. Los 15 311 ("casi 20 000", dice el *Croquetas* Albores que, como se ve, es bueno para las cuentas y los cuentos), o son presuntos exzapatistas o son presuntos priístas numerados como exzapatistas.

Razonamiento 1. Si son presuntos priístas numerados como ex zapatistas, entonces la cuenta refleja un franco deterioro del priísmo indígena. ¿A poco no tienen más priístas indígenas? ¿Por qué no se traen algunos de otros estados?

Razonamiento 2. Si son presuntos exzapatistas, entonces el gobierno ha conseguido "convencer" a 15 311 zapatistas en cinco años. Eso da la cuenta de 3 062 zapatistas "desertores" por año y por muchos millones de pesos.

En Chiapas, más de 460 000 hombres, mujeres, niños y ancianos apoyaron la consulta del EZLN del 21 de marzo. Estos 460 000 chiapanecos, o eran presuntos zapatistas desde antes de esa fecha o lo son a partir de esa fecha.

Si el gobierno consigue que cada año "deserten" 3 062 zapatistas, entonces tardará... ¡Más de 150 años en conseguir que el "pequeño grupúsculo"[22] de zapatistas deserte!

Y luego dicen que nosotros queremos alargar el conflicto (suspiro).

P.D. Que pide la revancha futbolera. Llegaron el Olivo y el Marcelo a decirme que si ellos hubieran jugado el partido contra los veteranos no hubiéramos perdido.[23] Estoy de acuerdo y, como Supdirector técnico, presento la siguiente alineación: Chanoc y Tsekub Bayolán en la media cancha, Sup, Puk y Suk (o sea que el balón será un coco) en la delantera, el Olivio y el Marcelo también en la delantera, Diego Armando Maradona (nacionalizado zapatista) también en la delantera, Memín Pingüín, Carlangas y el brujo Aniceto reiterando la delantera. ¿Qué? Sí, ya sé que no estoy alineando ni defensas ni portero, pero ¿acaso estamos pensando en que nos van a meter goles? Además, en la portería habrá una ametralladora Browning calibre 30 de tripié, así que ¿para qué preocuparse por la defensiva? Bueno, a ver si antes del partido no pasa que algún "desertor" le entregue la ametralladora al *Croquetas*. No importa, ya estamos cavando trincheras. Qué pues, ¿le entran?

Vale de nuez. Salud y un helado de *ídem* (digo, por el calor).

El Sup en lo alto de la Ceiba ignorando,
¡pobre!, que está solo y desesperado.

Ejército Zapatista de Liberación Nacional

5 de abril de 1999

Al pueblo de México
A los pueblos y gobiernos del mundo
A la prensa nacional e internacional
Hermanos y hermanas:

El CCRI–CG del EZLN comunica lo siguiente:

Primero. Todos los delegados y delegadas zapatistas que trabajaron en los municipios de los 32 estados de la Federación para la jornada ciudadana del 21 de marzo se encuentran ya en sus respectivas comunidades. Todos y todas llegaron bien, contentos y emocionados por las atenciones que recibieron en los lugares que visitaron.

Segundo. El EZLN agradece a todos los hombres, mujeres, niños y ancianos que apoyaron en el traslado de regreso de nuestros compañeros y compañeras delegados. Especialmente agradecemos a las coordinadoras estatales, regionales, especiales y municipales de la consulta, y a los hombres y mujeres que laboran en la oficina de contacto para la consulta.

Tercero. El EZLN ha iniciado hoy, en conjunto con los 5 000 delegados y delegadas, el trabajo de información a los pueblos zapatistas en resistencia.

Cuarto. El EZLN llama a todos y todas las y los brigadistas, y a las distintas coordinadoras a que se mantengan en contacto. Pronto les propondremos una nueva iniciativa.

¡Democracia!
¡Libertad!
¡Justicia!

Desde las montañas del Sureste mexicano
Subcomandante Insurgente Marcos
Comité Clandestino Revolucionario Indígena–
Comandancia General
del Ejército Zapatista de Liberación Nacional
México, abril de 1999

Sobre la toma y recuperación de San Andrés

9 de abril de 1999

A la prensa nacional e internacional
Damas y caballeros:

Van comunicados. El uno sobre la recuperación de la sede del
diálogo de paz, otro llamando a defenderlo y otro uno sobre
el 80 aniversario de la muerte de mi general. No les digo, si
estos zapatistas ni se han enterado de que ya están débiles y
desmoronándose. ¿Por qué no le dicen al *Croquetas* Albores
que se vaya a dar su vuelta en la cabecera municipal de San
Andrés? A lo mejor los más de 3 mil indígenas tzotziles
zapatistas que están ahí quieren "desertarse" y sumarse a la
cuenta de los que "regresan a la vida institucional y al estado
de derecho", ¿no?; quién quita y es chicle. Las fotos saldrían
bien bonitas. Pero aunque no, a lo mejor no le entregan armas
ni capuchas, pero sí seguro le dan algún hueso. ¡Órale! Aunque no sea en helicóptero...

    ¿Qué vamos a hacer si nos desalojan? Pues "re-alojarnos".

Vale. Salud y, por si alguien lo dudaba, ¡Zapata vive!

Desde las montañas del Sureste mexicano
Subcomandante Insurgente Marcos
México, abril de 1999

P.D. Zapatista. No yolo pahpaqui ihuan itech nin mahuiztica, intoca netehuiloanimetlatzintlaneca, ihuan nan mech titlanilia ze páhpaquiliztica-tláhpaloh ihuan ica nochi no yolo ni quin yolehua nonques altepeme, aquihque cate qui chihuazque netehuiiliztle ipampa meláhqui tlanahuatli.

("Mi corazón se alegra y por ello con dignidad, en nombre de los que combaten subordinados, y a vosotros os envío un saludo con alegría y con todo mi corazón invito a esos pueblos, aquellos que harán la lucha por un recto mando"). Emiliano Zapata, Manifiesto en Lengua Náhuatl.

P.D. Que no sabe hacer consignas. "¡No, no y no! ¡No a la privatización de la industria eléctrica! ¡Sí, sí y sí! ¡Que viva el SME!" ¿Qué? ¿No rima? Pero se entiende ¿no?

P.D. Incrédula. ¿O sea que se dieron cuenta de que Mario Villanueva[24] era un delincuente sólo unos minutos después de que dejó de ser gobernador? Voooy, luego por eso nadie les cree nada...

P.D. Que reitera su falta de comprensión. Con eso del horario de verano y el adelanto de una hora en los relojes, ¿el día tiene ahora 23 o 25 horas?

P.D. Que cuenta una historia para los niños de los estados de Morelos y de Guerrero que nos escribieron a nosotros, los niños zapatistas. Cuentan que cuenta la historia que estaba una vez un general insurgente (en la época de la guerra de Independencia) y que se le presenta un hombre y le dice que quiere luchar por la independencia de México. El general le dijo que está bueno y le dio un papel donde lo nombraba general, sólo. El hombre preguntó: "¿Y las tropas?" El general le mostró los pueblos que se veían desde lo alto de la montaña y le dijo: "Ahí están, sólo tiene que reclutarlas". El hombre volvió a preguntar: "¿Y las armas?" El general lo miró y le respondió: "Esas las tiene el enemigo". Se fue el hombre y reclutó a un grupo de indígenas y, armados con palos y piedras, le cayeron de noche a unas tropas realistas. Así consiguió sus primeras armas ese hombre. Dicen que dicen que el general llevaba por nombre José María Morelos y Pavón, y que el hombre se llamó Vicente Guerrero. Cuentan que dicen que este Guerrero escribió eso de "Vivir por la patria o morir por la libertad" y: "Compare usted que nada me sería más degradante que el confesarme delincuente y admitir el perdón que ofrece el gobierno, contra quien he de ser contrario hasta el último aliento de mi vida" (Carta a Iturbide, 20 de enero de 1821), además de que con él se consumó la Independencia de México, la misma que hoy quieren traicionar los que pretenden privatizar la industria eléctrica. Por el general Morelos, el estado de Morelos se llama Morelos, y por el general Vicente Guerrero se llama Guerrero el estado de Guerrero. Y por Morelos y Guerrero (y por muchos como ellos) ustedes y nosotros somos niños mexicanos.

Vale otra vez. Salud y ¡Tierra y libertad!

El *Sup* tarareando esa que dice
"Vuela, vuela, palomita..."

Ejército Zapatista de Liberación Nacional

8 de abril de 1999

Al pueblo de México
A los pueblos y gobiernos del mundo:

El EZLN dice su palabra sobre los últimos acontecimientos sucedidos en el suroriental estado mexicano de Chiapas:

Primero. El día miércoles 7 de abril de 1999, en horas de la mañana, fuerzas armadas de la autodenominada "Policía de Seguridad Pública del estado de Chiapas" tomaron por asalto la presidencia del municipio San Andrés Sakamachén de los Pobres, lugar donde despachaba el consejo municipal autónomo (elegido democráticamente de acuerdo con los usos y costumbres de las comunidades indígenas), y sede de los diálogos de San Andrés entre el gobierno federal y el EZLN.

Segundo. Los gobiernos federal y estatal impusieron de esta manera una presidencia municipal ilegítima e ilegal con miembros del agónico PRI chiapaneco, montaron una guarnición de policías armados e iniciaron su campaña de propaganda vanagloriándose de haber "desmantelado" otro municipio autónomo zapatista.

Tercero. El día de hoy, antes de que se cumplieran 24 horas del cobarde y alevoso desalojo del consejo democrático, bases de apoyo del EZLN, indígenas tzotziles todos ellos y en número superior a 3 mil, retomaron pacíficamente las instalaciones de la presidencia de San Andrés Sakamachén de los Pobres y se instalaron en el lugar para cuidar su gobierno elegido democráticamente. Viéndose superada ampliamente en número y debido a la presencia de los medios de comunicación, la policía huyó del lugar de los hechos.

Cuarto. Posteriormente a estos acontecimientos, los gobiernos federal y estatal han iniciado una serie de movimientos de tropas federales y de policías federales y estatales con el fin de retomar a sangre y fuego la cabecera de San Andrés.

Quinto. De modo paralelo, los gobiernos federal y estatal han iniciado una campaña de medios tendente a culpar al PRD y a la diócesis de San Cristóbal como presuntos responsables de la acción de los indígenas.

Ni el PRD ni la diócesis de San Cristóbal tienen nada que ver. Esta acción pacífica es de bases de apoyo del EZLN y representa un reclamo más a los gobiernos federal y estatal por el incumplimiento de los acuerdos de San Andrés, firmados por el gobierno federal y el EZLN hace más de tres años.

Sexto. Con la acción violenta del miércoles, cuando con la policía tomó las instalaciones municipales de San Andrés, el gobierno pretendía dar el tiro de gracia a la posibilidad de diálogo como una salida al conflicto bélico.

Con la acción de hoy, jueves, las bases zapatistas recuperan la sede del diálogo de paz, defienden los derechos y cultura indígenas y hacen honor, así, a la voluntad manifestada por millones de ciudadanos en la consulta del 21 de marzo de 1999 que señaló con toda claridad el sí al reconocimiento de los derechos indígenas y el no a la guerra.

Séptimo. Hacemos un llamado a la sociedad civil nacional e internacional a que se movilice para impedir que el gobierno insista en sus acciones violentas, renuncie de manera definitiva al uso de la fuerza y cumpla los acuerdos que firmó.

Octavo. Llamamos a todos y a todas las personas honestas a que apoyen a nuestros hermanos y hermanas zapatistas en la defensa de la sede del diálogo de paz.

Noveno. Los zapatistas queremos dejar bien claro que no abandonaremos el último símbolo de una salida pacífica al conflicto: San Andrés Sakamachén de los Pobres. Al atacar

San Andrés, el gobierno ha dejado claro que no abandona su idea de una acción violenta como respuesta a nuestras justas demandas. La historia se repite: el gobierno por la guerra y el EZLN por la paz.

¡Democracia!
¡Libertad!
¡Justicia!

Desde las montañas del Sureste mexicano
Comité Clandestino Revolucionario Indígena–
Comandancia General
del Ejército Zapatista de Liberación Nacional
México, abril de 1999

Páginas sueltas sobre el movimiento universitario

Con recuerdo y gratitud para Ramón Ramírez (1906-1972)
y para quienes le heredaron sangre y grandeza

La rebeldía es la vida:
la sumisión es la muerte.
Ricardo Flores Magón, 1910

Ya es madrugada en las montañas del Sureste mexicano. Esta vez el calor desgasta la orilla occidental de la luna y las estrellas esconden su bochorno detrás de la oscuridad. En el abril chiapaneco, el calendario mezcla y complica sus hojas para, en veces, anunciar con solemnidad enero, casi inmediatamente es mayo quien ríe alegre en el sol que en el día duele abajo, y luego es abril de nuevo quien marca y señala.

En eso que se ve allá abajo y que parece una casita o una cueva, una lucecita denuncia no sólo la vela de quien vela, también, aunque con dificultades, los garabatos que se dibujan en las hojas de un viejo cuaderno. En la ajada portada se puede ver la figura de un águila bicéfala sosteniendo el mapa de lo que alguna vez (antes de que la globalización reagrupara intereses, injusticias y crímenes) se llamó "América Latina". Sobre la cabeza dual una cinta despliega el lema: "Por mi raza hablará el espíritu". Más abajo y a la izquierda, alguna mano ociosa ha dibujado con torpe caligrafía: SEXZU. Fuera de esas imágenes (y del evidente desgaste que el tiempo ha procurado a las hojas), éste podría ser un cuaderno común y corriente.

Un viento fresco y repentino hace las veces de mano y hojea el cuaderno con curiosidad. Las primeras páginas están en blanco y no pareciera que es por un desorden en la escritura, sino porque se han dejado propositivamente vacías, como si fuera necesario completar las páginas sucesivas para entonces así poder llenar las primeras.

Sigue el viento hojeando con despreocupación y sólo se detiene en una página en la que se lee:

I. La Universidad como mercado

Los pobres sabrán, y si además son jóvenes y estudiantes, entonces sabrán por partida triple.

Si en el pasado universitario algunos grupos de izquierda propusieron el concepto de *universidad–fábrica*, en el presente *globalizado* son los funcionarios de rectoría –con el apoyo incondicional de un grupo de intelectuales huérfanos del salinismo y prestos a ser adoptados por quien tenga bien dispuestos el cinismo y la cartera–, los que no sólo conciben a la universidad como un mercado, también la reorganizan para que funcione como tal.

Los intentos mercantiles del ex demócrata y químico Francisco Barnés, hoy rector de la UNAM, no son nuevos. Años hace que el ahora exrector Guillermo Soberón Acevedo intentó agregar el criterio de *productividad empresarial* en la clasificación de los estudiantes universitarios. Su propuesta se llamó entonces *Indice de velocidad y escolaridad,* y consistía, *grosso modo,* en agregar al expediente de cada alumno una cifra que establecía si había sido un estudiante "bueno y veloz" (con buenas calificaciones y con la carrera terminada *en poco tiempo)* o uno "malo y lento". De esta forma, argumentaba rectoría, las empresas tendrían más elementos para valorar y contratar a los egresados universitarios.

La "carta de recomendación" de rectoría era, en realidad, una carta de exclusión: en la UNAM no eran pocos los estudiantes que trabajaban para sostener sus estudios y para sobrevivir, no eran "estudiantes de tiempo completo" y no pocas veces su "velocidad" quedaba por debajo del índice de productividad que rectoría deseaba (y desea), en la línea de ensamblaje de profesionistas que debieran ser, según su estrecha concepción de capataz fabril, las instituciones de educación superior.

El índice de velocidad y escolaridad funcionaba también como "lista negra" para las empresas: los estudiantes que eran marcados como "lentos" bien podían ser agitadores que, en lugar de estudiar, se dedicaron a la "grilla"; pero el intento de Soberón fracasó. El movimiento estudiantil universitario, parecía aletargado después del rompimiento de la huelga del

STUNAM en 1977, y de la entrada triunfal a CU del rector, flanqueado por el entonces *general* policiaco y cocainómano Arturo Durazo Moreno y 18 mil policías y granaderos.

[Después de una intensa campaña de desprestigio en los medios de comunicación, después de hacer el ridículo con las llamadas "clases extramuros" (que se realizaban en parques públicos, de modo que la televisión no tuviera problemas de iluminación en su labor para demostrar a los estudiantes cómo sufrían los "auténticos" estudiantes, víctimas de "una–minoría–que–pretende–convertir–a–la–universidad–en–un–botín–político–y–se–advierte–que–hay–injerencia–de–personas–ajenas–a–nuestra–máxima–casa–de–estudios–y–hay–evidencias–múltiples–que–los–grupos–de–inteligencia–nuestros–tienen–detectada–a–bastante–gente"); y cuando el movimiento parecía extenderse a otros centros de educación superior, el supremo gobierno ordenó al rector que solicitara el apoyo de la "fuerza pública". Con la promesa de una secretaría de Estado, el rector consintió e impulsó la violación de la autonomía universitaria. En la madrugada séptima del séptimo mes del año septuagésimo séptimo, la policía entró a Ciudad Universitaria y, con el racional argumento de los golpes y los gases lacrimógenos, desalojó a trabajadores, maestros y estudiantes y detuvo a un buen número de ellos].

Pero la consigna de "por mi raza hablarán sólo los estudiantes buenos y veloces", provocó que los estudiantes iniciaran un movimiento de fulgurantes resultados. Soberón dio marcha atrás y el índice de velocidad y escolaridad no se puso entonces en los expedientes de los egresados. El rector esperó pacientemente para cobrar el cheque que había recibido por sus servicios de rompehuelgas y el nuevo sexenio lo acogió como secretario de Estado en el sector salud. En aquél entonces, rectoría se mostró desilusionada de que no pocos estudiantes "buenos y veloces" participaran activamente en el movimiento. No nada más porque eso le arrebataba el argumento de que sólo se oponían los flojos, los *grillos* y los *fósiles*. También porque no entendían la razón de que alguien luchara por cosas de las que no se obtenía un beneficio directo. En la concepción rectoril de la *universidad–mercado*, la moral y la ética, el deber, pues, no sólo eran (y son) aberrantes, además son improductivas y no se cotizan bien, no venden.

La propuesta Zedillo–Barnés de privatizar la UNAM, no tiene que ver sólo con el aumento de las cuotas a sus estudiantes, también atañe a trabajadores, maestros e investigadores. El criterio empresarial se ha impuesto ya en colegios de profesores y en institutos de investigación. Los criterios científicos y humanistas no son ya los usados para valorar y reconocer a quienes, dando clases e investigando, laboran en la UNAM.

Ahora es la "productividad" la que decide orientaciones y resultados, los investigadores son obligados a competir entre sí (tal y como se establece en las empresas) para conseguir apoyos financieros y recursos humanos para sus proyectos. No es más la sabiduría la que tiene méritos, ahora es el cortejo político–administrativo a funcionarios de distintas tonalidades de gris y el probable usufructo político que, en las aspiraciones de poder del rector y/o sus incondicionales, puedan obtenerse de los proyectos de investigación.

[El resultado se adivina: proliferan las élites–mafias de investigadores y profesores que giran en torno a los funcionarios universitarios. Estos grupos "reclutan" nuevos adeptos: "¿quieres una beca?, ¿un premio?, ¿un estímulo económico?, ¿un puesto?, ¿una plaza?, ¿apoyo para tu proyecto? No hay problema, sólo tienes que firmar este desplegado de apoyo al rector o a fulano". Cada vez quedan más lejos las humanidades y las ciencias: el criterio de productividad empresarial y mercantil no sólo reduce el nivel académico de la UNAM, ahora lo suple con el nivel de influencias y "contactos" políticos. Los investigadores y profesores universitarios están siendo desplazados, sí, pero no por mejores científicos y humanistas, sino por una pandilla de rufianes que sólo son eficientes para multiplicar serviles caravanas al paso y exabruptos del rector.]

Sin nada que señale una terminación, a estas líneas siguen otras hojas en blanco o llenas de dibujos más o menos incomprensibles: un *Speedy* con pasamontañas negro, pipa y un sombrero mexicano con tres estrellas rojas, una caricatura del *Sup* con la media filiación (de abajo) tapada con un letrerito que dice "censurado", algunos garabatos. El viento vuelve a agitar su mano y, hojas más adelante, se detiene en...

II. ¿Vladimir Ilich Barnés?

El intento del mercader Barnés de convertir a la UNAM en una empresa, no sólo atenta contra la Constitución, rompe con el concepto mismo de universidad y propone "balcanizar" la máxima casa de estudios mexicana.

Uno de los peligros del "opcional" reglamento de pagos de la UNAM, es que divide a los estudiantes en dos tipos: los que pagan y los que no pagan.

En la propuesta original de universidad pública, un amplio espectro de pensamientos, orígenes sociales, colores, intereses, concepciones, tenían espacios de encuentro. La UNAM era uno de ellos. Dentro del recinto eras estudiante universitario, y punto. Ahora no. La propuesta es partir a la UNAM, en dos: la universidad de los que sí pueden pagar y la de los que no pueden pagar; la UNAM para los que tienen

78

recursos económicos y la UNAM para los que no los tienen o los poseen con poquedad.

¿A qué se apuesta con esta "balcanización" de la UNAM? ¿A que los estudiantes que sí pueden pagar apoyen la implantación de los criterios empresariales de Barnés? ¿A que los que no pueden pagar dejen paulatinamente *su* UNAM (es decir, su concepción de universidad), y triunfe por fin el lema de: "Por mi raza hablará la chequera"?

El llamado Reglamento General de Pagos de la UNAM, fue impuesto de la forma más antiuniversitaria: Barnés convocó a sus incondicionales, dejó fuera a los consejeros críticos y se emboscó en uno de los recintos de CU para, protegido de su equipo de seguridad, aprobar el reglamento que detonaría el más grande movimiento estudiantil de los últimos diez años.

El rector Barnés ha tratado, infructuosamente, de matizar su propuesta de privatización. Acuerpado por los intelectuales de *Nexos* y *Letras Libres,* el rector trata de convencer con sus contradicciones. ¿Alguna de ellas?

Se dice que el Reglamento General de Pagos busca fortalecer la autonomía universitaria. Contando con recursos económicos propios, la UNAM tendrá así más independencia del gobierno federal. Casi inmediatamente después, se dice que los pagos son opcionales según la situación económica del estudiante. Que uno puede declarar con toda libertad que es pobre y entonces el reglamento no se le aplica. Así que sólo los estudiantes con recursos económicos que manifiesten explícitamente que tienen bonanza económica pagarán las nuevas cuotas, pero, si el objetivo es dotar de recursos económicos propios, ¿por qué entonces un reglamento de pagos que no va a obtener recursos económicos suficientes? ¿O Barnés planea también promover especialmente el ingreso de estudiantes de familias pudientes, al tiempo que limitará o desalentará el ingreso de estudiantes de escasos recursos? Por donde se le vea, lo que está en juego en la propuesta de Barnés es privatizar la UNAM, empezando por dividir al estudiantado en dos clases: los que pueden pagar y los que no pueden hacerlo. Hay más, el ridículo no corre sólo a cargo del rector. De los intelectuales salinistas (entusiasmados por la reaparición de su tutor), salen también argumentos que asombran por su torpeza y ruindad. Del pensamiento más derechista del país sale la acusación, contra los estudiantes, que se oponen al incremento de las cuotas, de ¡favorecer a los burgueses y perjudicar al proletariado! Con la comicidad que da el servilismo, estos intelectuales han descubierto una faceta insospechada del rector Barnés: es un *revolucionario radical* que se ha propuesto, acabar de una vez por todas, con los privilegios de los burgueses que envían a sus hijos a la UNAM (se supone que para evadir el pago de cuotas en otras instituciones). Así, Barnés bien podría ser equiparado a Vladimir Ilich Lenin. "El rector es revolucionario y los que se oponen al pago son reaccionarios", dicen sin sonrojarse siquiera estos librepensadores (que no son libres ni son pensadores). De la derecha más fachosa y facciosa vienen estos argumentos, esgrimidos después de desempolvar sus manuales de materialismo histórico y dialéctico, según la versión *poliéster.*

Es más, aparte de hacernos el gran favor de advertirnos que, oponiéndose a la propuesta Zedillo–Barnés los estudiantes se oponen a un avance en la larga lucha del proletariado por su emancipación, nos invitan a darnos cuenta de que los teléfonos celulares bien pueden convertirse en varas de *kendo,* y que, en cualquier momento, esos estudiantes cargarán en contra de las buenas conciencias al grito de "¡Halcones!"...

Sigue la madrugada caminando solitaria. El calor parece haber adormilado al viento porque tarda un rato sin moverse; pero algún sueño lo despierta y son de nuevo sus suaves dedos los que dan vuelta a la página para encontrarse con...

III. Toda oposición al poder es, por ley, minoritaria, manipulada y perversa

El locutor de televisión está inspirado. Ha remarcado, una y otra vez, que el movimiento estudiantil es minoritario y que tiene la culpa de todo: que un caballo fracturado sea "desalojado violentamente por los paristas"; que un chofer atropelle ("porque se puso nervioso ante la agresividad de los manifestantes") a unos marchistas; que en Kosovo la OTAN confunda trenes de refugiados con transportes blindados; que Albores haya agotado el presupuesto en comprar croquetas y "desertores" zapatistas con todo y su uniforme nuevo.

Para que nadie dude de la legitimidad de su trabajo "periodístico", ya está enviando cámaras y micrófonos al inquilino de Bucareli. La imagen es elocuente: un Labastida patético nos trata de convencer de que sus "servicios de inteligencia" sirven y son inteligentes. "Han detectado bastante gente", asegura el secretario de Gobernación y maltratado (por las encuestas) precandidato del PRI a la Presidencia de la República. La televisora, objetiva y desinteresada como es, muestra imágenes de una minoría bastante numerosa y la cámara busca, acusadora, a todo aquel que no tenga cara de estudiante (¿cómo es la cara de un estudiante?).

El todavía *ministro del interior* mexicano, algo tiene que hacer para recuperar puntos en las encuestas (donde el gobernador de un estado lo aventajó mientras él hacía "manejo de imagen" en España), así que asegura las ocho columnas de los diarios del día siguiente acusando al PRD de estar detrás del conflicto en la UNAM.

Infructuosamente, tanto en el gobierno como en los partidos políticos, buscan líderes reconocibles en el actual movimiento de la UNAM pero, aparte de descubrir que algunos usan celulares (cuando debieran, suponemos, usar señales de

81

humo o tambores para comunicarse), y tienen madre y abuela (puesto que tienen también árbol genealógico), no aparecen los que se suponen debían aparecer.

La clase política se niega a reconocer no sólo que está frente a algo nuevo, vigoroso y que se extiende cada vez más. Tampoco se da cuenta que las viejas generaciones de líderes estudiantiles han cedido ante el avance, no sólo de otros jóvenes estudiantes, también de otra forma de hacer política y de otra forma de "ser dirección".

Las direcciones individuales o de grupo ceden su paso a direcciones diluidas en colectivos. La presencia de tal delegado que pertenece a tal grupo político, no significa que la posición de ese grupo sea la homogénea. Con mayor o menor intensidad, es evidente que los distintos colectivos "sujetan" a sus delegados y los obligan a ser eso, "delegados", y no "dirigentes".

Si la presencia de antiguos líderes estudiantiles en las movilizaciones de hoy es una señal de nostalgia, es comprensible. Si significa alardear de lo que no se tiene (ascendencia moral o política sobre el movimiento actual), es cuestionable. Si representa una tendencia a tratar de entender algo nuevo y aprender de él, es de saludarse. Y ya. Pero, como quiera, esos líderes y sus herederos son rebasados por todos los lados y por una nueva generación de jóvenes estudiantes que, ¡sorpresa!, son rebeldes, desafiantes, luchadores, irreverentes, ingeniosos, creativos, desconfiados, críticos, cuestionadores, valientes, en fin, todo lo que les augura muchos problemas en el mundo neoliberal que les prometen y en el hastío gris de la política mexicana.

No hay, pues, otras fuerzas políticas detrás de ellos. Y es una lástima porque mucho aprenderían los partidos y organizaciones políticas de estos y estas jóvenes. No sólo la frescura, la imaginación y la creatividad. También, y sobre todo, la honestidad del que arriesga lo poco que tiene por ser consecuente con sus ideas...

Sigue el viento hojeando y *ojeando* el viejo cuaderno. Una ráfaga lo lleva a donde se lee...

IV. El reparto de huesos y croquetas: Labastida–Barnés y Labastida–Albores

Donde sí hay otras fuerzas políticas es detrás de rectoría. Ahí están ya las fuerzas que juegan por la candidatura priísta a la *grande* en el 2000. Y resulta que uno de los precandidatos está ya haciendo su equipo. ¿De campaña? No, ¡de gobierno!

El señor Francisco Labastida Ochoa, autodenominado precandidato del PRI a la Presidencia de la República, le ha ofrecido a Albores Guillén la oficina de Bucareli, en el caso de que el hoy secretario de Gobernación llegue a Los Pinos. No sabemos si Labastida quiere a Albores en Gobernación para que cuide la entrada con sus fieros ladridos o para que persiga gatos, pero en Tuxtla hay gran entusiasmo por la idea y el feroz activismo de Albores, dicen sus empleados de comunicación social, es porque quiere demostrarle a Labastida que ha escogido bien a su futuro *ministro del interior.*

[En algún lugar, se lee que el director de la Facultad de Veterinaria sacó animales mucho tiempo antes de que estallara la huelga. Tal vez algún can escapó al celo del director. Eso explicaría la aparición de Albores en Tuxtla. Ojo: checar fechas y ver si coinciden la de la salida de animales de Veterinaria con la de la toma de posesión de Albores.]

El rector Barnés también quiere su *hueso.* Dando los primeros pasos en la privatización de la UNAM, se encamina a la Secretaría de Energía, Minas e Industrias Paraestatales con una encomienda igualmente "revolucionaria": la privatización de Petróleos Mexicanos.

Tal vez tienen razón quienes aseguran que detrás del conflicto en la UNAM hay otros conflictos que esperan dirimirse. Así parece cuando se aprecia que la disputa por la UNAM, su privatización *versus* su carácter público, es otra forma de lucha entre quienes quieren destruir una nación poniéndola en venta y quienes resisten sabiendo que todos los empeños renovadores pasan hoy por la oposición a la nueva campaña de privatizaciones del gobierno mexicano.

[Importante es y será la lucha del Sindicato Mexicano de Electricistas en contra de la privatización de la industria eléctrica, y los empeños de la Coordinadora Intersindical Primero de Mayo por construir un frente nacional de resistencia no sólo contra las privatizaciones, sino contra todo el programa económico gubernamental. Ojo: en la marcha del próximo 1 de mayo coinciden y se encuentran obreros, estudiantes e indígenas. Mucho mañana en muchos rostros en muchos pasos].

Ya casi amanece cuando el viento toma un último y nocturno impulso. La mano de aire tibio llega así a...

V. No hay final... todavía

Ciertamente el final del actual movimiento universitario es una incertidumbre. La caprichosa moneda de la historia gira aún en el aire, retrasa su caída al suelo y, por ende, su definición.

Pero aunque no se sepa el destino, algo está claro ya: estos y estas jóvenes estudiantes, con su lucha, demuestran que el *Poder* fracasó. Que el triunfo del que se pavoneaba señalando una generación cuyas banderas eran sólo las del escepticismo y el conformismo, fue un espejismo. Estos y estas jóvenes estudiantes demuestran que perdieron quienes apostaron a su inmovilidad y a su egoísmo. Ellos y ellas se enfrentan ahora no sólo a la estupidez de un rector, al servilismo de la mafia que gobierna la UNAM, al ataque despiadado de los medios de comunicación electrónica, a las amenazas de un secretario de Gobernación que, desesperado, trata de recomponer su carrera presidencial demostrando que es más imbécil que los otros. Se enfrentan también a la incertidumbre en el mañana...

[Ahora se presenta el fenómeno "esponja": cada nuevo golpe que le dan a los estudiantes no sólo no los debilita, sino que provoca que más se sumen a su causa. Así fue con la jugarreta de Barnés que "aprobó" el reglamento a espaldas de la razón y de la comunidad universitaria, se repitió con las carreritas y grititos histéricos de los directores de las facultades de Medicina, Derecho y Veterinaria, y con cada nueva mentira que le cuelgan al movimiento].

No es pequeño el enemigo que se les opone a los estudiantes. Pero no están solos. Aunque lejos en distancia, los zapatistas no ocultamos la admiración que nos causan los estudiantes, nos empeñamos en aprender bien la lección extracurricular que nos imparten, nos enorgullece saber que existen personas como ellos y ellas, y saludamos que sea suelo mexicano el que se asombra en verlos. Porque por jóvenes estudiantes como estos hombres y mujeres es que, hoy, decirse mexicano es un orgullo y no una vergüenza.

Los sentimos cerca, y no sólo porque las acusaciones que les hacen, y las mentiras con las que los atacan, repiten las que han lanzado en contra de nosotros una y otra vez. También, y sobre todo, porque en ellos y ellas se intuye que es posible otro México, otra política, otro ser humano, no perfecto pero sí mejor...

Ya cierra el viento el cuaderno y su aliento, así que no mira la hoja en donde la otra mano garabateó:

Vale. Salud y la Universidad, como la nación, o es para todos o no es.

Desde el Comando Central de SEXZU
(Sociedad de Exalumnos Zapatistas de la UNAM),
sin celular alguno, y viendo con terror
que se acerca el 10 de mayo
y no tenemos árbol genealógico
(o sea que, para ponerlo claro,
no tenemos madre ni abuela).

Nota: como será evidente para los inservibles y estúpidos servicios de inteligencia de la Secretaría de Gobernación, la sede de SEXZU estará ubicada en un rincón del *sexshop* más cercano a su ¿corazón?, y la entrada secreta será activada con un video *porno* que luzca, definitivo, el número "69" en la portada.

El *Sup* escribiendo a la Facultad de Veterinaria
pidiéndoles que manden vacunas antirrábicas
a Tuxtla Gutiérrez, Chiapas. ¡Urgen!

Ya llega la mañana. El sol es otra vez piel y miel sobre la tierra...

Vale. Salud y ¿cómo iba la canción ésa de Violeta Parra?: *¿Me gustan los estudiantes, jardín de nuestra alegría, son aves que no se asustan de Barnés y Labastida...?* ¿No? Pues como si tal...

Desde las montañas del Sureste mexicano
Subcomandante Insurgente Marcos
México, abril 1999

La historia del calendario

10 de mayo de 1999
Madrugada

Hermanos y hermanas:

Es mayo y la madrugada anuncia calores y rubores; pero no es este mayo ni esta madrugada, no. O sí, es este mayo y esta madrugada, pero 10 años atrás. La luz del fogón pinta sombras y luces en las paredes de la champa del viejo Antonio. Lleva rato que el viejo Antonio se está en silencio, viendo nomás a la doña Juanita que se mira las manos. Estoy a un lado, sentado frente a un pocillo de café. Hace rato que llegué. Vine a traerle al Viejo Antonio una piel de venado, a ver si sabía y podía curtirla. El Viejo Antonio había mirado apenas la piel, seguía mirando a la doña Juanita mirándose las manos. Algo esperaban. Quiero decir, algo esperaba el Viejo Antonio de tanto mirar a la doña Juanita y algo esperaba la doña Juanita de tanto mirarse las manos. Yo mordisqueaba la pipa y esperaba también pero, de todos los que estábamos ahí, era el único que no sabía que esperaba. De pronto la doña Juanita suspiró hondo y levantó cara y mirada hacia el Viejo Antonio diciendo: "Viene a tiempo el agua". "Viene", dijo el Viejo Antonio y hasta entonces sacó su doblador y empezó a forjarse un cigarrillo. Ya sabía lo que eso significaba, así que rápido cargue la pipa, la encendí, y me acomodé para escuchar y guardar, tal y como ahora se las cuento:

La historia del calendario

Cuentan los más viejos de los viejos de nuestros pueblos, que en los tiempos primeros el tiempo se andaba así nomás, todo desordenado y dando tropezones como bolo en fiesta de la Santa Cruz.

Los hombres y mujeres mucho perdían y se perdían porque el tiempo no se caminaba parejo, sino que en veces se apresuraba y en veces se caminaba lento, arrastrándose apenas como viejito renco, y en veces el sol era grande piel que todo lo forraba, y en veces pura agua nomás, agua arriba, agua abajo y agua en medio, porque antes no se llovía sólo de abajo para arriba, sino que llovía también para los lados y en veces hasta de abajo para arriba se llovía. O sea que todo era un relajo y acaso se podía sembrar, cazar o arreglarle a las champas el techo de zacatón o las paredes de varilla y lodo.

Y los dioses todo lo miraban y miraban, porque estos dioses, que eran los más primeros, los que nacieron el mundo, nomás se la pasaban paseando y agarrando macabiles en el río y chupando caña y en veces también ayudaban a desgranar el maíz para las tortillas. Así que todo lo miraban estos dioses, los que nacieron el mundo, los más primeros. Y se pensaron, pero no rápido se pensaron, sino que tardaron porque no muy ligeros eran estos dioses, así que pasó un buen rato en que sólo miraron al tiempo pasar dando tumbos por la tierra y ya después que así dilataron pues entonces sí se pensaron.

Ya después que se pensaron, porque también se tardaron un rato pensando, los dioses la llamaron a la Mamá que le llamaron Ixmucané, y ahí nomás le dijeron:

—Oí pues Mamá Ixmucané, este tiempo que se camina por la tierra no se anda bien y nomás se la pasa brincando

y corriendo y arrastrando y a veces para adelante y a veces
para atrás y así pues de plano no se puede sembrar, y ya
mirás que tampoco se puede cosechar a gusto y ahí están
tristeando los hombres y mujeres y ya mucho batallamos pa-
ra encontrar al macabil y no está la caña donde la dejamos
y nosotros pues te decimos, no sabemos qué pensás, Mamá
Ixmucané, pero como que no está bueno que el tiempo se
ande así nomás, sin nadie ni nada que lo oriente cuándo y
por dónde se tiene qué caminar y con qué paso. Así pensamos,
Mamá Ixmucané, no sabemos qué nos vas a decir vos con
este problema que te decimos.

La Mamá Ixmucané se suspiró durante un buen rato y
entonces ya dijo:

"No está bien que el tiempo ande así nomás como burro
sin mecate, haciendo sus destrozos y mucho estropeando a
todas estas buenas gentes".

—*Sí, pues, no está bien* —*dijeron los dioses.*

Y se esperaron un rato porque sabían bien que no había
terminado de hablar la Mamá Ixmucané, sino que apenas
empezaba.

Por eso, desde entonces, las mamás apenas empiezan a
hablarnos cuando parece que ya terminaron.

Otro rato se estuvo suspirando la Mamá Ixmucané y en-
tonces siguió hablando:

"Allá arriba, en el cielo, está pues la cuenta que debe
seguir el tiempo y el tiempo sí hace caso si alguien le está
leyendo y diciendo qué sigue y cómo y cuándo y dónde".

—*Sí está y sí hace caso* —*dijeron los dioses.*

Más se suspira la Mamá Ixmucané y por fin dice:

"Estoy dispuesta a leerle al tiempo la cuenta para que
aprenda a andarse derecho, pero ya no tengo buenos mis ojos
y caso puedo mirar al cielo, no puedo".

—*No puede* —*dijeron los dioses.*

—Viera que puedo —dijo la Mamá Ixmucané. Pa luego lo enderezo al tiempo, pero ahí está que no puedo mirar y leer el cielo, porque no tengo buenos mis ojos.

—Mmmh —dijeron los dioses.

—Mmmh —dijo la Mamá Ixmucané.

Así tardaron, nomás diciendo "mmmh" los unos y la otra, hasta que por fin los dioses se pensaron otra vez y dijeron:

—Mirá vos, Mamá Ixmucané, no sé qué pensás pero nosotros pensamos que está bueno si te traemos el cielo pacá abajo y pues ya cerquita bien que lo podés mirar y leer y enderezarle el paso al tiempo.

Y la Mamá Ixmucané se suspiró fuerte cuando dijo:

"¿Caso tengo dónde ponerlo al cielo? No, no, no. ¿No mirás que está chiquita mi champa? No, no, no".

—No, no, no —dijeron los dioses.

Y otro buen rato se quedaron con sus "mmmh", "mmmh". Ya luego se pensaron los dioses otra vez y dijeron:

—Mirá vos, Mamá Ixmucané, no sé qué pensás, pero nosotros pensamos que está bueno si lo copiamos lo que está escrito en el cielo y lo traemos y vos lo copias y ya lo podés leer y así enderezás el paso del tiempo.

—Ta bueno —dijo la Mamá Ixmucané.

Y subieron los dioses y se copiaron en un cuaderno la cuenta que contaba el cielo y se bajaron otra vez y fueron con el cuaderno a ver a la Mamá Ixmucané y le dijeron:

—Mirá vos, Mamá Ixmucané, aquí está pues la cuenta que cuenta el cielo, aquí la apuntamos en este cuaderno pero no va a durar, así que tenés que copiarlo en otro lado donde dure todo el tiempo la cuenta que endereza el camino del tiempo.

—Sí, sí, sí —dijo la Mamá Ixmucané. En mis manos la copio la cuenta y yo le enderezo el paso al tiempo para que derecho se camine y no se ande como viejito bolo.

Y en la palma y el dorso de las manos de la Mamá Ix-mucané, los dioses escribieron la cuenta que en el cielo cuenta para enderezar el camino del tiempo, y por eso las mamás sabedoras muchas rayas se llevan en las manos y en ellas leen el calendario y cuidan así que el tiempo se camine derecho y no se olvide la cosecha que la historia siembra en la memoria.

Se calla el Viejo Antonio y la doña Juanita repite, viéndose las manos, "viene el agua a tiempo".

Esto que les cuento fue hace 10 años, una madrugada de mayo. Hoy, en esta madrugada del 10 de mayo, queremos saludar a un grupo de personas que estuvieron con nosotros en este encuentro, y que han estado con nosotros aun cuando no estaban. Estoy hablando de las madres de presos y desaparecidos políticos a quienes nosotros, sus hijos nuevos, felicitamos por este 10 de mayo. Con ellas vuelve Mamá Ixmucané a darnos memoria digna y a recordarnos la cuenta para cosechar el mañana que la historia siembra.

Salud, pues, a estas madres sabedoras, salud a estas mujeres que nos aseguran que siempre habrá alguien que no pierda la memoria.

Hermanos y hermanas:

Queremos darles a todos y a todas ustedes las gracias por haber venido hasta acá a encontrarse con nosotros.

Durante estos días hemos podido reconstruir el rompecabezas que es la Consulta por el Reconocimiento de los Derechos de los Pueblos Indios y por el Fin de la Guerra de Exterminio. Con todas las piezas que ustedes han traído y con las que ya teníamos nosotros, tenemos ya todos, ustedes y nosotros, una idea aproximada de la figura que tiene este movimiento que, hace falta repetirlo, no ha terminado; pero ya ven que, detrás del rompecabezas de la consulta, hemos encontrado otras piezas que nos ayudan a imaginar otra figura, una más grande y poderosa, aunque sigue oculta, aunque sigue pendiente la solución del enigma.

Cuenta el libro sagrado del *Popol Vuh*, que los más antiguos dioses hubieron de resistir los ataques y engaños de los grandes señores que gobernaban gentes y suelos. Después de un intento de engaño, los dioses enviaron tres regalos a los grandes señores para que éstos conocieran de la fuerza y poder de los dioses. Eran los tres regalos tres hermosas pieles bellamente pintadas. Una tenía pintado un poderoso tigre, la otra un águila gallarda y en la tercera eran muchas las pinturas de abejorros y avispas. Los grandes señores se alegraron de esos regalos y dieron en comprobar si era grande el poder de los dioses a los que querían sojuzgar, y pusieron entonces, con temor, la piel con el tigre pintado y vieron que nada pasaba y hermosa en verdad era la piel con el tigre pintado. Mucho se alegró el corazón de los señores cuando vieron que el tigre pintado nada les hacía y se pensaron que no es grande el poder de los dioses que querían sojuzgar, y entonces pusieron sobre su cuerpo la segunda piel, la del águila pintada, y vieron que ningún daño les hacía el águila y mucho lucía la piel del águila y más contento se puso su corazón y ya se alegraba de que pronto podrían sojuzgar a esos dioses que no eran poderosos porque sus pieles pintadas ningún daño hacían. Ya sin temor alguno, los señores pusieron la piel tercera, la que se adornaba con miles de avispas y abejorros de muchos y variados colores.

Y sucedió que en ese momento tuvieron vida los abejorros y las avispas y duro atacaron a los grandes señores y mucho era el dolor que las picaduras les causaban y se rindieron los grandes señores ante la sabiduría y el poderío de los dioses.

Con lo acordado en ese segundo encuentro podremos, eso esperamos todos, ir terminando de pintar la gran piel que este país necesita.

Vale. Salud y buen viaje.

Desde las montañas del Sureste mexicano
Subcomandante Insurgente Marcos
México, mayo de 1999

Tesis y una conclusión
sobre el polifante y la rebeldía

Mayo de 1999

Al movimiento estudiantil de la UNAM
Al Consejo General de Huelga
A las universitarias y universitarios presentes en el *Che:*

Hemos tomado conocimiento de la inminente reinauguración del Auditorio "Ernesto *Che* Guevara", sitio en la Facultad de Filosofía y Letras de la UNAM. Ciudad Universitaria, Territorio Rebelde contra la estupidez, Distrito Federal, México.

Algo tarde nos llegó la invitación para asistir al *Che*, y de por sí íbamos a ir pero ya no podremos llegar a tiempo. Las guardias que tenemos que hacer para sostener nuestra huelga extramuros (bueno, y algunas decenas de miles de soldados) impiden que hagamos acto de presencia en esta celebración.

Desde hace algunos días y en un lugar bastante visible para los tanques de guerra, los aviones militares y los helicópteros que todos los días hostigan La Realidad, un par de mantas avisan que en las montañas del Sureste mexicano hay una huelga extramuros en solidaridad con el movimiento estudiantil de la UNAM.

Agradecemos que nos hayan invitado y les pedimos que, de ser posible y si alguno o alguna todavía está despierto (a) después de todas las intervenciones–mociones–remociones, se lean estas líneas que, como será evidente, rebosan sabiduría, galanura, buen gusto, coherencia y, sobre todo, no son tan aburridas e insípidas como las declaraciones del rector Barnés.

(Ojo a quien lea esto: esperar a que acaben la rechifla y las mentadas de menta y de las otras que el respetable dedica en estos precisos momentos a tan distinguido personaje —el rector, se entiende— ¿Ya acabaron? ¿Seguro? Bueno, continúe usted. De nada.)

Puesto que este es un recinto universitario y se trata de la Facultad de Filosofía y Letras, le hemos dado a estas palabras la forma de "cátedra magistral" con una argumentación lógica muuuy postmoderna (digo, para darle realce al asunto, porque si no van a pensar allá afuera que todos los exuniversitarios son como el imbécil de Gurría o el gris de Moctezuma).

Sale pues, sacad todos una hoja en blanco, poned vuestro nombre y número de cuenta, y tomad apuntes de lo siguiente que, para no dejar duda de su seriedad, se llama...

Tesis y una conclusión
sobre el polifante y la rebeldía

1. El polifante, como todos vosotros sabéis porque se estudia en todas las facultades y escuelas, es una especie de elefante múltiple y multiplicada nariz, exponencial en número y distancia.

2. La distancia más larga entre dos puntos es la recta que no los une, sobre todo si entre los dos puntos hay una pared.

3. La pared, viene en todos los tratados científicos, es un curioso artefacto que sirve para evitar que haga lo que se le venga en gana ese travieso irreverente que es el viento.

4. El viento, según revelan recientes estudios estudiados estudiosamente, es un potro obsceno cuya montura es el deseo.

5. El deseo es inútil si no convoca humedades.

6. Las humedades, según se sabe, nacen en una calabaza.

7. La calabaza es la forma que, para protestar contra la ley de gravedad, asume una manzana.

8. Una manzana no siempre es una manzana, sobre todo de madrugada.

9. La madrugada es el lugar en donde se desvive el Polifante.

Conclusión: ergo *el Polifante como la rebeldía, es contagioso.*

Fin de la Cátedra Magistral

(Ojo al que lee esto. ¡No sea ojeras! ¡Deje que aplaudan antes de seguir! ¿Ya? ¡Voooy! Pos que pichicateros. Bueno, ni modo, siga usted. De nada.

Universitarias y universitarios:

Hace poco vuestro movimiento acaba de cumplir un mes de iniciado. Durante estos 30 días habéis sido atacados de todas las formas posibles: os han difamado, insultado, secuestrado, golpeado, amenazado e ignorado. Vosotras y vosotros habéis resistido. No sólo eso, además habéis hecho crecer el movimiento y conseguido tender puentes hacia otros movimientos y sectores que resisten contra la estupidez que nos gobierna. Es muy poco lo que nosotros os podemos decir después de estos días difíciles, si acaso os repetimos que mucho nos habéis enseñado y que seguimos atentos cada uno de vuestros pasos con la convicción de que aprenderemos así a ser mejores. El polifante viene a colación en este día para así tender un largo puente desde nuestro acá a vuestro allá, para saludar la madrugada y saludarles, y para ver de nuevo reír al *Che* en donde debe, es decir, con los hombres y mujeres dignos que hoy brillan en vuestros pasos y miradas.

Vale. Salud y larga vida al *Che* y a quienes hoy lo viven jóvenes y rebeldes.

Desde las montañas del Sureste mexicano
Subcomandante Insurgente Marcos
México, 22 de mayo de 1999

La historia de la Vía Láctea
(En la madrugada 2000)

A la prensa nacional e internacional
Damas y caballeros:

Va texto con nuestra posición sobre los últimos acontecimientos. En dado caso de que lo arrumben en Internet o lo olviden en su casa, ahí cuando menos avisen que algo salió. Gracias pues.

Nosotros no tenemos automóviles, ni circulamos por el periférico, pero acá encendimos velas para decir que sí apoyamos el movimiento de huelga de la UNAM. Y no nos importa que nos sigan atacando con policías y soldados, y que ocupen más poblados, y que continúen deteniendo arbitrariamente indígenas acusados de ser zapatistas, nosotros vamos a seguir apoyando a los estudiantes universitarios simple y sencillamente porque les asiste la razón.

Vale. Salud y, antes de que boten el comunicado en un rincón, ¡feliz dos mil! ¿O qué?

Desde las montañas del Sureste mexicano
Subcomandante Insurgente Marcos
México, junio de 1999

97

P.D. Ya no entendí nada. ¿O sea que, para el gobierno, el *New York Times* es el periódico más importante e influyente del mundo si aplaude la política económica de Zedillo, y cuando da nombres de políticos mexicanos vinculados al narcotráfico (Liévano, Hank) entonces es un panfleto al servicio de oscuros intereses que buscan dañar a México? Como quiera, y de consuelo, el Secretario de Gobernación se fue a fotografiar en un palco futbolero con uno de los "presuntos", Hank González.

P.D. Que escarba. Total, que debajo de la campaña "elimina un *ultra*" (o un huelguista universitario), del temblor, de la ejecución de Paco Stanley, de la visita del más grande criminal del país (Carlos Salinas de Gortari –digo, si el tema es la seguridad pública, hay que reconocer que hay de criminales a criminales–), de la carrerita de Zedillo para esconderse en Guadalajara, y del "blindaje" financiero, quedó sepultado el caso del apoyo económico de Cabal Peniche a la campaña de Zedillo con dinero del narcotráfico.

P.D. Que busca un salvavidas. Según se sabe, los barcos que se "blindan"... se hunden.

P.D. Curiosa. ¿Qué precandidato del PRI acaba de declarar que no se le considere como neoliberal y en la Secretaría de Energía, Minas e Industrias Paraestatales, en el periodo de 1982 a 1986, intervino en el proceso de venta de más de 300 organismos estatales?

2000

Pero hay un rayo de sol en la lucha
que siempre deja la sombra vencida
Miguel Hernández

1999, 24 de junio. Ya la noche de San Juan reina en las montañas del Sureste mexicano. Y reina como es ley, es decir, lloviéndose. Vientos marinos trajeron hasta lo alto de esta ceiba una cajita de recuerdos. De una de las comisuras de la abierta boca del cofrecito sobresale una serpentina de luz y, con ella, una historia. En ella se aparece de pronto, como lluvia nocturna, el Viejo Antonio y, como si tal cosa, me pide fuego para encenderse el cigarro y la memoria. Por encima del rudo tamborileo de la lluvia sobre el techo de nylon, se levantan las palabras del Viejo Antonio para, puesto que recuerdos y luminosas serpentinas, contar...

La historia de la Vía Láctea

Antes de que la lluvia desnude a la montaña, allá arriba se ve un largo camino de luz polvosa. Desde allá viene y se va hasta allá, dice el Viejo Antonio con apenas un gesto de un lado a otro. "Vía Láctea" dicen que se llama, o también lo nombran "Camino de Santiago". Dicen que son muchas estrellas que a saber porque se dan en estarse juntas y pequeñitas, haciéndose hendidura y caminito en el ya de por sí agujereado cielo. Dicen, pero no así es, dicen también. Cuentan los más viejos de nuestros viejos que eso que se ve allá arriba es un animal herido.

Hace una pausa el Viejo Antonio, como esperando la pregunta que no hago: ¿un animal herido?

Hace muchos tiempos, cuando ya los dioses más primeros se habían creado el mundo y se la pasaban haraganeando, los hombres y mujeres se vivían la tierra trabajándola y botándola y así se la pasaban. Pero cuentan que un día, en un pueblo se apareció una gran serpiente que se alimentaba de hombres. O sea que sólo se comía a los varones, a las mu-

jeres no las comía. Y ya luego que se comía a todos los hombres de un poblado, se iba a otro y hacía lo mismo. Rápido se avisaron los pueblos entre sí de este gran espanto que les llegaba y muchos miedos platicaban de esa gran culebra, que si era tan gorda y larga que alcanzaba a rodear a todo un poblado, como una pared que no dejaba ni entrar ni salir, y que ahí nomás decía que si no le daban a todos los varones nomás no dejaba salir a nadie, y así algunos se rendían y otros peleaban, pero grande era la fuerza de la culebra y siempre ganaba. Con miedo se vivían los pueblos, esperando nomás el día en que les iba a tocar que llegara la grande culebra a comerse a todos los hombres, enteros se los tragaba la serpiente. Cuentan que hubo un hombre que logró escapar de la serpiente y se fue a refugiar en una comunidad que ya de por sí había sido atacada. Ahí, delante de puras mujeres, el hombre habló de la culebra y de que había que luchar para derrotarla porque mucho era el daño que hacía en estas tierras. Las mujeres se dijeron ¿qué podemos hacer si somos mujeres?, ¿cómo vamos a pelear contra ella sin hombres?, ¿cómo vamos a atacarla si ya no viene para acá porque ya no hay hombres, todos los comió ella?

Se fueron las mujeres, muy desanimadas y tristes. Pero una quedó y se acercó al hombre y le preguntó qué cómo pensaba que podía pelearse contra la culebra. El hombre dijo que no sabía pero que había que pensar cómo y, juntos, el hombre y la mujer se pusieron a pensar y se hicieron un plan y se fueron a llamar a las mujeres para decirles el plan y todas estuvieron de acuerdo.

Entonces sucedió que el hombre se empezó a mostrar sin pena por en medio del pueblo y de lejos lo miró la serpiente, porque muy buen ojo tenía esta culebra que lejos veía. Y entonces se llegó la serpiente y rodeó con su largo cuerpo el poblado y dijo a las mujeres que le entregaran a ese hombre que andaba ahí o si no pues no iba a dejar que nadie entrara o saliera. Las mujeres dijeron sí te lo damos, pero tenemos que reunirnos para sacar acuerdo. Está bueno, dijo la culebra. Y entonces las mujeres se pusieron en círculo alrededor del hombre y como eran muchas pues el círculo se iba haciendo más y más grande, hasta que topó de por sí con el círculo que el cuerpo de la serpiente tenía en torno al pueblo. Entonces el hombre dijo está bueno, me entrego. Y se caminó hacia la cabeza de la serpiente y, cuando la culebra se entretenía comiendo al hombre, todas las mujeres sacaron palos filosos y empezaron a picar a la culebra en todo el cuerpo y, como eran muchas y estaban en todas partes y tenía la boca llena con el hombre que comía, la serpiente no podía defenderse. Y nunca pensó que los débiles la atacarían de tal forma y en todas partes, y pronto se vio muy débil y derrotada. Y dijo entonces: perdónenme, no me maten. No, dijeron las mujeres, te vamos a matar de por sí porque mucho mal haces y te comistes a todos nuestros hombres. Hagamos un trato, dijo la culebra, si ustedes no me matan de una vez entonces yo les regreso a sus hombres porque de por sí los tengo en mi panza. Y entonces las mujeres pensaron que está bueno, que no la mataban, pero que la gran serpiente ya no iba a vivir en esas tierras y que sería expulsada. Entonces la culebra dijo: pero dónde voy a vivir y qué voy a comer, no hay trato. Y entonces estaban ahí con este problema cuando la mujer primera dice que hay que preguntarle al hombre que vino, a ver qué piensa y le dice a la culebra: suéltalo al hombre que acabas de comer y vemos si tiene una idea de cómo podemos hacer. Soltó la serpiente al hombre que ya estaba medio muerto y medio vivo y con trabajos habló el hombre y dijo que había que preguntar con los dioses primero a ver qué se podía hacer, y que él podía ir a buscarlos porque ya estaba medio vivo y medio muerto. Y fue el hombre y encontró a los primeros dioses dormidos bajo una ceiba y los despertó y les contó el problema y los dioses se reunieron para pensarse y sacar un buen acuerdo y ya entonces fueron a ver a la serpiente y a las mujeres victoriosas y escucharon y dijeron que la culpa era de la serpiente y que debía ser castigada, que devolviera pues a los hombres que había tragado y que no moriría, y la culebra vomitó a todos los hombres de todos los pueblos. Y entonces los dioses dijeron que la serpiente tenía que irse a vivir a la montaña más alta y que, como no cabía en una sola montaña pues tenía que usar dos montañas, las más altas del mundo, y en una tendría la cola y en otra la cabeza, y de comida comería luz de sol y las miles de heridas que le habían hecho las mujeres guerreras no iban a cerrar nunca y ya se fueron los dioses y ya se fue triste la culebra, la gran serpiente, a las montañas más altas y en una puso la cabeza y en otra la cola y extendió su largo cuerpo de lado a lado del cielo y, desde entonces, come de día la luz del sol y de noche esa luz se le derrama por todos los agujeritos de sus heridas.

Pálida es la serpiente, por eso no se mira de día, y por eso de noche sólo se alcanza a ver la luz que se le va cayendo y la deja vacía hasta que, al otro día, el sol la alimenta de nuevo. Por eso dicen que esa larga línea que brilla de noche allá arriba, no es sino un animal herido...

Eso me cuenta el Viejo Antonio y entiendo entonces que la Vía Láctea no es más que una larga serpiente de luz, que de día se alimenta y de noche se desangra.

Ha dejado de llover en esta noche de San Juan. Pronto el cielo se tornó moreno claro y claro se alcanza a ver que una serpentina de luz cuelga de la gruesa figura de mil heridas, de lado a lado, de uno a otro horizonte. Suave cae el plateado cairel en lo alto de esa ceiba que allí abajo gotea otra lluvia hacía más abajo. Del espejo sin rostro que en ella desvive, rebota el brillo y va más lejos, hasta allá, hasta ese rincón donde detrás de una sombra se ve...

I. La educación pública en la mira del fusil

La vida se libraba, ¡con qué gesto!
De morir, ¡con qué arte!
Miguel Hernández

En octubre de 1998, se realizó en París, en la sede de la UNESCO, la Conferencia Mundial de Educación Superior. En esta reunión, el Banco Mundial fijó su posición respecto a lo que debía ser la reorganización de la educación superior en el planeta. En forma apretada, ésta es la propuesta de la globalización de la educación superior.

Para el Banco Mundial es necesaria una renovación "radical" de la educación superior, a modo de transformar la universidad "clásica" o "tradicional" (cuyo fundamento es la docencia y la investigación) para que responda a las demandas del mercado neoliberal, es decir, define la educación superior como un bien privado, como cualquier bien o servicio de los que ofrece el mercado. Conforme a esto hay que redefinir a los actores del proceso educativo superior. Los *consumidores* son las empresas, los *proveedores* son los administradores y profesores, y los *clientes* son los estudiantes. En este caso, dice el Banco Mundial, los *proveedores* no saben qué es lo que conviene al mercado, los *consumidores* saben mejor que nadie qué es lo que *vende*, entre otras cosas porque ellos son los *compradores*.

Un primer paso es convertir la universidad en una empresa autofinanciable. Para esto, el Banco Mundial recomien-

103

da el aumento de colegiaturas, la eliminación de becas totales o parciales, el cobro total de servicios y apoyos universitarios, préstamos y cobro de éstos al interés bancario vigente a través de compañías privadas, impuesto a graduados, reorientar la formación de profesores para convertirlos en empresarios, venta de investigaciones y cursos, y aumento y promoción de las universidades privadas. La toma de decisiones en la educación superior debe pasar, según el Banco Mundial, a los consumidores.

El Banco Mundial asienta que los gobiernos y los universitarios no son sensibles a las necesidades del mercado global. Por esto se propone cambiar la asignación de presupuestos según criterios clásicos (matrícula y prestigio), a los criterios por rendimiento según lo que indiquen los consumidores. Es decir, las universidades deberán reorientarse (es decir, reasignar presupuestos) según las necesidades de los *consumidores* (las compañías privadas). El Banco Mundial ubica al profesorado como un elemento a *reajustar* según este criterio mercantil. La libertad académica y la definitividad son un estorbo, igual los sindicatos y asociaciones académicas. Es decir, se necesitan menos académicos e investigadores, y "diferentes" académicos, investigadores, trabajadores manuales y administrativos. En suma: readiestramiento y reestructuración. (Todo esto se detalla en el boletín de la *Canadian Association of University Teachers*, traducción de Luis Bueno Rodríguez, UAM–I).

Es obvia la coincidencia de este planteamiento con la ofensiva privatizadora y reclasificadora que el gobierno de Zedillo ha dirigido en contra de las universidades públicas del país. La Universidad Nacional Autónoma de México (UNAM), la Universidad Autónoma Metropolitana (UAM), la Escuela Nacional de Antropología e Historia (ENAH), la Universidad Pedagógica Nacional (UPN), y el Instituto Politécnico Nacional (IPN), están ahora en la mira del fusil gubernamental. En grados diversos y con matices, estos institutos de educación superior están sufriendo los embates de una "modernización" que no pretende sino liquidar el concepto de universidad pública.

El ataque privatizador que busca "refuncionalizar" la educación pública superior ha encontrado firmes resistencias de parte del estudiantado, aunque es evidente que son los sectores académico, investigador y administrativo los que son el objetivo principal.

El haber elegido a la universidad pública como blanco prioritario de sus disparos no es inocente en el gobierno. Abatiendo este blanco, otros se presentan más a modo para ser derribados: la historia, la electricidad, el petróleo.

Para privatizar el patrimonio cultural está la Iniciativa de Ley General del Patrimonio Cultural, cuyo objetivo es redefinir la política cultural del gobierno y extender la ola de privatizaciones a los monumentos y zonas arqueológicas, artísticas e históricas de México. La iniciativa de ley en cuestión es un auténtico erizo: sus puntas no sólo hieren al patrimonio cultural histórico mexicano, también atentan contra la investigación antropológica e histórica, la docencia y, por supuesto, contra uno de los movimientos estudiantiles más constantes y combativos en México, el de la Escuela Nacional de Antropología e Historia.

Por eso el movimiento estudiantil, no sólo el de la UNAM, también el de la Escuela Nacional de Antropología e Historia, la UAM, la Pedagógica Nacional y el Poli, enfrentan tantas y tan variadas fuerzas que lo agreden. Y el desconocimiento de lo que esconden las "reformas" que sus autoridades impulsan, es una de las razones por las que se les ha, no sólo escatimado apoyo, sino atacado por parte de sectores que serán los más afectados si esas "modernizaciones" tienen éxito.

Por eso, hoy están...

II. Los estudiantes universitarios
en la mira del fusil

Pero la cicatriz más dura y vieja
reverdece en herida al menor golpe
Miguel Hernández

En los últimos días, alguna prensa de todo el espectro político se ha unido al gobierno y a Barnés en la afirmación de que los *ultras* (así los llaman) tienen la culpa de que no se levante la huelga. Los llamados *moderados*, en ese apresurado repartir etiquetas con el que la *inteligentzia* oculta su ignorancia y su falta de análisis serios, claman justicia. Se quejan de hostigamientos (les gritan, pues) y de amenazas (les dicen *vendehuelgas*), y llaman a todos a una santa cruzada en contra del principal enemigo del movimiento universitario. ¿El Banco Mundial? ¿La política de Barnés? No, la *ultra*.

El clamor demandando justicia ha encontrado rápido eco en personas con clara vocación democrática, justiciera y libertaria: Ernesto Zedillo Ponce de León, Francisco Barnés, Diódoro Carrasco, Francisco Labastida, Guillermo Ortega, Abraham Zabludovsky, Ricardo Salinas Pliego, Javier Alatorre, Sergio Sarmiento, y otros venerables y venerados *defensores* de la universidad pública y gratuita.

Incapaces de ganar para sus posiciones a las bases estudiantiles (que son LAS que estallaron y mantienen la huelga), los neodesplazados de las asambleas se refugian en algunos medios de comunicación para tratar de conseguir ahí lo que perdieron en el movimiento estudiantil, es decir, autoridad moral, legitimidad, credibilidad. Los medios que "redescubrieron" en el caso Stanley el aumento en ventas que los escándalos producen, se han unido en este absurdo frente amplio en contra de los universitarios en huelga, presentando el movimiento en su conjunto bajo la imagen y semejanza, trabajada especialmente para su ridículo, de algunos estudiantes de las corrientes más radicales que se encuentran, junto a muchas otras, en el seno del movimiento.

El unánime clamor en contra de los linchamientos en prensa, que se elevó cuando TV Azteca y Televisa usaron la ejecución de Stanley para movilizar a la opinión pública en contra de Cuauhtémoc Cárdenas, ha sido sustituido por este nuevo linchamiento, ahora en contra de los estudiantes universitarios. No sólo eso, quienes ayer se quejaron amargamente de la forma en que los medios electrónicos "lincharon" a Cárdenas, hoy se apresuran a encabezar la campaña de desprestigio en contra de los estudiantes.

De pronto, los estudiantes huelguistas son sufridas ovejas conducidas por un perverso pastor (que enseña la barriga, ¡horror!), y sólo esperan ser rescatadas por la clara inteligencia que entiende que "no–es–el–momento–para–radicalismos". Vueltas que da el mundo, los argumentos que ayer las autoridades usaron en contra de ellos (cuando encabezaban los movimientos), son ahora esgrimidos frente a estos enemigos *ultras* que son, es innegable, muy cómodos, dan la coartada perfecta que justifica la falta de argumentos para las posiciones propias y la falta de ascendencia moral en un movimiento que, ¿no se dan cuenta?, es nuevo en su fondo y en su forma.

¿Un poco de historia? Cuando el PRD gana las elecciones en el D.F., toda una camada de líderes incrustados en los movimientos sociales (y con innegable ascendencia política en ellos) pasó a funciones de gobierno en la ciudad de México. En la universidad ya existía la *ultra* (¿hubo algún tiempo en

107

que no existiera?) y sus posiciones y argumentos no variaban (ni los gritos ni las acusaciones de *vendehuelgas*) en mucho de las de ahora. Sin embargo, la ascendencia moral de los líderes estudiantiles les daba la mayoría. Al abandonar el movimiento universitario para cubrir, primero, trabajos de la campaña electoral, y, después, funciones de gobierno, los líderes universitarios ligados al PRD dejaron un espacio desocupado.

El tiempo, ¿es necesario recordarlo?, pasa, el espacio es llenado de nuevo; pero ¿por qué engañarse y engañar diciendo que ese espacio ha sido ocupado por la *ultra*, si saben muy bien que ningún grupo o tendencia de las que se mueven dentro de la UNAM puede mantener una iniciativa si no hay apoyo estudiantil? En este caso, ni siquiera la *ultra* dirige (y ellos lo saben) y una nueva generación está en la universidad planteando no sólo la renovación del liderazgo estudiantil, sino también la concepción misma de ese liderazgo.

¿Los estudiantes se gritan en las asambleas y se amenazan? ¿Y en el Congreso de la Unión? ¿No son los diputados y senadores el máximo poder de la federación? ¿No han llegado hasta los golpes?

¿Los estudiantes se pasan horas y horas en asambleas, discutiendo sin llegar a acuerdos? ¿Era diferente cuando los *moderados* lidereaban el movimiento?

Si la *ultra* es un grupúsculo sectario, intolerante y vanguardista, y si la *ultra* es la que impide que la huelga se levante, ¿cómo puede un grupúsculo mantener las instalaciones en huelga, *brigadear* (¿así se dice?), cerrar calles, amenazar y hostigar *moderados* y, además, estar presentes en asambleas que duran hasta 12 horas, todo al mismo tiempo?

Algunos hechos reales y "olvidados" por los medios de comunicación: la *ultra* no ha violado, ni golpeado ni encarcelado a ningún estudiante, no ha tratado de imponer un reglamento de pagos a espaldas de la comunidad universitaria, no ha levantado actas policiacas en contra de universitarios, no ha promovido las clases extramuros y (es evidente) no ha orquestado una campaña de medios en contra del movimiento.

Los rumores sobre armas entre ellos son del tipo "dicen que uno dice que alguien los vio", y son más graves que los que señalaron a funcionarios del gobierno del D.F., exlíderes universitarios, escondiéndose en la noche para llevarles naranjas a los huelguistas en los primeros días. ¿No se podría decir, siguiendo la pauta marcada por las acusaciones de que la *ultra* está armada, que se quiere ganar con naranjas lo que no se puede ganar con argumentos? Pero claro, a nadie se persigue y encarcela por llevar naranjas, pero por llevar un arma...

Sobre algunos de los grupos de tendencias más radicales o *ultras* que se mueven al interior de la UNAM y su feroz antizapatismo no hay mucho que decir, acaso recordar algunos hechos: ¿Alguien recuerda que el señor Alan Arias era uno de los llamados *"ultra–ultras"* en sus tiempos universitarios, feroz opositor de las posiciones *claudicantes*, *dialoguistas* y *entreguistas* de la izquierda *reformista* (entonces el PCM y el PRT)? ¿No es hoy el señor Alan Arias un empleado de tercera o cuarta categoría en la Secretaría de Gobernación? ¿Y Adolfo Orive? ¿Y Raúl Salinas de Gortari? ¿No era "El Wama" el apodo que el general Chaparro Acosta usaba en el medio universitario para adoptar poses *ultra*–radicales y detectar a quienes después torturaría en las cárceles clandestinas de la *Brigada Blanca*?

Será la práctica y no el discurso la que, al paso del tiempo, defina radicalidades y consecuencias. Entonces veremos dónde están los *claudicantes*, *dialoguistas*, *entreguistas* y algún otro "istas" que se me escapa pero que no han cambiado mucho de ayer a hoy. Volviendo a los "perversos" paristas que "mantienen secuestrada la UNAM" (que, ahora lo sabemos, pertenece a Barnés y sus burócratas): ¿Está ganada la huelga? ¿No dijeron ayer, antes de que estallara, que era una provocación y que sería un fracaso, que era minoritaria, etcétera (de hecho, esos argumentos fueron los que envalentonaron a Barnés)? ¿Ahora resulta que la huelga sí tenía razón de ser y, además, ya ganó y debe levantarse? ¿No es ese el argumento central del discurso de Zedillo de este 24 de junio? ¿Por qué les van a creer ahora? ¿Cómo claman que se acabe un movimiento por el que no han hecho nada como no sea alentar la campaña de difamación en su contra?

Ahora bien, supongamos que tienen éxito y que la *ultra* recibe el repudio unánime de la población, y el gobierno, sensible como es a las demandas populares, opta por reprimir masivamente el movimiento y golpear a la *ultra* para "liberar" a la UNAM, ¿cómo es la cara de un *ultra*? ¿Hay alguna credencial o identificación de la *ultra* para que el golpe sea sólo para ellos? Finalmente, si negarse a levantar el paro porque, como dice el CGH, no se han cumplido sus demandas, es ser *ultra*, ¿no se está llamando a reprimir al CGH en pleno, a los cientos de estudiantes que mantienen la huelga, hacen brigadas y toman contacto con otras organizaciones y a las decenas de miles de universitarios que han asistido a las movilizaciones convocadas por el CGH y apoyan, sin encender la luz de su automóvil, el movimiento por la defensa de la educación pública y gratuita?

¿Cuál es la estatura de una organización cuyos militantes no pueden llevar adelante sus planteamientos políticos porque los "otros" les gritan y les dicen *vendehuelgas*?

¿Ha triunfado la huelga y debe levantarse ya? ¿Debe seguir? Esto es algo que responde y responderá el movimiento estudiantil, los que hicieron la huelga y que la han mantenido a pesar de la peor campaña de hostigamiento mediático que se haya visto en los últimos años.

Ellas y ellos, los jóvenes que hacen el movimiento, son los que decidirán. No la *ultra*, ni los *moderados*, ni cualquiera de las *etiquetas* con las que se pretenda reducir lo nuevo de este movimiento al cómodo, e inútil, esquema de lo viejo.

No son pocas las iniciativas que la llamada *ultra* ha ganado en el CGH y perdido en las asambleas de escuelas y facultades, y, por tanto, de nuevo en el CGH, ¿Dos ejemplos? La toma de carreteras y el Congreso constituyente. La mayoría de las escuelas no aprobó la toma de carreteras y se pronunció por un Congreso resolutivo.

Por lo pronto, en su manifiesto del 22 de junio, el Consejo General de Huelga es contundente:

Hemos sostenido todo el tiempo nuestra disposición e interés en que se abra el diálogo, reivindicando una bandera que el movimiento estudiantil ha reivindicado por más de 30 años, que es el diálogo público y abierto. (...) Porque no tenemos nada que esconder, porque queremos que todos nos vean y nos escuchen, porque queremos que todos sepan cuáles son nuestros argumentos y cuáles los de las autoridades.

¿De qué se asombran? ¿De que sostengamos con firmeza las características de este diálogo, de que queremos hacer honor a las mejores enseñanzas del movimiento estudiantil? ¿De qué se sorprenden, de que se planteen condiciones elementales para el diálogo, si lo que se pide es que se deje de reprimir, que se paren las actas, que le paren a la labor de sus corruptas clases extramuros contra la huelga?

Esto es lo que el CGH ha planteado.

Parece que está claro.

Los zapatistas apoyamos al CGH si decide seguir la huelga y lo apoyamos si decide levantarla. Lo apoyamos porque ellas y ellos representan legítimamente al movimiento universitario. Tienen el respeto y la legitimidad que se han ganado trabajando con su gente. Son, pues, representativos.

Por otra parte, si ahora quienes mantienen la huelga en la UNAM son *ultras* a los que hay que exorcizar, ¿en dónde estarán los *ultras* de mañana?, ¿en el movimiento urbano popular?, ¿en el magisterio democrático?, ¿en el Sindicato Mexicano de Electricistas?, ¿o en las montañas del Sureste mexicano? Estas son preguntas que, quienes aspiran a ser gobierno, deben responder.

Sobre la visita que una delegación del CGH hizo a La Realidad y sobre si el EZLN tiene injerencia en el movimiento hay que ser claro: a La Realidad no vinieron los *ultras* porque para ellos somos *reformistas* y *dialoguistas*, tampoco vinieron los *moderados* porque para ellos somos *ultras* y *radicales*. Llegaron acá estudiantes universitarios y universitarias, y, en una larga sesión que duró 5 horas en que sólo ellos hablaron, expusieron lo que el CGH pensaba de la huelga. Ojo: el CGH y no ellos en particular (que tienen sus puntos de vista personales sobre el movimiento). La impresión que nos dejaron es que ellas y ellos, y a quienes representan, son personas honestas, que creen en lo que luchan y que viven como piensan. Entienden su movimiento y saben que son quienes están en las barricadas y en la brigada quienes le dan rumbo y dirección al movimiento. Ninguno vino a preguntar qué hacer (lo que fue un alivio, porque nosotros no sabemos), vinieron a decir su palabra para que conociéramos las razones de su movimiento. Las conocimos, las entendimos y la apoyamos.

Es más, no podemos ocultar la admiración y respeto que ellas y ellos (y me refiero sobre todo a quienes están haciendo el movimiento cotidianamente, aunque no estén en el CGH) nos causen. Por eso decimos acá que no tenemos injerencia

112

alguna en el movimiento estudiantil, pero creemos que el movimiento estudiantil sí tiene injerencia ya en el EZLN (¿leíste bien Rabasa? ¿No da esto para otra declaración en la prensa? ¿Digo, algo tienes que hacer para justificar el cheque ¿o no?).

Tal vez por eso, por la admiración que les tenemos y por el orgullo que nos da el conocerlos y saber de los universitarios, las comunidades zapatistas sufren una nueva embestida policiaco–militar.

Tal vez es por eso que estamos de nuevo.

III. Los zapatistas en la mira del fusil

Aquí la vida es pormenor:
hormiga, muerte, cariño, pena, piedra,
horizonte, río, luz, espiga, vidrio, surco y arena.
Aquí está la basura
En las calles, y no en los corazones.
Aquí todo se sabe y se murmura:
No puede haber oculta la criatura
Mala, y menos las malas intenciones
Miguel Hernández

24 de junio de 1999, noche de San Juan

En las montañas del Sureste mexicano se cumplen 2 000 días de guerra. 2 000 días repitiendo el "¡YA BASTA!". 2 000 días desafiando la muerte, el olvido, el silencio, 2 000 días apostando a la vida, a la memoria, a la esperanza.

Y en la madrugada 2 000 de la resistencia, los tejedores y las tejedoras zapatistas, rastro de múltiple luz y nombre multiplicado, se afanan. Tejen y tejen. Y tejiendo luchan. Y tejiendo cantan.

113

Hay quien dice que eso que tejen es una red para que no escape la memoria. Hay quien dice que es una tela de diversos colores para vestir la esperanza. Y hay quien dice que eso que se teje la madrugada 2 000, es el mañana...

Desde las montañas del Sureste mexicano
Subcomandante Insurgente Marcos
México, junio 24 de 1999
En la madrugada 2 000 de la guerra contra el olvido

Nada hay que esconder

Junio de 1999

Al Comité de la Diversidad Sexual;
A la comunidad lésbica, gay, transgenérica y bisexual:

Agradecemos que se nos dé la oportunidad de decir nuestra palabra en *esta 21 Marcha del Orgullo Lésbico, Gay, Transgenérico y Bisexual* a la que convoca algo de lo mejor de la diversidad sexual en México.

Reciban todas, todos, y los que no son ni todos ni todas, el saludo de los zapatistas en este día de lucha por la dignidad y el respeto a la diferencia.

Durante mucho tiempo, los homosexuales, lesbianas, transgenéricos y bisexuales hubieron de vivir y morir ocultando su diferencia, soportando en silencio persecuciones, desprecios, humillaciones, extorsiones, chantajes, insultos, golpes y asesinatos.

Lo diferente tuvo que soportar el ser reducido en su calidad humana por el simple hecho de no ser según una normalidad sexual inexistente, pero fingida y convertida en bandera de intolerancia y segregación.

Víctimas en todos los niveles sociales, objeto de chistes, chismes, insultos y muertes, los diferentes en su preferencia sexual callaron una de las injusticias más antiguas en la historia.

No más.

De todos los sectores sociales, de todos los rincones del país, de todos los centros de trabajo, de estudio, de lucha y de vida, se levanta una exigencia humana: respeto y reconocimiento de los derechos de la comunidad lésbica, gay, transgenérica y bisexual.

Hoy participan en esta jornada por el reconocimiento de la diversidad sexual en forma visible quienes, hartos de esconder su ser distintos, tienen la valentía y la combatividad en el pecho y la mirada.

Nada hay que esconder. Ni la preferencia sexual ni la rabia por la impotencia ante la incomprensión de un gobierno y un sector de la sociedad que piensan que todo lo que no es como ellos es anormal y grotesco.

¿De qué tienen qué avergonzarse lesbianas, homosexuales, transgenéricos y bisexuales?

¡Que se avergüencen quienes roban y matan impunemente siendo gobierno!

¡Que se avergüencen quienes persiguen al diferente!

Pero no sólo participan en este día de lucha quienes se pueden hacer ver y oír.

Muchas y muchos tienen que ocultarse –a veces de sí mismos–, pero no por ello renuncian a un derecho que es de todo ser humano: el del respeto a su dignidad, sin importar su color de piel, su lengua, su ingreso económico, su cultura, su creencia religiosa, su ideología política, su peso, su estatura o su preferencia sexual.

Para quienes están presentes en esta movilización, nuestra admiración por su valentía y audacia para hacerse ver y oír, por su ¡ya basta! orgulloso, digno y legítimo.

Nuestro saludo a su existencia organizada. Nuestro apoyo a su lucha y a sus demandas.

Para quienes no están pero son, nuestro saludo y esperanza de que algún día se pueda ser y estar sin pena, sin vergüenza, sin temor.

Los y las zapatistas, y quienes no son ni los ni las, pero son zapatistas, saludamos la dignidad lésbica, gay, transgenérica y bisexual.

Larga vida a su combatividad y un mañana distinto, es decir, más justo y humano, para todos y todas los diferentes.

Vale. Salud y ojalá algún día el silencio no tenga ni un rincón para esconderse.

Desde las montañas del Sureste mexicano
Subcomandante Insurgente Marcos
México, junio de 1999

Invitación al II Encuentro Americano
por la humanidad y contra el neoliberalismo

Junio de 1999

A los Pueblos de América
A los Comités de Solidaridad con la lucha zapatista
en América Latina
A los Comités de Solidaridad con la lucha zapatista
en el Mundo
Hermanos y hermanas:

Desde el Amazonas brasileño nos ha llegado un mensaje. El eco viene de los Andes y la Patagonia. De las aguas del Caribe los vientos lo traen. Lo repiten los tambores en Norteamérica y veloces correos atraviesan Argentina, Uruguay, Paraguay y Chile. En Bolivia sale la voz de las minas, la misma que baja de las alturas del Machu Pichu. En Ecuador, Colombia y Venezuela lo cantan. Nicaragua lo hace poema y es serio manifiesto en El Salvador, Honduras, Guatemala y Panamá. Las Antillas lo bailan. La palabra sale del Amazonas y se echa a andar por toda la América y en todos los pueblos se preparan largos viajes, como esos que se emprenden desde el dolor a la esperanza. Y de todos los continentes del continente Americano, de todos los mundos que lo pueblan, hombres y mujeres se echan a andar.

¿Cuál es el motivo de este desbarajuste continental? ¿Una nueva medida del Fondo Monetario Internacional? ¿Otro encuentro de Jefes que no son jefes de Estados que no son Estados? ¿Un partido de futbol? No, el motivo es una invitación. Desde el Brasil digno, Belém nos convoca al:

II *Encuentro Americano por la humanidad*
y contra el neoliberalismo

Será en Belem Do Pará y de los días 6 al 11 de diciembre de 1999.

Así que sólo les avisamos: la América de la digna resistencia, la de la empeñada lucha, la de la necia esperanza, la olvidada por todos menos por ella misma, se dirige ya a Brasil. Y allí vamos también. Si las pirañas del imperialismo no nos retrasan mucho, desembarcaremos en Belém al amanecer diciembre. No llevaremos mucho equipaje, si acaso solo lo necesario para repetir en el Amazonas brasileño que, contra el neoliberalismo y por la humanidad, hoy luchamos para que en la América toda, para todos haya...

¡Democracia!

¡Libertad!

¡Justicia!

Vale. Salud y todos los vientos y todas las barcas tienen ya destino: Belém Do Pará, Brasil.

Desde las montañas del Sureste mexicano
Subcomandante Insurgente Marcos
Por el Comité Clandestino Revolucionario Indígena–
Comandancia General
del Ejército Zapatista de Liberación Nacional
México, junio de 1999

Para Maurice Najman
(que se sigue fingiendo muerta)

19 de julio de 1999

Para: Asma Jahangir, Relatora Especial de la ONU
para Ejecuciones Extrajudiciales, Sumarias o Arbitrarias

De: Subcomandante Insurgente Marcos
CCRI-CG del EZLN

Señora Asma Jahangir:

Le escribo a nombre de las mujeres, hombres, niños y ancianos del Ejército Zapatista de Liberación Nacional.

Sabemos que no serán pocas las críticas que recibiremos por lo que le voy a decir y por haber desaprovechado una buena oportunidad de exhibir al gobierno mexicano en su política genocida contra los pueblos indios. Pero resulta que, para nosotros, la "oportunidad política" poco tiene que hacer frente a la ética política. Y no sería ético que, debido a nuestra confrontación con el gobierno mexicano, nosotros acudiéramos a un organismo internacional que ha perdido toda credibilidad y legitimidad, y cuya acta de defunción se firmó con los bombardeos de la OTAN en Kosovo.

Con su guerra en Los Balcanes, el gobierno norteamericano, disfrazado de OTAN y con los regímenes de Inglaterra, Italia y Francia como peones grotescos, logró destruir su objetivo principal: la Organización de las Naciones Unidas (ONU). La "inteligente" acción megapoliciaca del gendarme global, EU, puso en ridículo a la otrora máxima tribuna internacional. Violando los preceptos que le dieron origen a la

ONU, la OTAN desarrolló una guerra de agresión cínica, atacó a civiles indiscriminadamente y pretendió delegar la autoría intelectual en los satélites que, más que nunca, demos-traron que son inútiles para quien ya tiene visiones y decisiones tomadas. El cinismo guerrerista de la OTAN sólo fue superado por las "brillantes" declaraciones de sus jefes y voceros. La "guerra humanitaria", "el error de buena fe" y los "daños colaterales", no fueron las únicas joyas de la bisutería bélica que vendió (porque ya se aprestan a pasar la cuenta) en tierras kosovares: *Algún militar de la OTAN con una buena cantidad de estrellas bajo la tetilla, hizo el martes, en Bruselas, dos declaraciones que provocan frío: De un total de 35 mil operaciones aéreas, sólo algo más de 10 mil se dirigieron contra objetivos concretos. ¿Y las otras 25 mil?, ¿habrán sido ejecutadas por error?; si existen los objetivos concretos, ¿existirán los inconcretos?, ¿qué clase de objetivo es una persona? La segunda declaración inspira tantas preguntas como la anterior: El objetivo de la OTAN no fue nunca destruir al ejército yugoslavo por completo, como tampoco lo fue reducir el país a cenizas. Menos mal, aunque no puede dejar de pensarse que antes de las cenizas vienen los res-coldos y antes de éstos están las moronas y antes los pedazos: ¿a qué dimensión de materia pensaban dejar reducido al país y a su ejército? El banquete de la posguerra está servido, la información que manda el satélite de Roger Waters llena todo el día los medios de comunicación; mientras más se diga, mejor podrá ocultarse lo que no se puede decir.* (Jordi Soler, "El satélite de Roger Waters", *La Jornada*, 19 de junio de 1999).

La complicidad de la ONU con la guerra en Europa fue evidente y, dada nuestra posición respecto a esa guerra, el mínimo de coherencia nos lleva a tomar distancia de un organismo que hace años, es cierto, sí desempeñaba un papel digno e independiente en el panorama internacional. Hoy ya no es así. En uno y otro lado del planeta, la ONU se ha convertido en un prescindible aval jurídico para las guerras de agresión que el gran poder del dinero repite sin hartarse ni de sangre ni de destrucción.

Pero si en Kosovo el silencio de la ONU fue cómplice del crimen y la destrucción, en México ha tomado un papel más activo en la guerra que contra los indígenas lleva adelante el gobierno mexicano: en mayo de 1998, a solicitud de ACNUR (organismo de la ONU) el gobierno atacó la comunidad de Amparo Aguatinta, golpeó niños, encarceló hombres y mujeres y ocupó militarmente la sede, entonces, del municipio autónomo Tierra y Libertad. En la cárcel de Cerro Hueco, en Tuxtla Gutiérrez, están los resultados de la "labor humanitaria" de laONU en Chiapas. Más para acá, el día de hoy, 19 de julio de 1999, el señor Kofi Annan, secretario general de la ONU, está haciendo entrega del Premio Naciones Unidas Viena Sociedad Civil a la autodenominada *Fundación Azteca* que, bajo el auspicio del Milosevic autóctono, el señor Ricardo Salinas Pliego, se dedica a hacer campañas contra la droga usando a cocainómanos,[25] a promover asonadas y a destruir escuelas indígenas con helicópteros. Por eso, por ser parte de la guerra contra los indígenas mexicanos, por sus vinculaciones con el narcotráfico y por sus llamadas golpistas, la *Fundación Azteca* recibirá del señor Annan una medalla, un certificado y 25 mil dólares.

Así que no le acreditamos a la ONU confianza alguna. Y no es por chauvinismo o por repudio a todo lo que sea extranjero. Acá han estado, arriesgando su vida, libertad, bienes y prestigio, hombres y mujeres de los cinco continentes, como observadores internacionales (nosotros dejamos el apelativo "extranjeros" para los que, como Zedillo y los miembros de su gabinete, no tienen más patria que la del dinero). Para no ir más lejos, en febrero de 1998 estuvo la Comisión Civil Internacional de Observación por los Derechos Humanos (CCIODH). No sólo sus siglas son más grandes que las de la ONU, también su autoridad moral, su honestidad, su compromiso con la verdad y su lucha auténtica por una paz con justicia y dignidad. Hombres y mujeres de Alemania, Argentina, Canadá, Dinamarca, Francia, Grecia, Italia, Nicaragua, Suiza, Andalucía, Aragón, Cantabria, Catalunya, Euskadi, Galicia, Madrid, Murcia y Alicante desafiaron la más feroz campaña xenófoba del gobierno mexicano en lo que va del siglo y documentaron todo en un informe (que dedicaron al indígena José Tila López García, asesinado después de presentar las denuncias de su comunidad ante la CCIODH). Consulte usted ese informe, lo anima no sólo el deseo de una paz digna, también la veracidad y la honestidad.

Después de la CCIODH, también en 1998, vino un grupo de observadores italianos. A ellos les fue peor que a la CCIODH porque fueron expulsados sin miramientos por el ahora precandidato a la presidencia de México, Francisco Labastida, y por el ahora encargado de relaciones públicas internacionales de su equipo de campaña, entonces responsable directo de cientos de expulsiones ilegales, Fernando Solís Cámara.

Miles de hombres y mujeres de todo el mundo, todos dignos y de buena voluntad, la mayoría de ellos y ellas jóvenes de esos que llaman "aretudos" y que tanto molestan a la izquierda institucionalizada en todo el mundo, llegaron hasta acá y vieron lo que el gobierno niega, una guerra genocida. Se fueron, muchos expulsados, y contaron y cuentan lo que vieron: una guerra desigual entre quienes tienen todo el poder militar (el gobierno) y quienes tienen sólo la razón, la historia, la verdad y el mañana de su lado (nosotros). Es obvio quién va a ganar: nosotros.

Y no sólo, también organizaciones internacionales como Amnistía Internacional, America's Watch, Global Exchange, Mexico Social Network, National Comision for Democracy in Mexico-USA, Pastores por la Paz, Humanitary Law Project, Médicos del Mundo, Pan para el Mundo, Médicos sin Fronteras, y muchas otras cuyos nombres se me escapan ahora, pero no su historia ni su compromiso con la paz.

Para nosotros, cualquiera de ellas y de ellos, individuos o grupos, tienen más autoridad moral y más legitimidad internacional que la Organización de las Naciones Unidas, convertida hoy en *cocktail party* de las guerras neoliberales de fin de siglo.

Bien dicen los personeros del gobierno (la patética señora Green, el *ídem* Rabasa, *El Croquetas* Albores, etcétera) que no tienen nada que temer de su visita. No le temen porque saben que la ONU ha sido cómplice y, como en el caso del municipio autónomo de Tierra y Libertad, parte de la guerra de exterminio en contra de los pueblos indios en México.

Por lo que hemos leído y escuchado, usted es una persona honesta. Probablemente ingresó al servicio de la ONU en los tiempos en que ese organismo evitaba guerras, apoyaba a los diferentes grupos víctimas de arbitrariedades gubernamentales y promovía el desarrollo de los más necesitados; pero ahora la ONU promueve y avala guerras, y apoya y premia a quienes matan y humillan a los excluidos del mundo.

No escapa a nosotros el hecho de que diversos poderes financieros internacionales acaricien la idea de hacerse para su beneficio de los ricos yacimientos de petróleo y uranio que hay bajo suelos zapatistas. Ellos, allá arriba, hacen complicadas cuentas y cálculos y abrigan la esperanza de que los zapatistas hagan planteamientos separatistas. Sería más fácil y barato negociar con la república bananera (*Nación*

Maya, le llaman) la compra del subsuelo, después de todo es fama que los indígenas se conforman con espejitos y cuentas de vidrio. Por eso no abdican de su intención de meterse en el conflicto y manejarlo de acuerdo a sus intereses. Claro que no han podido, no por nuestro lado. Porque resulta que eso de "Liberación Nacional", apellidos del EZLN, los zapatistas nos lo tomamos muy a pecho y espada y, anacrónicos como somos, creemos todavía en conceptos "caducos" como el de "soberanía nacional" e "independencia nacional". No hemos aceptado ni aceptaremos ninguna injerencia extranjera en nuestro movimiento. No aceptamos ni aceptaremos que ninguna fuerza internacional sea parte del conflicto, la combatiremos con igual o mayor decisión con las que combatimos a quienes decretaron la muerte por olvido para 10 millones de indígenas mexicanos. Será bienvenido aquel que con autoridad moral, legitimidad, y sin ser apéndice de fuerzas armadas (como la OTAN) o que tenga a su servicio fuerzas militares (como los tristemente célebres *Cascos Azules* de la ONU), quiera ser parte de la solución PACÍFICA del conflicto.

Para hacer la guerra no necesitamos ninguna ayuda, nos bastamos solos. Para la paz sí, se necesitan muchos pero honestos y, éstos, pues ya no son muchos.

No tenga usted mucha pena, la ONU no es el único organismo oficial internacional que colabora con la campaña contrainsurgente del gobierno mexicano. Ahí tiene usted al Comité Internacional de la Cruz Roja, cuya delegación en San Cristóbal raya en lo sublime cuando de servilismo y estupidez se trata. En una reunión con desplazados de Polhó, los delegados del CICR han declarado, sin ruborizarse siquiera, que los desplazados están fuera de sus hogares porque son flojos y porque quieren ser mantenidos por la Cruz Roja. Para estos imbéciles que deambulan bajo las supuestas banderas de neutralidad y ayuda humanitaria del CICR, "los paramilitares son un invento, producto de la histeria colectiva de más de 7 000 indígenas desplazados; los 45 ejecutados en Acteal en realidad murieron a causa de infecciones, y en Los Altos de Chiapas reinan la paz y la tranquilidad". Por supuesto que Albores ya los ha felicitado (y les ha convidado algo de su hueso, sólo un poco, porque no es muy compartido que digamos) y ellos siguen paseándose en sus modernos vehículos y engrosando el curriculum de la "benemérita" institución. ¿Qué tal? Seguro el CICR es el próximo premiado por la ONU en sus certámenes de "sociedad civil".

Esta madrugada en que le escribo estas líneas, la luna es una guadaña de fría luz. Es la hora de los muertos, de nuestros muertos. Y usted debe saber que los muertos zapatistas son muy inquietos y platicadores. Hablan todavía, no obstante que están muertos, y gritan la historia. La gritan para que no se duerma, para que la memoria no muera, para que vivan gritan nuestros muertos...

Ocosingo, días 3 y 4 de enero de 1994. Tropas del Ejército Federal toman por asalto la cabecera municipal de Ocosingo, en poder de los zapatistas desde la madrugada del 1 de enero. Siguiendo órdenes del entonces general de brigada Luis Humberto Portillo Leal, jefe que fue de la 30 Zona Militar, el mayor de Infantería Adalberto Pérez Nava ejecuta a cinco miembros del EZLN. El general Portillo Leal había ordenado la ejecución de zapatistas, estuvieran o no armados, la consigna era no tomar prisioneros, todos debían ser muertos (sólo debían evitar hacerlo si había prensa presente, porque eso dañaba la imagen del Ejército). El capitán segundo de Infantería, Lodegario Salvador Estrada, ejecutó a otros indígenas zapatistas. Días después, en las oficinas de la Secretaría de la Defensa Nacional, un subteniente de infantería, Jiménez Morales, fue ejecutado por personal militar para responsabilizarlo del asesinato de ocho indígenas en el hospital del IMSS en Ocosingo. Toda esta información no la inventamos, la puede usted corroborar en el acta del Departamento de Justicia de los Estados Unidos, Oficina Ejecutiva para Revisión de Inmigración, Corte de Inmigración de El Paso, Texas, firmado por Bertha A. Zúñiga, Juez de Inmigración de los Estados Unidos, con fecha 19 de marzo de 1999. Expediente Jesús Valles Bahena A76–804–703. Aquí el oficial Jesús Valles Bahena narra por qué tuvo que desertar del Ejército, después de haber sido amenazado de muerte por el coronel Bocarundo Benavidez: por haberse negado a cumplir las órdenes de ejecuciones sumarias. Junto al oficial Valles, otros oficiales se negaron a cumplir las indicaciones de asesinato. Se ignora su suerte.

Estos son, señora Jahangir, los nombres de lucha y civil de los ejecutados en Ocosingo, Chiapas, los días 3 y 4 de enero de 1994:

Comandante Hugo o Señor Ik', Francisco Gómez Hernández; *Subteniente Ins. de Materiales de Guerra Alvaro,* Silverio Gómez Alvarez; *Insurgente de Materiales de Guerra Fredy,* Bartolo Pérez Cortés; *Insurgente de Infantería Calixto,* (No se puede revelar su nombre civil); *Insurgente de Infantería Miguel,* Arturo Aguilar Jiménez; *Miliciano Salvador,* Eusebio Jiménez González, *Miliciano Ernesto,* Santiago Pérez Montes, *Miliciano Venancio,* Marcos Pérez Córdoba; *Miliciano Amador,* Antonio Guzmán González; *Miliciano Agenor,* Fernando Ruiz Guzmán; *Miliciano Fidelino,* Marcos Guzmán Pérez; *Miliciano Adán,* Doroteo Ruiz Hernández; *Miliciano Arnulfo,* Diego Aguilar Hernández; *Miliciano Samuel,* Eliseo Hernández Cruz; *Miliciano Horacio,* Juan Mendoza Lorenzo; *Miliciano Jeremias,* Eliseo Sánchez Hernández; *Miliciano Linares,* Leonardo Méndez Sánchez; *Miliciano Dionisio,* Carmelo Méndez Méndez; *Miliciano*

126

Bonifacio, Javier Hernández López; *Miliciano Heriberto,* Filiberto López Pérez; *Miliciano Jeremías,* Pedro López García; *Miliciano Germán,* Alfredo Sánchez Pérez; *Miliciano Feliciano,* Enrique González García; *Miliciano Horacio,* Manuel Sánchez González; *Miliciano Cayetano,* Marcelo Pérez Jiménez; *Miliciano Cristóbal,* Nicolás Cortés Hernández; *Miliciano Chuchín,* Vicente López Hernández; *Miliciano Adán,* Javier López Hernández; *Miliciano Anastacio,* Alejandro Santiz López.

En esos días hubo más caídos, pero fueron en combate, no ejecutados.

Donde, además de ejecución, hubo tortura flagrante, fue en Morelia, municipio entonces de Altamirano. El día 7 de enero de 1994 el Ejército entró a la comunidad y secuestró a Severiano Santiz Gómez (60 años); Hermelindo Santiz Gómez (65 años), y a Sebastián López Santiz (45 años). Al poco tiempo sus restos, con huellas de tortura y con evidentes muestras de haber sido ejecutados, fueron encontrados. El análisis de los restos fue realizado por especialistas de la ONG *Physicians for Human Rights.*

También la tortura y la ejecución fue el método del "glorioso" Ejército Federal en la cabecera del municipio de Las Margaritas, Chiapas. Ahí, en los primeros días de combate, el mayor Terán (quien desde antes parecía vinculado al narcotráfico en la región) secuestró, torturó y ejecutó a Eduardo Gómez Hernández y Jorge Mariano Solís López en la colonia Plan de Agua Prieta. A los ejecutados se les habían cortado las dos orejas y la lengua.

Estos muertos, nuestros muertos, no encuentran descanso. Los carniceros de Ocosingo y los asesinos y torturadores de Morelia y Las Margaritas siguen libres y gozan de salud y bonanza. Miles de sombras los persiguen ya y se disputan el honor de hacer justicia. Estos son los muertos, nuestros muertos. No son los únicos.

El año pasado, al contrario de lo que dice su propaganda para consumo internacional, el gobierno reanudó los choques armados con fuerzas zapatistas. El 10 de junio de 1998 una columna militar, fuerte en infantería, tanques, aviones y helicópteros atacó la comunidad de Chavajeval, en el municipio de San Juan de la Libertad (para los zapatistas) o El Bosque (para el gobierno). Las tropas zapatistas repelieron la agresión y se inició así un fuerte intercambio de fuego que fue trasmitido por una televisora en canal nacional. Nuestras tropas derribaron un helicóptero y, frustrados y enojados, los militares se retiraron pero para atacar la comunidad de Unión Progreso, ese mismo día. Ahí tomaron prisioneros a 7 milicianos zapatistas y los ejecutaron sumariamente. Estos son sus nombres:

Miliciano Enrique, Adolfo Gómez Díaz; *Miliciano Jeremías,* Bartolo López Méndez; *Miliciano Jorge,* Lorenzo López Méndez; *Miliciano Marcelino,* Andrés Gómez Gómez; *Miliciano Gilberto,* Antonio Gómez Gómez; *Miliciano Alfredo,* Sebastián Gómez Gómez; *Miliciano Pedro,* Mario Sánchez Ruiz.

(El reportero televisivo que cubrió el ataque militar a Chavajeval recibió el Premio Nacional de Periodismo. Sobre sangre indígena y rebelde, sus patrones lo premiaron mandándolo a cubrir la campaña de uno de los dos asesinos intelectuales de Unión Progreso –el otro es Zedillo–, el entonces secretario de Gobernación y ahora precandidato, Francisco Labastida Ochoa.)

Este es el Ejército Federal Mexicano, el que ahora quiere presentar una imagen inocente al anunciar el envío de casi 7 mil efectivos más a la Selva Lacandona con el cuento de que van a sembrar arbolitos. Todos callan. Dice el Jefe militar que los 7 mil van desarmados, y los 7 mil llegan armados. Todos callan.

Esta es la "nueva" estrategia gubernamental para Chiapas, cuyo anuncio sirvió a algunos senadores priístas (aquellos que están en el poder gracias al narcotráfico y a la prostitución de cuerpos e ideas) para calmar las inquietudes de legisladores irlandeses.

La misma "nueva" estrategia que le ha sido prometida a usted por ese patético personaje llamado Rabasa Gamboa (que cobra, y bien, por coordinar el vacío). Y ya que en esas estamos, un nuevo rebuzno de Rabasa aclara que lo de Acteal no fue una ejecución.

Por esta vez tiene razón: Acteal, y toda la política seguida por su patrón Ernesto Zedillo, es GENOCIDIO.

Esta es la historia. Con la llegada al poder, vía el asesinato, de Ernesto Zedillo, el Ejército Federal obtuvo cobijo y dinero para sacar a relucir sus ansias de sangre y muerte.

Buscando mejorar la maltrecha imagen pública del Ejército, se activaron los escuadrones paramilitares, organizados por militares en activo, entrenados por militares, pertrechados por militares, protegidos por militares, dirigidos por militares y, en no pocos casos formados por militares, además de por militantes del PRI. El objetivo fue y es claro, se trató y se trata de dar un giro al conflicto y presentarlo, ante la opinión pública internacional (la nacional no les importa en lo más mínimo), como una guerra *interétnica* o, como pretende la corrupta PGR, un *conflicto interfamiliar*.[26] Los nombres elegidos por los soldados para bautizar sus nuevas unidades paramilitares reflejan su gran imaginación: *Máscara Roja* (su mayor éxito "militar": la masacre de Acteal*). Paz y Justicia* (responsable del asesinato de decenas de indígenas en el norte del estado). *Chinchulines* (acciona en el norte y selva), *Movimiento Indígena Revolucionaria Antizapatista* (cuenta con campos de entrenamiento en los cuarteles militares de las cañadas y es financiado por la diputación estatal priísta), *Los Puñales* (actúa en Comitán y Las Margaritas), Albores de Chiapas (dependen directamente de *El Croquetas* Albores Guillén, usan gorra verde y su grito de guerra es "¡Albores cumple!").

La "nueva" estrategia gubernamental para Chiapas está a la vista: en el ejido El Portal, en Frontera Comalapa, un grupo de familias zapatistas exige que se les reinstale el servicio de agua potable, mismo que les fue retirado por militantes del PRI en complicidad con el presidente municipal de esa localidad. Que indígenas zapatistas exijan cualquier cosa es algo que el gobierno no puede tolerar, puesto que para él lo único que deben recibir los zapatistas son golpes y balas. Ante la movilización civil zapatista, el gobierno moviliza a sus fuerzas públicas. Los priístas, envalentonados por la presencia de la policía, arremeten contra los zapatistas a golpes y balazos, dos zapatistas son heridos de gravedad. La policía actúa rápidamente y detiene ¡a los zapatistas! y los acusa de asociación delictuosa por habérseles encontrado varios pasamontañas. Con la celeridad que da el "Estado de Derecho" en Chiapas, un helicóptero del gobierno del estado traslada a los prisioneros para ser juzgados "por atentar contra la paz" (porque en Chiapas, exigir agua potable es atentar contra la paz). Los dos heridos se debaten entre la vida y la muerte en el hospital, los que dispararon están libres y sanos, y en Palacio de Gobierno celebran la nueva "victoria" obtenida en la guerra contra el EZLN. Nada de esto lo verá usted en la prensa escrita o electrónica, demasiado ocupada en darle las ocho columnas o las cabezas de los noticieros a los ladridos de Albores o a la feria de hipocresías y falacias de los precandidatos del PRI. Indígenas zapatistas presos, golpeados, heridos o asesinados, ya no son noticia en México. Son parte de la vida cotidiana.

Esta es la "nueva" estrategia del gobierno federal para Chiapas, del gobierno de Zedillo. No tiene nada de nueva ni de estrategia, se trata del mismo estúpido golpeteo que supone que quienes han sabido resistir 500 años, no podrán hacerlo año y medio.

Sobre Ernesto Zedillo Ponce de León, hay que decir ahora lo que todos dirán mañana: es un hombre sin palabra, un mentiroso y un asesino. Esto lo decimos nosotros hoy. Cuando salga de Los Pinos, todos (hasta quienes hoy le rinden pleitesía) lo repetirán y saldrán a la luz pública todas sus corruptelas y crímenes. La persecución, el exilio, la cárcel, éstas son las probables estaciones de su futuro. No nos da lástima, nuestros muertos no nos dan lástima.

Leo en la prensa que se ha entrevistado usted con algunas organizaciones no gubernamentales nacionales en la ciudad de México, y que hará otro tanto en su visita a Chiapas, en estos días. La felicito, tiene usted la suerte y el honor de conocer personalmente a hombres y mujeres que, sin la parafernalia oficial y/o institucional, han enfrentado todo tipo de amenazas y persecuciones por su labor en defensa de los derechos humanos en México.

No le pongo aquí ningún nombre porque en México, y especialmente en Chiapas, las ONG que luchan por los derechos humanos son objetivos militares del Ejército Federal, pero cualquiera de estas ONG, así sea la más pequeña o de más reciente creación, tiene más autoridad moral en el México de abajo que la ONU. Ni modo, tal vez usted no tenga la culpa y sean sólo los grandes dirigentes de la ONU los que han aceptado, sin protestar siquiera, el esporádico papel de voceros de la OTAN y de cómplices de la guerra de exterminio del gobierno de México en contra de los pueblos indios.

Sin embargo, no estamos pesimistas respecto al futuro de la comunidad internacional. El fracaso de la ONU no es el fracaso de la humanidad. Un nuevo orden internacional es posible, uno mejor, más justo, más humano. En él habrán de tener un lugar preponderante todas esas ONG internacionales y nacionales (que, a diferencia de la ONU, no tiene a su servicio o están al servicio de fuerzas militares), y todos esos hombres, mujeres, niños y ancianos que entienden que el futuro del mundo se debate entre la diferencia excluyente (la guerra en Kosovo) y el mundo donde caben muchos mundos (del que el zapatismo en Chiapas es, apenas, una insinuación).

Con ellas y ellos, y sobre todo por ellas y ellos, el mundo sera algún día un lugar donde la guerra sea una vergüenza, la paz una realidad, y los relatores para las distintas violaciones a los derechos humanos, especímenes cuyo único ámbito de acción será la investigación de la prehistoria de la humanidad.

Disculpe el tono, señora Asma Jahangir, no es que esto sea un asunto personal en contra suya, sólo resulta que el organismo que usted representa ya no representa nada. Eso y además, que nosotros no olvidamos Kosovo, ni Amparo Aguatinta, ni Ocosingo, ni Morelia, ni Las Margaritas, ni Unión Progreso ni nada. Ándele, eso es lo que pasa, que nosotros no olvidamos. No olvidamos.

Vale. Salud y que la dignidad nunca pierda la memoria, que si la pierde, muere.

Desde las montañas del Sureste mexicano
Subcomandante Insurgente Marcos
Comité Clandestino Revolucionario Indígena–Comandancia General
del Ejército Zapatista de Liberación Nacional
México, julio de 1999

Los maestros democráticos
y el sueño zapatista

31 de julio de 1999

Este es el árbol de los libres.
El árbol pan, el árbol flecha,
el árbol puño, el árbol fuego.
Lo ahoga el agua tormentosa
De nuestra época nocturna,
Pero su mástil balancea
el ruedo de su poderío.
Pablo Neruda, *Canto General*

Cuentan los más antiguos de los antiguos, que el mundo se sostiene sobre el abismo del olvido gracias al alto copete de la ceiba. Sobre el árbol madre los dioses primeros, los más grandes dioses, dejaron el mundo. Con colores, palabras y cantos hicieron los dioses primeros al mundo. Cuando terminado estuvo, no supieron los dioses donde dejarse el mundo para irse ya a la cantadera y la bailadera, por que muy musiqueros y bailadores eran estos dioses, los que nacieron el mundo, los más primeros. Y ya estaba lista la gran marimba de luz que la noche atraviesa de lado a lado y nada que encontraban dónde poner el mundo los dioses más primeros.

Entonces los dioses hicieron una su asamblea para sacar acuerdo y, sí, algo tardaron, pero nadie se dio cuenta porque apenas se había nacido el mundo y el tiempo no empezaba aún su tiempo. Los dioses del inicio sacaron su acuerdo y llamaron a la madre ceiba para que sobre su cabeza se tuviera el mundo y se lo colocó sobre su copete más alto y quieta se quedó para que el mundo sin sobresaltos se estuviera.

Esto que les cuento pasó hace mucho tiempo, tanto que hombres y mujeres terminaron por olvidarlo y, temerosos de no poder explicar en las escuelas el lugar del mundo, se inventaron historias de estrellas negras, *big bangs*, sistemas solares, galaxias, universos y otros absurdos que llenan los libros de geografía que en todas las escuelas se padecen.

Todos olvidaron, pero no todos

Sabedores eran los primeros dioses y clarito vieron que todos se iban a olvidar cómo se había nacido el mundo y en dónde estaba. Por eso la escribieron toda historia de cómo se hizo el mundo y hasta un su mapa hicieron para que estuviera claro en dónde es que el mundo estaba. En su cuaderno de apuntes escolares escribieron todo los más grandes dioses, los que nacieron el mundo, los más primeros.

Y entonces los dioses buscaron en dónde guardar el cuaderno de apuntes donde escrita estaba la historia de cómo el mundo fue hecho y el mapa de dónde se estaba el mundo.

Batallaron mucho los dioses, porque el cuaderno de apuntes no donde quiera se podía guardar y entonces se hicieron otra asamblea para sacar acuerdos.

Y entonces llamaron a los hombres y mujeres de maíz, los verdaderos, y les contaron la historia de cómo el mundo fue nacido y les explicaron el lugar donde está y, para que lo recordaran aunque se les olvidara, pusieron unos apuntes en un papelito y lo doblaron en varios pliegues, como un acordeón, y lo guardaron en una de las cicatrices que pueblan la piel de la ceiba. Se fueron los dioses primeros a su bailadera y a su cantadera. Y mucho tiempo después de que se apagó el eco de marimbas, guitarras y zapateados, la ceiba madre seguía firme, sosteniendo el mundo para que no cayera y para que en su lugar se estuviera.

Desde entonces el mundo está donde está. La ceiba lo mantiene lejos de la noche de la muerte peor, la más terrible, la del olvido.

Sobre la ceiba madre se está el mundo, pero vientos de arriba lo han empujado una y otra vez a lo largo de la historia, buscando hacerlo caer a la oscuridad de la desesperanza.

No pocas veces ha estado a punto de perderse el mundo. Los vientos del Poder le arrojan por uno y otro lado guerras, catástrofes, crisis, dictadores, modas neoliberales, líderes magisteriales charros, gobiernos corruptos, asesinos en puestos gubernamentales, criminales disfrazados de precandidatos presidenciales, partidos revolucionarios institucionales, *otanes* y televisiones privadas. Miles y miles de pesadillas soplando sus terrores por todos lados, buscando derribar al mundo del alto copete de la ceiba madre.

Pero el mundo ha resistido, no ha caído. Los hombres y mujeres verdaderos de todos los mundos que hacen el mundo, se han vuelto tronco y ramas y hojas y raíz junto a la ceiba madre para que el mundo no caiga, para resistir, para crecerse de nuevo, para nuevos hacerse.

Terribles han sido las luchas entre los de arriba y los de abajo, entre los poderosos y los desposeídos. Mucho se ha escrito sobre las razones o causas de estos choques. La verdad es que todos tienen un mismo fundamento: los poderosos quieren derribar al mundo que la ceiba sostiene, los de abajo quieren mantener el mundo y la memoria, porque de ella es donde se crece el mañana.

Contra la humanidad luchan los poderosos.

Por la humanidad luchan y sueñan los desposeídos.

Esta es la verdadera historia. Y si no aparece en los libros de texto de primaria es porque la historia la escriben todavía los de arriba, aunque la hagan los de abajo.

Pero aunque no forme parte de los planes oficiales de estudio, la historia del nacimiento del mundo y el mapa que explica dónde está, siguen guardados en las cicatrices de la ceiba madre.

Los más viejos de los viejos de las comunidades, encomendaron a los zapatistas el secreto. En la montaña les hablaron y les contaron en dónde está el apunte que los más primeros dioses, los que nacieron el mundo, dejaron para que la memoria no se perdiera.

Cada tanto, desde que se nacieron los sin rostro, sin nombre y sin pasado individual, los zapatistas fueron alumnos de la historia que enseña la tierra. Un amanecer del año 1994, maestros se hicieron los zapatistas para, consultando el viejo apunte de la memoria, enseñar cómo se nació el mundo y mostrar en dónde se encuentra.

Por eso los zapatistas son alumnos y son maestros. Por eso los maestros son zapatistas, aunque esto se esconda detrás de las mil siglas en las que la dignidad se vive.

En el *Aguascalientes* de La Realidad, en una de sus esquinas, la ceiba preside, vigila, alienta y arropa el vertiginoso ir y venir de hombres y mujeres.

Días hay en que nadie camina estos suelos, pero otras mañanas se pueblan de hombres y mujeres de todos los colores, tamaños, y sabores que hablan y ríen y se preocupan y bailan y cantan y hablan, y sobre todo hablan y hacen acuerdos aunque no siempre y, eso sí, siempre se encuentran.

En las solitarias madrugadas de La Realidad, cuando alguna nube se ha puesto a llorar con húmedo énfasis, cuando más fuerte se llueve arriba y abajo, podrá verse una sombra entre las sombras, sin rostro siempre, que se acerca a la ceiba madre y le busca entre los húmedos pliegues de la historia un papelito. Temblando lo encuentra, temblando lo abre, lo lee temblando y temblando lo devuelve a su lugar.

En ese papelito algo está escrito que es peso enorme que libre hace a quien lo carga. Un trabajo, una misión, una tarea, algo por hacer, un camino qué andar, un árbol qué sembrar y crecer, un sueño por velar.

Tal vez el papelito habla de un mundo donde todos los mundos caben y se ensanchan, uno donde la diferencia de color, cultura, tamaño, lengua, sexo e historia sirva para no excluir, perseguir o clasificar, sino para que su variedad rompa definitivamente con el gris que ahora nos ahoga.

¿Quién sabe?

Algo tiene ese papelito, porque, no sé si es una ilusión óptica o alguna de esas fantasías visuales que abundan en las montañas del Sureste mexicano, pero todos jurarían que esa sombra ahora sonríe, sí, sonríe como si brillara...

Hermanos y hermanas, maestras y maestros democráticos:

Bienvenidos al Primer Encuentro "Magisterio Democrático y Sueño Zapatista".

Sean bienvenidos a La Realidad, a la que duele y sueña, a la que paciente espera algo bueno, más justo, más libre, más democrático.

A *La Realidad* mexicana que sueña no el mejor de los mundos posibles, pero que sueña y merece un mañana.

Este es nuestro sueño, el que, paradoja zapatista, nos quita el sueño.

El único sueño que se sueña velando, insomnes, la historia que de abajo nace y se crece.

Maestras y maestros democráticos:
Bienvenidos a La Realidad desvelada, porque es velando que los zapatistas soñamos.

¡Democracia!
¡Libertad!
¡Justicia!

Desde las montañas del Sureste mexicano
Subcomandante Insurgente Marcos
Comité Clandestino Revolucionario Indígena–
Comandancia General
del Ejército Zapatista de Liberación Nacional
México, Julio de 1999

P.D. De pleonasmo. En realidad, y puesto que estamos en La Realidad, eso de "Magisterio Democrático" es una reiteración innecesaria. Ser maestro es ser democrático. Los que no son democráticos, no son maestros, apenas alcanzan la categoría de *charritos monta–perros.*

La historia de la mirada

Agosto de 1999

Maestros y estudiantes de la Universidad Pedagógica Nacional
Maestros de las normales rurales de México
Hermanas y hermanos:

Bienvenidos a La Realidad. Queremos que todas y todos ustedes, y quienes son como ustedes pero hoy no pueden estar con nosotros, sepan que tenemos mucho contento en encontrarnos con ustedes y poder conocer sus pensamientos y palabras, y poderles decir directamente, sin intermediarios, nuestro sentimiento.

Hace algunos años vivía un viejo maestro en estas montañas, su nombre es Antonio y, a fuerza de pasar con él y aprender de él y con él, terminé por llamarlo "Viejo Antonio". Indígena de los más antiguos de estos suelos, el Viejo Antonio se hizo el muerto en los primeros meses de 1994. Con el pretexto de una tuberculosis que le fue robando los pulmones a mordidas, una madrugada se quedó quieto y logró engañar a muchos haciéndoles creer que estaba muerto. Aun y cuando su cuerpo fue enterrado al pie de una de las ceibas, la más grande y poderosa de estas montañas, el Viejo Antonio se da la maña y el ingenio para darse sus escapadas y encontrarme, así sea para pedirme fuego para encender sus eternos cigarrillos hechos con doblador, o para alumbrar algunas de las historias que le andan en el corazón y en la piel a este hombre que fue alumno y maestro a su tiempo.

El Viejo Antonio no estudió pedagogía, ni siquiera terminó la primaria. Es más, sospecho que aprendió a leer y escribir con alguno de esos primeros dioses que pueblan las historias que nos regala más como peso y responsabilidad, que como distracción o alivio; pero creo que ustedes estarán de acuerdo en que el Viejo Antonio fue y es un maestro, y un maestro de los buenos. En todo caso, estoy seguro de que haría un mejor papel que el triste y patético que han desempeñado las sucesivas autoridades de la Universidad Pedagógica Nacional.

Les cuento ahora del Viejo Antonio porque justo en una de estas madrugadas que asombran y desconciertan el agosto que se llueve en las montañas del Sureste mexicano, se llegó el Viejo Antonio hasta donde yo me estaba sentado, rellenando por enésima vez la pipa y tratando de contener la indignación que me provoca la agresión de granaderos contra universitarios en días pasados. Miraba yo a cualquier lado, a nada en especial, acaso tratando de adivinar alguna pregunta escondida en un rincón de la múltiple sombra que en La Realidad camina y se desvela, cuando el Viejo Antonio me pide fuego para su cigarro mal forjado en doblador. De por sí el Viejo Antonio se da en llegarse callado, es parco con la palabra y el gesto. Pero cuando empieza el humo del tabaco a salir de sus labios, salen también grandes y pequeñas historias, como ésta que ahora les cuento como me la contó el Viejo Antonio cuando me miraba mirar, y que se llama, según recuerdo...

La historia de la mirada

Una lenta voluta de humo sale de la boca del Viejo Antonio que la mira y, con su mirada, le empieza a dar forma de signo y de palabra. Al humo y la mirada, siguen las palabras del Viejo Antonio...

Mira Capitán (porque debo aclararles que en el tiempo en que yo conocí al Viejo Antonio, tenía yo el grado de Capitán Segundo de Infantería Insurgente, lo que no dejaba de ser un típico sarcasmo zapatista porque sólo éramos cuatro –desde entonces, el Viejo Antonio me llama "Capitán"), *mira Capitán, hubo un tiempo, hace mucho tiempo, en que nadie miraba. No es que no tuvieran ojos los hombres y mujeres que se caminaban estas tierras. Tenían de por sí, pero no miraban. Los dioses más grandes, los que nacieron el mundo, los más primeros, de por sí habían nacido muchas cosas sin*

140

dejar mero clarito para qué o por qué o sea la razón o el trabajo que cada cosa debía de hacer o de tratar de hacer. Porque de que cada cosa tenía su por qué, pues sí, porque los dioses que nacieron el mundo, los más primeros, de por sí eran los más grandes y ellos sí se sabían bien para qué o por qué cada cosa, eran dioses pues. Pero resulta que estos dioses primeros no muy se preocupaban de lo que hacían, todo lo hacían como fiesta, como juego, como baile. De por sí cuentan los más viejos de los viejos que, cuando los primeros dioses se reunían, seguro tenía que haber una su marimba, porque seguro que al final de sus asambleas se venían la cantadera y la bailadera. Es más, dicen que si la marimba no estaba a la mano, pues nomás no había asamblea y ahí se estaban los dioses, rascándose nomás la barriga, contando chistes y haciéndose travesuras. Bueno, el caso es que los dioses primeros, los más grandes, nacieron el mundo, pero no dejaron claro el para qué o el por qué de cada cosa. Y una de estas cosas eran los ojos. ¿Acaso habían dejado dicho los dioses que los ojos eran para mirar? No pues. Y entonces ahí se andaban los primeros hombres y mujeres que acá se caminaron, a los tumbos, dándose golpes y caídas, chocándose entre ellos y agarrando cosas que no querían y dejando de tomar cosas que sí querían. Así como de por sí hace mucha gente ahora, que toma lo que no quiere y le hace daño, y deja de agarrar lo que necesita y la hace mejor, que anda tropezándose y chocando unos con otros. O sea que los hombres y mujeres primeros sí tenían unos sus ojos, sí pues, pero no miraban. Y muchos y muy variados eran los tipos de ojos que tenían los más primeros hombres y mujeres. Los había de todos los colores y de todos los tamaños, los había de diferentes formas. Había ojos redondos, rasgados, ovalados, chicos, grandes, medianos, negros, azules, amarillos, verdes, marrones, rojos y blancos. Sí, muchos *ojos, dos en cada hombre y mujer primeros, pero nada que miraban.*

Y así se hubiera seguido todo hasta nuestros días si no es porque una vez pasó algo. Resulta que estaban los dioses primeros, los que nacieron el mundo, los más grandes, haciendo una su bailadera porque agosto era, pues, mes de memoria y de mañana, cuando unos hombres y mujeres que no miraban se fueron a dar a donde estaban los dioses en su fiestadero y ahí nomás se chocaron con los dioses y unos fueron a dar contra la marimba y la tumbaron y entonces la fiesta se hizo puro borlote y se paró la música y se paró la cantadera y pues también la bailadera se detuvo y gran relajo se hizo y los dioses primeros de un lado a otro tratando de ver por qué se detuvo la fiesta y los hombres y mujeres que no miraban se seguían tropezando y chocando entre ellos y con los dioses. Y así se pasaron un buen rato, entre choques, caídas, mentadas y maldiciones.

Ya por fin al rato como que se dieron cuenta los dioses más grandes que todo el desbarajuste se había hecho cuando llegaron esos hombres y mujeres. Y entonces los juntaron y les hablaron y les preguntaron si acaso no miraban por dónde caminaban. Y entonces los hombres y mujeres más primeros no se miraron porque de por sí no miraban, pero preguntaron qué cosa es "mirar". Y entonces los dioses que nacieron el mundo se dieron cuenta de que no les habían dejado claro para qué servían los ojos, o sea cuál era su razón de ser, su por qué y su para qué de los ojos. Y ya les explicaron los dioses más grandes a los hombres y mujeres primeros qué cosa era mirar, y los enseñaron a mirar.

Así aprendieron estos hombres y mujeres que se puede mirar al otro, saber que es y que está y que es otro y así no chocar con él, ni pegarlo, ni pasarle encima, ni tropezarlo. Supieron también que se puede mirar adentro del otro y ver lo

142

que siente su corazón. Porque no siempre el corazón se habla con las palabras que nacen los labios. Muchas veces habla el corazón con la piel, con la mirada o con pasos se habla.

También aprendieron a mirar a quien mira mirándose, que son aquellos que se buscan a sí mismos en las miradas de otros.

Y supieron mirar a los otros que los miran mirar.

Y todas las miradas aprendieron los primeros hombres y mujeres. Y la más importante que aprendieron es la mirada que se mira a sí misma y se sabe y se conoce, la mirada que se mira a sí misma mirando y mirándose, que mira caminos y mira mañanas que no se han nacido todavía, caminos aún por andarse y madrugadas por parirse.

Y ya que aprendieron esto, los dioses que nacieron el mundo les encargaron a estos hombres y mujeres, que habían llegado tropezando, chocando y cayendo con todo, la tarea de enseñarles a los demás hombres y mujeres cómo se miraba y para qué es el mirar. Y ahí aprendieron los diferentes a mirar y mirarse.

Y no todos aprendieron porque ya el mundo se había echado a andar y ya andaban los hombres y mujeres por todos lados, tropezando, cayéndose y chocando unos con otros. Pero unos y unas sí aprendieron y éstas y éstos que aprendieron a mirar son los llamados hombres y mujeres de maíz, los verdaderos.

Quedó en silencio el Viejo Antonio. Yo lo miré mirarme mirarlo y volteé la vista mirando cualquier rincón de esa madrugada.

El Viejo Antonio miró lo que yo miraba y, sin decir ninguna palabra, agitó con su mano la encendida colilla de su cigarro de doblador. De pronto, convocada por el llamado de la luz en la mano del Viejo Antonio, una luciérnaga salió del rincón más oscuro de la noche y trazando breves serpentinas luminosas, se acercó hasta donde el Viejo Antonio y yo estábamos sentados. Tomó el Viejo Antonio la luciérnaga con sus dedos y, dándole un soplo, la despidió. Se fue la luciérnaga hablando su luz tartamuda.

Un rato siguió la noche de abajo oscura.

De pronto, cientos de luciérnagas empezaron su *brilloso* y desordenado baile y ahí, en la noche de abajo, había de pronto tantas estrellas como la que en la noche de arriba vestía el agosto de las montañas del Sureste mexicano.

Para mirar, y para luchar, no basta saber a dónde dirigir miradas, paciencia y esfuerzos –me dijo el Viejo Antonio ya incorporándose–.

Es necesario también empezar y llamar y encontrar a otras miradas que, a su tiempo, empezarán y llamarán y encontrarán a otras más.

Así, mirando el mirar del otro, se nacen muchas miradas y mira el mundo que puede ser mejor y que hay lugar para las miradas todas y para quien, aunque otro y diferente, mira mirar y se mira a sí mismo caminando la historia que falta todavía.

Se fue el Viejo Antonio. Yo seguí sentado toda la madrugada y, cuando encendí de nuevo la pipa, mil luces abajo encendieron la mirada y hubo luz abajo, que es donde debe haber luz y múltiples miradas...

Hermanas y hermanos maestros y estudiantes:

Esperamos que este encuentro tenga éxito y les permita a ustedes conocer y entender nuestra mirada.

Queremos repetirles que son bienvenidas y bienvenidos a estas tierras.

Sabemos bien que su mirada sabrá mirarnos mirarlos y que, luego, su mirada convocará a otras más, a muchas y habrá camino y luz y, un día, ya nadie tropezará de madrugada...

Vale. Salud y para mirar lejos no son necesarios unos binoculares, sino el *largavista* que la dignidad regala a quien la lucha y vive.

Desde las montañas del Sureste mexicano
Subcomandante Insurgente Marcos
Comité Clandestino Revolucionario Indígena–
Comandancia General
del Ejército Zapatista de Liberación Nacional
México, agosto de 1999

La noche... la noche es nuestra
(Discurso de bienvenida al Encuentro Nacional en Defensa del Patrimonio Cultural)

Esta es la relación de cómo todo estaba en suspenso, todo en calma, en silencio; todo inmóvil, callado, y vacía la extensión del cielo.

Esta es la primera relación, el primer discurso. No había todavía un hombre, ni un animal, pájaros, peces, cangrejos, árboles, piedras, cuevas, barrancas, hierbas ni bosques: sólo el cielo existía. No se manifestaba la faz de la tierra. Sólo estaban el mar en calma y el cie-

145

lo en toda su extensión. No había nada junto que hiciera mundo, ni cosa alguna que se moviera ni se agitara, ni hiciera ruido en el cielo.

No había nada que estuviera en pie; sólo el agua en reposo, el mar apacible, solo y tranquilo. No había nada dotado de existencia.

Solamente había inmovilidad y silencio en la oscuridad, en la noche. Sólo el Creador, el Formador, Tepeu, Gucumatz, los progenitores, estaban en el agua rodeados de claridad. Estaban ocultos bajo plumas verdes y azules, por eso se les llama Gucumatz. De grandes sabios, de grandes pensadores es su naturaleza. De esta manera existía el cielo y también el Corazón del Cielo. Así contaban.

Llegó aquí entonces la palabra, vinieron juntos Tepeu y Gucumatz, en la oscuridad, en la noche, y hablaron entre sí Tepeu y Gucumatz. Hablaron, pues, consultando entre sí y meditando; se pusieron de acuerdo juntaron sus palabras y sus pensamientos.

Entonces se manifestó con claridad, mientras meditaban, que cuando amaneciera debía aparecer el hombre. Entonces dispusieron la creación y crecimiento de los árboles y los bejucos y el nacimiento de la vida y la creación del hombre. Se dispuso así en las tinieblas y en la noche por el Corazón del Cielo, que se llama Huracán.

Popol Vuh

Agosto es hoy larga noche en el mundo. Otro agosto, en las montañas del Sureste mexicano afila despacio el Viejo Antonio su machete de dos filos. La luz del fogón arranca destellos naranjas y azules del plomado y alargado espejo que sostienen las manos del Viejo Antonio, mientras la Doña Juanita le arranca al comal una y otra tortilla. Yo espero sentado en un rincón, fumando. Esta noche saldremos de cacería con el Viejo Antonio y me supongo que planea estarse en la

montaña hasta que se amanezca, porque le ha pedido a la Doña Juanita que nos prepare algunas tortillas y pozol. La Doña
Juanita, entre suspiro y suspiro, ha molido el maíz, ha torteado
la masa y ya tiene un altero de tortillas recién hechas así de
grande. Sobre el fogón, relamida por un lúbrico fuego, una ollita
recalienta el café.

Yo me voy adormeciendo con el rítmico tallar de la lima
sobre la doble lengua del machete y con el olor de las tortillas
de la Doña Juanita. De pronto, el Viejo Antonio se levanta y
dice:

—Me voy pues.

—Sí, pues —dice la Doña Juanita, mientras termina de
envolver en hojas de plátano una bola grande de pozol y lo
mete, junto con las tortillas, dentro de la morraleta del Viejo
Antonio. Con cuidado vierte el café en una vieja botella, de
plástico y lo coloca junto al pozol y las tortillas.

Yo me despabilo y me incorporo. Salimos ya al dintel de
la puerta cuando veo que el Viejo Antonio no lleva su vieja
chimba.

—Olvida usted su arma —le digo.

—No la olvido, esta noche no necesitamos la chimba
—responde el Viejo Antonio, sin detenerse siquiera.

Salimos a la noche. Yo sé que está expresión de "salimos
a la noche" se usa en sentido figurado, pero en este caso era
más que eso. Cuando estábamos dentro de la champa del
Viejo Antonio parecía que la noche se había quedado allá
afuera, como si no estuviera invitada a la ceremonia del afi-
lado del machete, el calentado del café y el cocimiento de las
tortillas. Aunque la desvencijada puerta de la casita estaba
abierta, la noche no se entraba, se llegaba hasta el borde mismo pero ahí se quedaba nomás, como sabiendo que no era
ese su lugar sino otro, allá afuera. Así que, cuando salimos de
la champa del Viejo Antonio, salimos a la noche.

Un rato largo caminamos por el camino real. Acababa de llover y fuerte, pero ya jugueteaban de nuevo las luciérnagas, colgando rápidas serpientes de luz en ramas y bejucos. No obstante, agosto salpicaba charcos y lodos por todos lados, y a ratos era imposible encontrar un cruce que no significara andar con el lodo hasta las rodillas. Al poco, tomamos el desvío de una vieja picada, acaso sólo transitada de vez en cuando y, por lo tanto, sin mucho lodo. Aquí ya había monte alto, quiero decir que los árboles eran grandes y frondosos y era como si hubiéramos salido de una noche y hubiéramos entrado a otra más oscura, una noche dentro de la noche.

Yo ignoraba qué buscábamos, y qué íbamos a cazar si el Viejo Antonio había dejado su chimba en el pueblo, pero como no era la primera vez que el salir con el Viejo Antonio era un misterio al inicio (que terminaba por aclararse al final de la jornada, justo como se aclara la madrugada cuando el sol empieza a arañarle las espaldas a los cerros), nada dije y seguí en silencio el paso del Viejo Antonio.

Debía ser ya pasada la medianoche cuando la picada terminó, o se perdió por el crecimiento del monte (que persevera en cerrarse las heridas que hombre y tormentas le hacen). Sin embargo, seguimos caminando. De cuando en cuando, el Viejo Antonio usaba su machete para abrirnos paso, sobre todo cuando los bejucos se hacían pared enfrente nuestro.

Aunque yo usaba mi focador[27] todo el tiempo, el Viejo Antonio sólo encendía el suyo de vez en cuando y lo hacía dirigiendo el haz de luz hacia uno u otro lado, sólo un momento, como buscando algo. De pronto se detuvo y su lámpara se obstinó un largo rato en el suelo.

Yo alumbré también para ese lado, pero no vi nada especial: algunas ramas tiradas por el viento, bejucos, hierbas, plantas pequeñas, alguna raíz asomando sus nudos y jorobas por entre la tierra.

—Aquí es —murmuró el Viejo Antonio, y se fue a sentar bajo un árbol, justo enfrente y a unos 10 metros de donde había alumbrado unos segundos antes.

Un buen rato estuvimos ahí, sentados, esperando. Cuando vi que el Viejo Antonio empezó a forjar su cigarro, supe tres cosas: una era que no estábamos esperando ningún animal (el olor del tabaco lo alejaría), la otra era que se podía fumar, y la tercera era que el Viejo Antonio empezaría a hablar en cualquier momento. Así que saqué la pipa y el tabaco, le encendí su cigarrillo al Viejo Antonio y le di fuego a la pipa lanzando grandes bocanadas, tratando de ahuyentar al chaquiste[28] y de ayudar al Viejo Antonio a traerse, tal y como alguna vez se la conté a la *Mar* y ahora lo hago con ustedes...

La historia de la noche

Dice la gente que no es sabedora, que guarda la noche muchos y grandes peligros, que es la noche cueva de ladrones, lugar de sombras y temores. Eso dice la gente que no sabe. Pero vos debés saber que el mal y el malo no se andan ya escondidos tras los negros pliegues de la noche, ni se guardan más en cubiles. No, el malo y el mal andan a cielo abierto y caminan el día impunemente. Habitan el mal y el malo en los grandes palacios del Poder, poseen fábricas, bancos y grandes comercios, visten ropas de senadores o diputados, son presidentes de las distintas repúblicas que en estas tierras duelen, y hablan como si no fueran el mal y el malo quienes hablan. Esconden el mal y el malo su gris pestilencia debajo de mil colores y andan las modas que ellos mismos decretan.

Sí —dice el Viejo Antonio exhalando una redonda voluta de humo—, *no se esconden ya el mal y el malo, ahora se muestran y hasta se hacen gobierno. Pero no fue siempre* así. Hubo antes un tiempo en que el mal y el malo no se andaban el día. Es más, nadie andaba el día porque el día no se hacía todavía. Era el tiempo en que todo era noche y agua, y todo y todos se estaban dentro de la noche, nada ni nadie se salía.

Cuentan los viejos más viejos de los viejos que los seres todos se estaban dentro de la noche y no hacían más que caminarla de una a otra orilla, pero sin pasar nunca al otro lado. No porque no quisieran, era porque no había todavía otro lado, sólo noche grande y en silencio. Cuentan también que en la noche fue que se reunieron por vez primera los más grandes dioses, los que nacieron el mundo, los más primeros. Algunos dicen que fue su primer acuerdo hacerse el día porque bueno vieron que se hubiera el día y que a la noche siguiera. Pero no así fue, no. El primer acuerdo que sacaron los más primeros dioses fue expulsar de la noche al mal y al malo. Cuentan los más viejos que muchas y grandes razones se dieron los primeros dioses, para tomar la decisión de expulsar al malo y al mal de la casa de la noche. Habló, dicen, el Tepeu, el vencedor de todas las batallas, y claro dijo que ni la noche ni el mundo que habrían de parir los dioses eran lugar para el mal y el malo, y que aunque largo tardaran, había que luchar para sacar al malo y al mal de todo.

Gucumatz, de alargado cuerpo y plumas de quetzal vistiéndola, la más grande sabedora, dijo que la noche es para hacerse cosas buenas y el mal y el malo lo impedían. Mucho hablaron los primeros siete dioses, los más grandes, que siete veces eran dos en uno. Al final, acuerdo sacaron de que el mal y el malo debían ser expulsados de la noche y arrojados muy lejos, donde ninguna memoria los alcanzara. Eso acordaron los dioses más grandes, los que nacieron el mundo, los más primeros. Ese fue el primer acuerdo, cuando el mundo no era todavía, ni el día ni nada, cuando todo era *noche nomás y agua negra que en silencio se estaba. Esto cuentan los más viejos de los viejos, que es donde las comunidades van escribiendo sus historias pasadas. En los más viejos de los pueblos, como cajitas que hablarán luego, guardan los hombres y mujeres de maíz las historias de cómo y para qué fue hecho todo.*

Y cuentan los más viejos de los viejos que al primer acuerdo se siguió el primer problema: no había adónde expulsar al mal y al malo, porque en ese tiempo sin tiempo, toda era noche y agua, nada estaba hecho todavía, nada se hacía, todo esperaba su hora. Entonces los dioses primeros se volvieron a reunir y vieron que primero tenían que hacerse las cosas y los lugares, y que sólo entonces tendrían un lugar a dónde expulsar al mal y al malo. Fue así como fueron hechas las cosas todas, como el día de la noche fue nacido, al igual que las mujeres y hombres de maíz, y fueron hechos los pájaros y los animales y los peces y hubo movimiento en tierra, mar y cielo y el mundo se echó a andar, y aunque recién nacido, el mundo despacio se empezó a andar porque mucha era la carga con la que su larga jornada empezaba. Y algo cansados quedaron los dioses primeros, porque mucho fue lo que se nacieron, un mundo pues, y dentro de ese mundo había de por sí muchos mundos y todos diferentes y otros y, sin embargo, mundos del mundo. Tan agotados quedaron los más grandes dioses que olvidaron que su acuerdo había sido expulsar al mal y al malo de la noche y mandarlos muy lejos, donde no los alcanzara memoria ni recuerdo alguno. Se acordaron los primeros dioses de lo que habían olvidado y buscaron al mal y al malo para, con su grande grandeza, expulsarlos. Los buscaron por toda la noche y no los encontraron, todos y cada uno de los rincones nocturnos fueron revisados y nada que aparecían el mal y el malo. Y es que, cuentan los más viejos de los viejos, el malo y el mal habían aprovechado la confusión de cuando todo se estaba naciendo por vez primera y, por una rendija, se habían escapado de la noche para llegarse al día y en él se habían escondido bajo el disfraz de gobernantes. Cada tanto, a lo largo del tiempo en el que camina el tiempo, el mal y el malo mudan de ropaje para, sin dejar de ser Poder y gobierno, aparentar que son otros siendo como son, los mismos.

La noche quedó pues, ahora con sus orillas y sus puertas y ventanas, nació su propia vida y se fueron construyendo las luces que en la oscura nagua le cuelgan. Tiene la noche sus sombras, es cierto. Pero, sombras de la sombra, los hombres y mujeres que en la montaña la habitan y cuidan, tienen sus propios destellos y, a su modo, también alumbran. Eso cuentan los más viejos de los viejos. Y cuentan que todavía andan los dioses primeros buscando al mal y al malo por la noche toda, y que es común encontrarlos levantando alguna piedra, sacudiendo alguna nube somnolienta, haciéndole cosquillas a la luna o arañando estrellas, todo para ver si el mal y el malo no se han escondido por ahí.

Cuentan también que, cuando se cansan de buscar, los dioses primeros se reúnen, juntan un montón de estrellas sobre el negro fogón de la montaña y, con la lumbre azul y nácar, se hacen su bailadera y su cantadera y la marimba de hueso, madera y luz que tocan, llena la noche que se nace en las montañas del Sureste mexicano. Hacen así porque cuentan que el mal y el malo no gustan del baile y del canto, y que lejos se huyen cuando se organizan alegrías en estos suelos.

Y cuentan los más viejos de los viejos que los dioses primeros escogieron a un grupo de hombres y mujeres para que buscaran al mal y al malo por el mundo todo y para que, encontrándolos, lejos los mandaran. Y cuentan que, para que nadie lo supiera, escondieron la grandeza de esos hombres *y mujeres en pequeños cuerpos y de moreno los pintaron para que anduvieran la noche sin miedo y para que en el día tierra fueran de la tierra. Y para que no olvidaran que la noche fue la madre y el inicio y casa y lugar de los dioses primeros, de negro les vistieron el rostro para que sin rostro quedaran y llevaran, aun de día, un pedazo de noche en la memoria.*

Eso cuentan los más viejos de los viejos —dice el Viejo Antonio, forjando un nuevo cigarrillo. Después de encenderlo, sopla y reaviva la palabra:

Estos hombres y mujeres de quienes tanto se cuenta son los que llaman "verdaderos" y empezaron a buscar al mal y al malo en la noche, junto a los dioses primeros. Pero alguna vez tendrán que salir al día para también ahí buscar y encontrar al malo y al mal. Saldrán y entrarán del día a la noche por la puerta mejor, por la madrugada...

Se queda en silencio el Viejo Antonio. Arriba la madrugada empieza a ceder ante el implacable cortejo del sol.

Un último suspiro deshace el último rincón oscuro y, después de haber dejado las huellas de sus uñas en la espalda de aquel cerro, el sol se encarama en la loma más alta.

El Viejo Antonio se incorpora, estira sus piernas, revisa el filo doble de su machete y dice:

—Vámonos, pues.

—¿Vámonos? —pregunto—. ¿No estábamos esperando algún animal para cazarlo o algo así?

—No —responde el Viejo Antonio sin detenerse—, no estábamos cazando ningún animal; estuvimos velado por si el mal y el malo aparecían.

Recorrimos el camino de regreso rápidamente. Cuando salimos al potrero, a media loma, el día ya envolvía toda la cañada, las últimas gotas de lluvia eran derrotadas y un montón de gallos, más que cantar, alertaban. El Viejo Antonio paró un poco y señalando a lo lejos, a occidente dijo:

—Esta es la hora en que el mal y el malo reinan. No se ocultan ya, en el día caminan y de día apestan y pudren lo que tocan. En la noche no. La noche... la noche es nuestra.

En silencio queda el Viejo Antonio, y en silencio cubrimos la última legua que nos separaba de su champa. Cuando llegamos, la Doña Juanita llegaba también, con un tercio de leña a la espalda. Mientras lo bajaba, la Doña Juanita preguntó:

—¿No aparecieron, pues?

—No, pues —respondió el Viejo Antonio, mientras le ayudaba a desanudar el mecapal y a apilar la leña contra una de las paredes de la champita.

—Habrá que seguir velando —dice la Doña Juanita, mientras junta algunas brasas aún anaranjadas y llama al fuego.

—Sí, pues, habrá que seguir velando —dice el Viejo Antonio, mientras vuelve a afilar con la lima la doble lengua del machete.

Afuera el día seguía agazapado, sin entrar a la champa del Viejo Antonio, como si supiera que ahí dentro se velaba en la búsqueda del mal y el malo, como si temiera que ahí dentro, en el fuego que la Doña Juanita alimentaba, otro día y otro mañana se forjaran...

Hermanos y hermanas del Consejo General
de Representantes–Escuela Nacional de Antropología e Historia;
hermanos y hermanas del Frente Interno de la Comunidad
del Instituto de Antropología e Historia;
comunidad de la ENAH;
Sindicato Independiente de Trabajadores de Apoyo
y Confianza del INAH;

profesores investigadores del INAH, delegación D–III–IA–I,
sección 10 del SNTE;
Administrativos, Técnicos y Manuales del INAH, .
delegación D–III–24, sección 11 del SNTE;
hermanos y hermanas del Frente Nacional de Defensa
del Patrimonio Cultural, y de todas las organizaciones políticas,
sociales, no gubernamentales,
e individuos e individuas que lo forman:

Bienvenidos a La Realidad y a este primer *Encuentro Nacional en Defensa del Patrimonio Cultural.*

Queremos que sepan que es honor para nosotros, los zapatistas, el participar junto a ustedes en esta reunión y en la noble inquietud que es su motor y camino.

Lo que hoy nos convoca es una alerta, un llamado de atención, un pliego. El mal y el malo que ya no se esconden y actúan con fuero legislativo y ejecutivo han decidido poner en venta todo lo que este país, que sigue siendo nuestro a pesar de ellos, tiene.

Quienes gobiernan ahora pretenden ponerle etiqueta de precio a la historia cultural de México y convertir al patrimonio histórico nacional en privatizada pieza de colección, dar un baño aséptico a la historia para, después de adornarla con foquitos multicolores y agregarle algunos efectos especiales, convertirla en un *Disney World* de lo Ancestral, que no de otra forma concibe el neoliberalismo al pasado.

Para quienes hoy nos gobiernan, si la historia no se cotiza en la bolsa de valores no tiene valor alguno. Y si el patrimonio cultural no se puede vender, es algo inútil y estorboso, además de que tiene un peligroso potencial subversivo.

Si creíamos que los criminales se escondían y aprovechaban la oscuridad para sus fechorías, la nueva generación que padece la clase política mexicana nos ha sacado del error.

Los criminales andan a la luz del día, ostentan puestos gubernamentales y partidarios, disfrutan de fueros constitucionales y son quienes tienen en sus manos la administración de la justicia y las fuerzas militares y policiacas.

Hoy, la emergencia que nos convoca fue lanzada a tiempo por una comunidad que vuelve a poner en alto el valor de los jóvenes. Los estudiantes, académicos, investigadores, administrativos y manuales de la Escuela Nacional de Antropología e Historia (ENAH) y del Instituto Nacional de Antropología e Historia (INAH) nos han alertado sobre una iniciativa de ley que rezuma podredumbre y bajeza. La iniciativa en cuestión propone la subasta pública del patrimonio cultural de México y que sea el "libre" juego de la oferta y la demanda el que determine el precio de esa molestia histórica.

Gracias a estos jóvenes estudiantes de la ENAH hemos descubierto lo que ese proyecto legislativo anuncia: la privatización de todos y cada uno de los aspectos de la vida de este país.

Por el llamado, por la convocatoria y por la señal de alerta, nosotros, los zapatistas, les damos las gracias a todos los miembros de la comunidad de la ENAH y del INAH, y les decimos que son y siempre serán bienvenidos (claro que excepción hecha de quien ahora padecen como directora).

No sólo los zapatistas hemos escuchado el llamado de quienes han hecho del estudio y resguardo del patrimonio nacional su vida y destino. Hay también hoy con nosotros hombres y mujeres que representan a algo de lo mejor del movimiento social en México: maestros y maestras democráticos, organizaciones de colonos, no gubernamentales, culturales, sindicatos, frentes. Están con nosotros algunos trabajadores que luchan contra la privatización de la industria eléctrica, me refiero a los hermanos trabajadores del Sindicato Mexicano de Electricistas, a quienes les mandamos nuestro saludo y les reiteramos nuestro compromiso de luchar junto a ellos en la defensa de ese otro patrimonio nacional que es la industria eléctrica.

Mención especial merecen quienes ahora nos acompañan representando al heroico movimiento estudiantil de la Universidad Nacional Autónoma de México. Acosados como nunca antes, golpeados y calumniados, perseguidos y denigrados de mil y una formas, los universitarios resisten y sostienen, contra viento y marea, un movimiento que no es sólo por ellos, sino que, como todas las luchas que de abajo nacen, es para todos.

Para ellos y ellas, para quienes hoy resisten en las brigadas, en las guardias, en las asambleas y en el Consejo General de Huelga, pido hoy a todos ustedes un saludo, es decir, un aplauso. No sólo para que sepan que no están solos, no sólo porque los aplausos duelen mucho menos que los golpes de los granaderos, también para marcar más la distancia frente a quienes eran, ya no más, la esperanza de los de abajo y ahora gobiernan para las encuestas y reparten golpes y cárcel a quienes les son señalados por los medios electrónicos de comunicación.

Salud pues, hermanos y hermanas estudiantes de la UNAM, sabemos que el aplauso que ahora les mandamos no cura los golpes propinados por quienes se dicen "revolucionarios y democráticos", pero algo alivian. Porque los de abajo se alivian saludándose y se crecen hermanando luchas.

Para los y las que voy a mencionar no pido un saludo, sólo un oído atento. Me refiero a los hombres, niños, mujeres y ancianos indígenas de las comunidades zapatistas que hoy sufren una verdadera campaña de terror encabezada por el Ejército mexicano y la policía de seguridad pública del estado de Chiapas. Las comunidades indígenas zapatistas pagan hoy, rigurosamente y sin escatimar nada, el precio de su apoyo al movimiento estudiantil de la UNAM, a la lucha del SME y a la defensa de la memoria que encabezan las comunidades de la ENAH y el INAH. Hoy somos más perseguidos que nunca, más hostigados, más golpeados y más atacados. El Poder pretende derrotar en nuestra dignidad, la dignidad de univer-sitarios, electricistas y defensores del patrimonio cultural.

Por orden de los pueblos zapatistas les comunico a ustedes, y a través de ustedes a los universitarios y a los trabajadores electricistas, que nada de esto que nos hacen nos intimida ni logrará reducir ni la admiración ni el apoyo que ustedes se merecen. Pase lo que pase, escuchen bien, pase lo que pase, no variará nuestro apoyo al movimiento de la UNAM, a los trabajadores del SME y a la lucha que hoy encabezan las comunidades de la ENAH y del INAH. En todo caso aumentará, pero de ninguna manera se reducirá, el apoyo que, aunque pequeño, les damos. Sabemos que ustedes lo saben, los pueblos me piden que se los diga, no para que lo sepan, sino para que no lo olviden.

Hermanos y hermanas asistentes al *Encuentro Nacional en Defensa del Patrimonio Cultural*: Tal vez ustedes recuerdan las palabras con las que termina la convocatoria que se hizo pública para este encuentro. Si no es así, ahora se las repito. Dicen: "En defensa de la memoria". Para eso estamos aquí, para eso hemos sido convocados. No podemos permitir que la memoria sea puesta en venta. No sólo porque en perdiéndola, empezaríamos a perdernos irremediablemente todos nosotros, también porque la memoria es la única esperanza que nos queda para, con ella y por ella, abrir un mañana.

Si hoy estamos a la defensiva es porque aún el mal y el malo dominan el día, porque la noche sigue siendo aún el espacio predilecto de la memoria, y porque es en la noche de la memoria donde otro día se forja ya.... y se anuncia. Tiempo llegará en que, entre todos y todas, encontremos al fin al mal y al malo y lo expulsemos. Y no habrá rincón del día o de la noche para ellos, ni los alcanzará la memoria ni el recuerdo. Y sólo serán lo que ahora son, es decir, una pesadilla, pero ahora al fin acabada.

Hermanos y hermanas:

Es otra vez el tiempo de la palabra. Hagámosle el espacio mejor, que siempre será dentro nuestro, y dejemos que sea ella la que nos busque y encuentre.

Que hablen, pues, los todos que son diferentes. Que hablen y encuentren la memoria, que con ella conspiren y que con ella labren el futuro mejor: el mañana. Esta es la palabra de nosotros los zapatistas: en defensa del patrimonio cultural y para todos...

¡Democracia!
¡Libertad!
¡Justicia!

Desde las montañas del Sureste mexicano
Subcomandante Insurgente Marcos
Por el Comité Clandestino Revolucionario Indígena–
Comandancia General
del Ejército Zapatista de Liberación Nacional
La Realidad Zapatista, trinchera de la memoria
México, agosto de 1999

La Realidad en Vela
(Discurso de clausura al Encuentro Nacional en Defensa del Patrimonio Cultural)

*Esparzo flores de Guerra, yo el de la cara risueña
como que vengo de junto a la guerra.
Soy ave quetzal y vengo volando,
entre pasos difíciles vengo de junto a la guerra.
Soy precioso tordo de rojo cuello,
vengo volando: vengo a convertirme en flor,
yo en Conejo ensangrentado.
Vedme, ya me pongo serio, apretad los costados
Yo el guiñador de ojos, el que anda riendo.
De dentro del patio florido vengo. Vedme, me pongo serio,
apretad los costados. En flor voy a convertirme,
yo el Conejo ensangrentado.*
Poesía náhuatl

*Sea lo que fuere, las vísperas y la cargada memoria son más reales
que el presente intangible. Las vísperas de un viaje son una preciosa
parte del viaje.*
Jorge Luis Borges

Agosto de nuevo, y de nuevo madrugada. Duerme la *Mar* y un rabito de nube reposa su blanco cansancio sobre la montaña, reemprende el vuelo y su aleteo inquieta, más no desvela, a las estrellas. Allá arriba, la gran serpiente se desangra en azules luces nacaradas. La Luna, una dama, apenas termina de lavarse la cara y se asoma al balcón dudando aún si vuela volando o quedando queda. Abajo, junto a una vela, una sombra vela la noche y la memoria. Otra sombra se le acerca y una llama momentánea alumbra dos rostros sin rostro; sombras pues, de la sombra.

La nube que levanta vuelo un poco se retrasa, se detiene el iluminado goteo de la serpiente de luz, el sol de medianoche se hace tea lejana, se inmoviliza la luna en su ventana, y hasta una estrella cayendo no cae ni se levanta. Queda quieto todo, inmóvil.

¡Atención! ¡Escuchad! Ahora es que reina la palabra...

El Viejo Antonio apenas saludó, llegándose, con el adiós que le anda en los pulmones. No obstante la tos, que hube de acompañar (no sólo por hacerme solidario, tenía yo también y, aunque no tan rotunda como la del Viejo, si dolían garganta y pulmón, y alivio se buscaban), encendimos uno y otro el tabaco que portábamos. El cigarro él, yo la pipa mordisquea-da. Empezó entonces el puente, que así llaman también acá a la palabra. Y puesto que la danzante luz de una vela nos alumbraba, de luz era la historia, de sol pues, y de mañana. Ésta es, pues

La historia de la falsa luz, la piedra y el maíz

Hace ya mucho, sí. El tiempo aguardaba aún el tiempo de tiempo hacerse. Andaban los dioses más grandes, los que nacieron el mundo, los más primeros, como de por sí siempre andaban: a las carreras y en su apuradera. Porque resulta que estos primeros dioses largo habían tardado en sus bailaderas y cantaderas, y tardando estaban en hacerse a la Luna y el Sol, cuyo trabajo era dar luz y sombra al mundo que muy despacio se andaba. Entonces el Vucub–Caquix, el siete veces guardador de los siete colores primeros, se dio en pensarse que él era el Sol y la Luna, puesto que muchas y muy hermosas eran las luces de colores que lo vestían y, como alto se volaba, lejos llegaba su vista y, así le parecía, todo lo alcanzaba. Ya en la tierra se andaban los hombres y mujeres, pero no muy quedaban. O sea que los dioses pri-meros ya llevaban varias veces haciendo hombres y mujeres y pues nomás no les quedaban mero buenos. Como si apren-

161

diendo estuvieran los más grandes dioses emborronaban el mundo haciendo y corrigiendo los hombres y mujeres que les nacían. Tiempo faltaba, pues, para que fueran hechos los hombres y mujeres de maíz, los verdaderos. Ocupados como estaban, no conocieron los primeros dioses lo que el Vucub–Caquix andaba diciendo y que ya quería que, como a luminosa luz, todos lo adoraran. Cuando lo supieron, los más grandes dioses tuvieron una gran idea: llamaron a dos jóvenes dioses y a dos viejos dioses para que en su lugar pusieran al Vucub–Caquix. Los dos muchachos dioses se llamaron Hunabkú e Ixbalanqué, que son los nombres con los que también se camina el cazador de la madrugada. Los dos dioses viejos eran Zaqui–Nin–Ac y Zaqui–Nimá–Tziis, la pareja creadora. Hunabkú e Ixbalanqué con cerbatana le lastimaron la boca al falso Sol–Luna que luz grande presumía. Grande fue el dolor de Vucub–Caquix, pero no cayó. Fueron entonces los antiguos creadores y le ofrecieron arreglarle la boca y le quitaron sus hermosos dientes, y por dientes de maíz los remplazaron y se le cayó la cara al Vucub–Caquix y ya le cegaron sus ojos y olvidó sus ansias de grandeza y quedó de por sí como ahora vuela estas montañas, como guacamaya de desordenado vuelo.

Así fue de por sí, también en los pueblos hubo y hay quien Sol y Luna se cree, y grande y poderosa luz presume. Tal son el oro, el dinero y el poder político que con él como paso y destino se levanta. Su luz ciega y transforma, hace creer como cierto lo falso y esconde la verdad detrás de caras dobles. Cuando el dinero se hizo mentiroso dios sobre la tierra, sus falsos sacerdotes hicieron gobiernos y ejércitos para que la mentira durara. Así pasa de por sí, la historia sigue doliendo y esperando que jóvenes y viejos acuerdo hagan de herirle al dinero la boca de mentiras, y tumbarle los sangrantes colmillos. Con piedras y maíz como armas, jóvenes y viejos

*desnudarán al poder y piedra será entre las piedras, y hombre
y mujer nomás entre los hombres y mujeres que de por sí
andan la tierra. A esa lucha le llamarán guerra, siendo como
será sólo una denuncia, un desenmascarar la mentira y un
apagar la falsa luz que allá arriba, vana, reina.*

Se queda en silencio el Viejo Antonio, me tiende la mano y,
diciendo "Ya vine", se despide y se va. Al darme la mano, el
Viejo Antonio ha dejado en la mía una pequeña piedra y un
solitario grano de maíz.

En la larga nagua de la noche, miles de luces aguardan,
esperan...

Golpes que buscan el silencio

Hermanos y hermanas asistentes al *Encuentro
Nacional en Defensa del Patrimonio Cultural:*

Saludamos el final de este primer encuentro en defensa de la
memoria. Sabemos que otros seguirán, y que éste ha sido sólo el primero de muchos encuentros y acuerdos que habrán
de construirse entre quienes nos resistimos a la compraventa
del patrimonio cultural de México.

Han sido días difíciles y hermosos. Tal vez porque de
por sí así es. El gobierno, todos ustedes lo saben ahora, continúa agrediendo a las comunidades indígenas zapatistas y
sigue adelante con su guerra. Al atacarnos, el gobierno sabe
que ataca la memoria. Por eso su empecinamiento, por eso
su crueldad y prepotencia.

No es poco lo que está en juego en estas tierras, que en
estos días y noches los vieron a ustedes hablar, discutir, acor-
dar, discrepar, cantar y bailar, que de eso se forman los verdaderos encuentros.

Para nosotros ha sido muy grande el haberlos encontrado, y grande se ha crecido nuestro verlos a ustedes, compartiendo el dolor y la angustia, la indignación y la rabia por esta nueva agresión militar contra los pueblos zapatistas. Lo que hizo el gobierno fue recordarles a todos que aquí hay una guerra, que hay todo un pueblo rebelde y resistiendo, y que hay un ejército de ocupación, el federal, buscando asegurar la mercancía que han vendido ya quienes lo mandan y ordenan. La mercancía tiene nombre, se llama *soberanía nacional.*

No es la primera vez que los golpes buscan hacernos guardar silencio. No es la primera vez que fracasan. Ahora, además de callarnos, los golpes buscan separarnos de los principales movimientos de resistencia que hay actualmente en el país: el de los universitarios de la UNAM, que defienden el derecho a la educación gratuita; el del Sindicato Mexicano de Electricistas, que defiende la industria eléctrica, y el de todos ustedes, comunidades de la Escuela Nacional de Antropología e Historia y del Instituto Nacional de Antropología e Historia, así como de todas las personas y organizaciones que forman el Frente Nacional de Defensa del Patrimonio Cultural. Todos estos movimientos y el nuestro tienen algo en común: la defensa de la historia. Por eso cada ataque a cada uno de estos movimientos es un ataque en contra de todos los demás.

Cuando menos así lo entendemos nosotros. Por eso sentimos que la represión en contra de los estudiantes de la UNAM, el pasado 5 de agosto, fue también contra nosotros. Por eso hemos apoyado las movilizaciones y llamados del SME. Por eso nos hemos unido a ustedes en defensa de la memoria y en contra de los intentos de privatizar el patrimonio cultural.

En estos días hemos recibido algunas notas y cartas. Los compañeros las han ido recibiendo en una pequeña cajita de cartón. Leímos todas lo que hablaban. Por eso dicen que acá hay cajitas parlantes, creo. Hay ahí solicitudes de entrevistas, de encuentros, dudas, peticiones de reuniones para intercambiar experiencias, preguntas. Lo intenso y difícil de estos días nos han impedido atenderlas y darles a todas y cada una la respuesta que demandan. Esperamos que nos disculpen y que acepten nuestra promesa de responderles en tiempo y lugar que sean posibles.

Entre los papeles hay uno que pregunta qué quieren los zapatistas; argumenta que en los medios de comunicación se ha manejado mucha información que distorsiona lo que aquí ocurre y el camino que nos mueve y anima.

Este es el mes de agosto, y para nosotros es también mes de la memoria. Así que trataré de responder un poco a la pregunta: "¿Qué quieren los zapatistas?"

No va a ser fácil que nos entiendan ahora. Por una extraña razón, los zapatistas hablamos para adelante. Quiero decir que nuestras palabras no encuentran acomodo en lo inmediato, sino que están hechas para acomodarse en un rompecabezas que está aún por hacerse. Así que, paciencia, virtud guerrera.

Hace 15 años, cuando llegué por primera vez a estas montañas. En uno de los campamentos guerrilleros me fue contada, de madrugada, como es ley, una historia de 15 años antes, tres décadas se cumplen en este agosto que nos moja. Se las cuento como me va saliendo, tal vez no sean las mismas palabras, pero estoy seguro de que es el mismo sentimiento del hombre que me las refirió cuando, entre bromas por mi patético aspecto y un pantalón de payaso que llevaba puesto, me dio la bienvenida al Ejército Zapatista de Liberación Nacional.

Cuenta la historia que, en un pueblo, se afanaban hombres y mujeres en trabajar para vivirse. Todos los días salían hombres y mujeres a sus respectivos trabajos: ellos a la milpa y al frijolar; ellas a la leña y al acarreo del agua. En veces había trabajos que los congregaban por igual. Por ejemplo, hombres y mujeres se juntaban para el corte del café, cuando era llegado su tiempo. Así pasaba. Pero había un hombre que no eso hacía. Sí trabajaba pues, pero no haciendo milpa ni frijolar, ni se acercaba a los cafetales cuando el grano enrojecía en las ramas. No, este hombre trabajaba sembrando árboles en la montaña. Los árboles que este hombre plantaba no eran de rápido crecimiento, todos tardarían décadas enteras en crecer y hacerse de todas sus ramas y hojas. Los demás hombres mucho lo reían y criticaban a este hombre. "Para qué trabajas en cosas que no vas a ver nunca terminadas. Mejor trabaja la milpa, que a los meses ya te da los frutos, y no en sembrar árboles que serán grandes cuando tú ya hayas muerto". "Sos tonto o loco, porque trabajas inútilmente". El hombre se defendía y decía: "Sí, es cierto, yo no voy a ver estos árboles ya grandes, llenos de ramas, hojas y pájaros, ni verán mis ojos a los niños jugando bajo su sombra, Pero si todos trabajamos sólo para el presente y para apenas la mañana siguiente, ¿quién sembrará los árboles que nuestros descendientes habrán de necesitar para tener cobijo, consuelo y alegría?" Nadie lo entendía. Siguió el hombre loco o tonto sembrando árboles que no veía, y siguieron hombres y mujeres cuerdos sembrando y trabajando para su presente. Pasó el tiempo y todos ellos murieron, les siguieron sus hijos en el trabajo, y a éstos les siguieron los hijos de sus hijos. Una mañana, un grupo de niños y niñas salió a pasear y encontraron un lugar lleno de grandes árboles, mil pájaros los poblaban y sus grandes copas daban alivio en el calor y protección en la lluvia. Sí, toda una ladera encontraron llena de árboles. Regresaron los niños y niñas a su pueblo y contaron de este lugar maravilloso.

Se juntaron los hombres y mujeres y muy asombrados se quedaron del lugar. "¿Quién sembró esto?", se preguntaban. Nadie sabía. Fueron a hablar con sus mayores y tampoco sabían. Sólo un viejo, el más viejo de la comunidad, les supo dar razón y les contó la historia del hombre loco y tonto.

Los hombres y mujeres se reunieron en asamblea y discutieron. Vieron y entendieron al hombre que sus antepasados trataron, y mucho admiraron a ese hombre y lo quisieron. Sabedores de que la memoria puede viajar muy lejos y llegar donde nadie piensa o imagina, fueron los hombres y mujeres de ese hoy al lugar de los árboles grandes.

Rodearon uno que en el centro se estaba y, con letras de colores, le hicieron un letrero. Hicieron fiesta después, y ya estaba avanzada la madrugada cuando los últimos bailadores se fueron a dormir. Quedó el bosque grande solo y en silencio. Llovió y dejó de llover. Salió la Luna y la Vía Láctea acomodó de nuevo su retorcido cuerpo. De pronto, un rayo de luna acabó por colarse por entre las grandes ramas y hojas del árbol del centro y, con su luz bajita, pudo leer el letrero de colores ahí dejado. Así decía:

"A los primeros:
Los de después sí entendimos.
Salud."

Esto que les cuento me lo contaron a mí hace 15 años, y 15 años habían pasado ya cuando pasó lo que me contaron. Y sí, tal vez sea inútil decirlo con palabras porque con hechos lo decimos; pero sí, *los de después sí entendimos*. Y si les cuento esto no es sólo para saludar a los primeros, tampoco sólo para regalarles un pedacito de esa memoria que pareciera perdida y olvidada. No sólo por eso, también para tratar de responderles a la pregunta de qué queremos los zapatistas.

Sembrar el árbol del mañana, eso queremos. Sabemos que, en estos tiempos frenéticos de política *realista*, de banderas caídas, de encuestas que suplen a la democracia, de criminales neoliberales que llaman a cruzadas contra lo que esconden y los alimenta, de camaleónicas transformaciones; en estos tiempos decir que queremos sembrar el árbol del mañana suena tonto y loco, que, en todo caso, no pasa de ser una frase efectista o una utopía trasnochada.

Lo sabemos y, sin embargo, eso queremos. No sólo eso, eso hacemos. ¿Cuántas personas en los mundos que el mundo habitan pueden decir lo mismo que nosotros, es decir, que están haciendo lo que quieren hacer? Nosotros pensamos que son muchas, que están los mundos del mundo llenos de locos y tontos que siembran sus respectivos árboles de sus respectivos mañanas, y que llegará el día en que esta ladera del universo que algunos llaman "planeta Tierra" se llenará de árboles de todos los colores y habrá tantos pájaros y alivios que sí, es probable, nadie se acuerde de los primeros, porque todo el ayer que hoy nos acongoja no será más que una página vieja en el viejo libro de la vieja historia.

Es ese árbol del mañana un espacio donde están los todos, donde el otro sabe y respeta a los otros *otros*, y donde la falsa luz pierde su última batalla. Si me apuran a ser preciso, les diré que es un lugar con democracia, libertad y justicia: ése es el árbol del mañana.

Esto es lo que queremos los zapatistas. Pudiera parecer que he sido vago en la respuesta, pero no es así. Nunca antes he hablado tan claro. En todo caso, tiempos vendrán todavía en que estas palabras se acomoden y, juntas, alarguen su abrazo y se escuchen y guarden y crezcan, que para eso son las palabras y sí, también, quienes las andan.

"¡Moción de pozol!"

Asistentes y asistentas al *Encuentro Nacional en Defensa del Patrimonio Cultural:*

Antes de terminar esto, queremos sernos y hacernos puente y saludo a y con quienes están lejos y perseguidos: los estudiantes de la Universidad Nacional Autónoma de México.

Entre las cartas que habló la cajita parlante de cartón, viene una en la que se nos informa que el Sindicato Independiente de Trabajadores de la Universidad Autónoma Metropolitana (SITUAM) trae la cantidad de 21 900 pesos, como ayuda humanitaria para la compra de maíz para las comunidades en resistencia. Lo hemos consultado con nuestros jefes y jefas del Comité Clandestino Revolucionario Indígena y queremos pedirles a los compañeros y compañeras del SITUAM que escuchen lo siguiente: Con preocupación leímos en varias notas periodísticas que los estudiantes en huelga de la UNAM sufren mucho en sus cocinas porque pura papa y laterío están comiendo. Esto ha preocupado mucho a nuestros compañeros y compañeras jefes, porque leen que no están comiendo su tortilla ni tomando su pozol los estudiantes. "¿Cómo van a hacer para resistir pues?", me dicen–preguntan. Yo alzo los hombros nada más, pues qué diera yo por una suculenta lata de sardinas marca La Migaja. Pero los y las comités no estaban pensando en sardinas, sino en las tortillas y el pozol que necesitarían los estudiantes para poder resistir al mal gobierno. Bueno, después de larga discusión y no pocas historias acerca de las ventajas del pozol y las tortillas, que van y me dicen: "Que dice el comité que veas de mandarles pozol y tostadas a los estudiantes en huelga, eso dicen". Yo tragué saliva, fui adonde el comité y pedí la palabra. Argumenté que la UNAM estaba en la ciudad de México y que la ciudad de México estaba muy lejos de acá. "¿A cuántos retenes de distancia?", me preguntaron, porque ahora los compañeros miden las distancias en el número de retenes que hay entre uno y otro lado. Dije la verdad, que no sabía, que eran muchos, pero que el problema eran los kilómetros y el tiempo y que el pozol iba a llegar agrio. "¡Agrio!", dijeron y festejaron, pues el pozol agrio acá es un manjar, dicen (a mí me da siempre dolor de panza). Y dale que al grito de "¡pozol agrio!" (*¡moción de pozol!,* dirían en el CGH, creo) sacan la marimba y se hacen un su fuego y a calentar tostadas y ya uno sacó una su botella con pozol agrio y sí, la fiesta tardó. Yo me quedé fumando y rechacé el pozol que me ofrecían, pero sí le entre a las tostadas, no había comido, pues. Cuando al fin todo volvió a la normalidad. Volví a plantear el problema: el pozol iba a llegar ya *hongueado* a México (sí, tuve cuidado de no volver a decir "agrio"), *ergo*, no convenía mandar pozol. "Bueno, pues –me dijeron–, mándales tostadas". Y así lo hice, pero pasó lo que ahora les cuento:

Tostadas que producen "malas ideas"

Salió un grupo de compas *llevando alteros de tostadas con la misión de entregarlas al Consejo General de Huelga de la* UNAM *y a las asambleas de las escuelas, junto con un recado donde nos disculpábamos por no mandar pozol. Al cruzar por el retén militar de Guadalupe Tepeyac, un oficial de alto rango detuvo a los compañeros y revisó la carga. Les preguntó para quién eran esas tostadas y los* compas *dijeron que para unos parientes que estudian en la ciudad.* "*¡No es cierto! —respondió el oficial—, es para los paristas. ¡Quítenles todas las tostadas!*" *Los soldados del retén hicieron lo que se les ordenaba. Uno de ellos tomó un pedazo de tostada y se lo llevó a la boca.* "*¡No haga eso soldado! —llamó la atención el oficial—, ¿qué no sabe que ésas son tostadas zapatistas y producen malas ideas a los que las comen? ¡Entiérrenlas lejos de aquí!*". *Así que las tostadas están ya prohibidas por la Ley de Armas de Fuego y Explosivos y no pueden cruzar los retenes para llegarse hasta la* UNAM *y producir malas ideas en quien las coma. Apenado quedé yo por el fracaso y así lo informé al comité. El comité dijo que no tuviera pena, que ya veríamos la forma de que los estudiantes en huelga pudieran comer tostadas y tomar pozol para tener fuerza para resistir.*

Esta es la historia. Ahora que hemos tomado conocimiento del apoyo que decidieron los hermanos y hermanas del SITUAM, los comités me piden que les pida lo siguiente:

Tomen ese dinero y llévenlo a la ciudad de México y compren maíz para el CGH y para las asambleas y para las guardias y para las brigadas de todos esos y esas jóvenes que están luchando por la educación gratuita. Díganles que lo mandan los zapatistas para que puedan comer unas sus tortillas o tostadas y pozol, si es que quieren, y no pura papa y laterío. Díganles que los saludamos y que esperamos que este maíz que les mandamos sepa hablar el puente que somos, y que piedras no les mandamos porque de por sí allá tienen. Que le sigan echando ganas, que abran su corazón a todas las palabras y que no olviden que acá los queremos, los admiramos y, aunque lejos, también los abrazamos.

Eso me piden los Comités que les pida a los compañeros y compañeras del SITUAM, y como estamos seguros de que dirán que sí, queda entonces que hemos sido sólo puente entre dos movimientos dignos: el de los trabajadores universitarios y el de los estudiantes universitarios.

Sale pues, como servicio especial para la prensa presente, ésta es la nota:

"El Sindicato Independiente de Trabajadores de la Universidad Autónoma Metropolitana hizo llegar su apoyo de x toneladas de maíz a los estudiantes paristas de la UNAM, a través del insólito conducto del EZLN. Los zapatistas, en voz de su líder enmascarado, declararon que de por sí eso son los zapatistas, insólitos puentes que atraviesan no sólo México, dicen, sino todos los diferentes mundos que en el mundo son y han sido. Al final del acto, el *Sup* quiso echarse una goya pero le salió un gallo y optó por hacerse el occiso".

De nada, damas y caballeros de la prensa.

La memoria tiene su propia realidad

Hermanos y hermanas:

Pudiera parecer extraño que haya traído yo, juntos, a poetas náhuas, al *Popol Vuh* y a Jorge Luis Borges para esta clausura. Sobre todo por Borges. Y aunque pudiera decir que este mes se cumplen cien años de su nacimiento, no es ésa la razón de que comparta espacio con nuestros más antiguos sabedores y cantadores. No, resulta que hasta mi desvencijada mesa ha llegado un libro. El viento ha jugado con él y lo ha abierto en la página que se titula "El 22 de agosto de 1983". Ignoro si agosto me insistía en la memoria de esta forma, pero el caso es que, la naturaleza imita al arte, saltaron en esa página las palabras que, junto al náhuatl, encabezan este escrito. Tal vez viene Borges a colación para recordar que el patrimonio cultural no es sólo uno y que todo tiene algo de universal. O tal vez sólo vino a decirnos, a su modo, que la memoria tiene su propia realidad, como memoria tiene La Realidad que hoy nos congrega. O tal vez sólo vino para con él decirles a todos que, en efecto, ésta es sólo la víspera de un largo viaje y que, por tanto, el viaje ya comenzó.

Al final, lo sabremos y por eso estamos aquí, caerá la dentadura de la falsa luz, y con piedras y granos de maíz un árbol se crecerá en cualquier lugar de un mundo cualquiera. Y aunque nadie tenga entonces memoria, el árbol sabrá que los primeros fueron necesarios... y cumplieron.

Mientras tanto, habrá que seguir preparando el suelo. Habrá que saberle tomar bien el tiempo al tiempo y, no obstante estúpidos verde olivo, seguir luchando porque la palabra sea puente y piedra y maíz y árbol y esperanza del mañana, que todo eso y más, los zapatistas somos y queremos.

Vale. Salud y, aunque parezca que lo que hoy defendemos es el pasado, en realidad en La Realidad hemos acordado defender el mañana.

¡Democracia!
¡Libertad!
¡Justicia!

Desde las montañas del Sureste mexicano
Subcomandante Insurgente Marcos
Por el Comité Clandestino Revolucionario Indígena–
Comandancia General
del Ejército Zapatista de Liberación Nacional
La Realidad en Vela
México, agosto de la memoria, 1999

Respuesta "abierta" al Supremo

16 de septiembre de 1999

¿Y cómo vamos a responder rápido si el supremo
no suelta el micrófono
y todos los días
le agrega aclaraciones,
rectificaciones y posdatas
a su "carta abierta"?

Salud y ahí avisan cuando terminen

Desde las montañas del Sureste mexicano
Subcomandante Insurgente Marcos
Comité Clandestino Revolucionario Indígena–Comandancia
General
del Ejército Zapatista de Liberación Nacional
México, septiembre de 1999

P.D. Que ya vio esa película. El "suicidado" no es tal.[29] Se llama "Sistema de Protección de Testigos", es práctica frecuente en el sistema judicial norteamericano en casos de narcotráfico internacional, y anuncia que vendrán sorpresas para quien será el "ex" después del 1 de diciembre del año 2000.

174

Agosto / Septiembre de 1999: 7 veces 2

Para Alberto Gironella,
que pintaba tan bien que parecía
que escribía.

El palomar de las cartas
abre su imposible vuelo
desde las trémulas mesas
donde se apoya el recuerdo,
la gravedad de la ausencia,
el corazón, el silencio
Miguel Hernández

La luna es mi botón de plata dorada, abollado y mal cosido sobre la negra camisa de la montaña. En la casa grande del calendario, mayo aparece como bisagra de la doble y húmeda hoja de agosto y septiembre. Tal vez es por eso que ahora el sol camina el día repartiendo sudores y sofocos, mientras en la noche la luna infla sus carrillos con el viento que duerme.

Allá abajo la vida es guerra, combate cotidiano en los múltiples callejones oscuros que pueblan la noche mexicana. Se combate al nacer, creciendo se combate, se ama y se muere combatiendo, y, sí, hasta la escritura es un combate. Vea si no: en aquella esquina del mundo que llaman "montañas del Sureste mexicano", la última de un siglo que parpadea sus agonías, palabras como cuchilladas nacen sobre el alto y mullido cojín de la Ceiba. Y esa Ceiba más que árbol parece central de correos: cartas van y vienen, casi tan frecuentes como las lluvias que lanzan tajos profundos en la piel del día o en el corazón de la noche. Vea, ahí va saliendo otra que es otras. Sí, esa carta es muchas cartas, es una carta–erizo. Siete espinas dobles hacen de piel lo que en el papel se duele. Las escriben muchos en la mano de uno y tienen de destinatarios otros muchos que son otros, distintos y diferentes. Filosas epístolas que señalan y advierten, no amenazan, apenas avisan que sigue la noche sin abrirse y, sin embargo, aún hay que andarla.

Así que, pareciendo que escribe, la mano afila palabras que hieran mas no lastimen, que señalen, que marquen, que sean agudas espinas, huellas que duelan.

Si una carta es muchas cartas no es por capricho numérico, es porque el mundo es muchos mundos, y muchos son también los olvidos que los ocultan. Lo Uno es trampa de la que vendrá luego la factura, que así también llaman a la historia.

¡Sshh! ¡Atención! ¡Mirad! ¡Allá se abre la primera herida!

Carta Uno

El indio dueño de la tierra es
una utopía de universitarios.
Tirano Banderas, Ramón Del Valle–Inclán

Sobre la desvencijada mesa, renivelada con piedritas y cartones doblados, dos libros reposan, cerradas sus páginas, mudas sus palabras. La vela ondea su frágil luz como bandera y una mano enciende por enésima vez la pipa mordisqueada. Desde acá, la figura de él es sólo una sombra sentada y encorvada. Pero la vela roza las portadas de los dos libros. "Ramón Del Valle-Inclán. *Tirano Banderas*. Ilustraciones de Alberto Gironella, Galaxia Gutenberg. Círculo de Lectores", se lee en la portada de uno. El otro muestra "Julio Scherer García / Carlos Monsiváis. *Parte de guerra*. Nuevo Siglo Aguilar".

De pronto la llama de la vela se recuesta obligada por el viento y araña, más que alumbra, algunas hojas sueltas, garabateadas de prisa y con desorden. Lenta y pausada, lame la luminosa lengua las primeras palabras.

Agosto–septiembre de 1999

Este libro de Ramón Del Valle–Inclán, "Tirano Banderas", viene en una edición extraordinariamente bien cuidada, con el añorado criterio (cada vez más lejano a los editores *postmodernos*) de respeto al autor, al ilustrador y al lector. Dos veces llegó este libro a esta mesa, como si todo hubiera conspirado para que este agosto se definiera por la dualidad que el espejo propone. Uno de los ejemplares viene con las palabras "Para un escritor. MGG"; el otro tiene una dedicatoria lacónica y de tembloroso trazo "A *Marcos*, de Gironella".

Dos ejemplares sí, pero también dos libros en un libro: el uno el que pintan las letras de Ramón Del Valle–Inclán, el otro el que escriben los ¿dibujos? de Alberto Gironella.

Conocí a Gironella en aquel agosto de 1994, cuando la Convención Nacional Democrática, en el *Aguascalientes* del ahora viejo poblado de Guadalupe Tepeyac. Apenas un saludo y nos entregó una pintura magnífica de Emiliano Zapata, salpicado de balas y corcholatas. *Tacho,* o alguien más, no recuerdo, tomó la pintura y la colocó en el pequeño pódium del *Aguascalientes. El Zapata* de Gironella presidía la sesión cuando sobrevino la tormenta del día 8. En el naufragio de hombres y mujeres de esa noche, desapareció la pintura. Se fue Gironella. Vísperas de su muerte, una mentira hizo llegar a don Alberto una carta apócrifa. Rebelde y verdadero, Gironella no se merecía la patética limosna de la mentira al moribundo. Por eso, porque ni en vida ni en muerte mereció el insulto de la lástima, a donde quiera que se encuentre, le escribo estas líneas para decirle...

Para: Don Alberto Gironella
De: Sup *Marcos*
Maestro:

Esa carta no la escribí yo. Alguien pensó que haciendo mal hacía bien y falsificó texto y firma creyendo que eso le regalaba consuelo y alivio. Los libros sí se los mandé yo, don Alberto, y eran dos porque fueron dos los que usted me mandó (el *Tirano Banderas* y el *Potlatch*), y porque de por sí en los dos que yo le mandé, usted o su pintura (que ahora es lo mismo) vienen al caso. Yo le puse a usted en los libros esos que la naturaleza imita al arte, y en la portada de uno de ellos, *La revuelta de la memoria* (editorial CLACH), la imagen del guerrillero zapatista comiendo en el Sanborn's de Los Azulejos repetía la que usted trabajó para *Tirano Banderas*. En una de las solapas, usted explica: "*He querido recuperar distintos elementos reales que Valle pudiese haber conocido durante sus visitas a México. Si Valle utilizó como referente del tirano a Huerta, pues yo trabajo a partir de una imagen suya, a la que incorporo las características que en la novela se le atribuyen, como el color verde de su saliva... Para representar a Zacarías el Cruzado he utilizado la imagen de un guerrillero zapatista... Para el criollo Roque Cepeda he partido de una foto de Vasconcelos, con quien tiene más de un paralelismo... El marco está inspirado en el cinturón de un obre-*

178

ro asesinado que fotografió Álvarez Bravo: un cin-turón hecho con la pita del maguey..."

Sí, "paralelismo" ha dicho usted (los anteojos que le dibuja usted a Huerta se repiten ahora en los que Zedillo lleva sólo para hacerle más torva la mirada). Y el Vasconcelos de "Por mi raza hablará el espíritu", redibujado para compartir lúcha con los indígenas alzados contra Tirano Banderas, trae a colación otros paralelismos: la UNAM y Chiapas, el movimiento universitario y el alzamiento indígena zapatista.

En la pesadilla que agosto y septiembre definen hoy a nuestro país, los poderosos repiten religiosamente los argumentos de la camarilla de Tirano Banderas. Sí, para ellos "el indio dueño de la tierra es una utopía de universitarios. Pero el ideario revolucionario es algo más grave, porque altera los fundamentos sagrados de la propiedad. El indio, dueño de la tierra, es una aberración demagógica, que no puede prevalecer en cerebros bien organizados" (Ramón Del Valle–Inclán. o*p. cit*).

Y para curar de esa enfermedad a indios y universitarios, el remedio "posmoderno" de Tirano Banderas despacha desde Palacio Nacional decenas de miles de soldados a tierras del Sureste mexicano. En febrero de 1995, Zedillo dio, en cadena nacional y para más de 90 millones de mexicanos, su definición del alzamiento zapatista: *"No son indígenas, no son chiapanecos; son universitarios blancos* (me cai que así dijo), *de ideas radicales los que manipulan a los indígenas chiapanecos"*.

Desde entonces, esta definición es la que ha regido la "estrategia" gubernamental frente al conflicto en Chiapas. Para esto cuenta con la aquiescencia de caciques que dejarían a Tirano Banderas como un aprendiz de brujo. Estos son los que mandan, destruyen y matan en tierras indias. Con la cofradía de Banderas se quejan: *"El indio es naturalmente ruin, jamás agradece los beneficios del patrón, aparenta humildad y está afilando el cuchillo. Sólo anda derecho con rebenque. Es más flojo, trabaja menos y se emborracha más que el negro antillano"* (*Ibid*). Para ejecutar tan alta filosofía, por el palacio de gobierno de Chiapas desfilan sabuesos de tamaño diverso. El último de ellos, con particular afición por la sangre indígena y las croquetas, ha sido claro: en estas tierras sobran los indígenas y los estudiantes. Y ya se alista la jauría para la higiénica campaña del cachorro de Zedillo: "El indio bueno es el indio muerto, y el estudiante bueno es el estudiante ausente". Matar indios y perseguir estudiantes, este es el deporte de moda en Chiapas. En la cúspide de su delirio etílico y canino, Albores declama que él sí tiene los pantalones bien puestos (y es que confunde con cinturón lo que no es más que un collar contra pulgas).

Sí maestro, la naturaleza imita al arte y sus palabras dibujadas para ilustrar las imágenes escritas de Del Valle–Inclán irrumpen en este tiempo de Tiranos y soberbias, de universitarios y guerrilleros zapatistas.

Y para darme la razón, hasta mi mesa llegó no un helado de nuez (que es lo que yo hubiera querido y, en dado caso, ahí sí la naturaleza superaría al arte), sino un libro que también es dos libros *Parte de guerra*, de Julio Scherer García y Carlos Monsiváis.

Libro doble en la evidencia de que son dos los autores, es también doble en lo que *rebela* y *revela*, en lo que dicen sobre el pasado y en lo que callan ambos autores sobre el futuro. Ambos, Scherer y Monsiváis, son ya un referente en la historia de la cultura mexicana en lo general y del periodismo en particular. Filosos en palabra y pluma, en veces despiertan respeto y, no pocas, temor.

En el texto de Julio Scherer García desfilan los militares, su "dureza" y cortedad de miras. Cada vez menos frecuente en civiles, la admiración por lo militar "olvida", detrás de la época sordina, que los ejércitos son las estructuras más absurdas que existen. Negación total del raciocinio, aplastamiento del individuo y culto por la destrucción son algunas de sus características (y puertas para que el crimen organizado tienda sus cadenas).

Sé que suena más que paradójico que esto lo diga un mando militar del EZLN que es, también, un ejército, pero precisamente por eso nosotros aspiramos a desaparecer. Pero esto ya lo he explicado en otras partes y no quiero aburrirlo. De lo que ahora se trata en este libro es de un ejército, el federal, como fuente de desestabilización.

A mi paso por el Heroico Colegio Militar y la Escuela Superior de Guerra, pude ver que no es orgullo u honor lo que convierte al Ejército Federal en un ente cerrado, intocable e impredecible. No, es otro mundo, y su lógica interna permite arbitrariedades que apenarían hasta al más corrupto de los jueces (que hay muchos) del sistema judicial mexicano: un artículo en una revista, tocando el tema de los derechos humanos de los militares (impensable, pues se trata de "frías máquinas de matar"), le valió al general Gallardo la prisión, el desprestigio y el hostigamiento cotidiano a su familia; a quienes se negaron a cumplir las órdenes de asesinato, dadas por los altos mandos militares en enero de 1994 frente al alzamiento zapatista, les tocó la muerte y el exilio forzado; quienes desaprobaron la activación de bandas paramilitares en Chiapas, argumentando que el portar un arma implicaba disciplina y responsabilidad, fueron desaparecidos; los que se alistaron soñando defender a la Patria "si osare un extraño enemigo profanar con su planta tu suelo" y se encontraron de pronto enfrentados a civiles, niños, ancianos, mujeres y hombres, mexicanos todos, todos pobres, tuvieron que huir a escondidas, implorando a esos mismos a los que atacaron que les prestaran "ropa civil" y un guía para salir de la "zona de conflicto".

Si 1968 debió esperar 30 años para que la ilógica lógica militar mostrara su arbitrariedad desestabilizadora, en 1999 publicaciones honestas (que las hay) dan cuenta cotidiana de atropellos y crímenes impunes, perpetrados con los únicos argumentos de un uniforme verde olivo y un arma. En pocas palabras, un estado de sitio originalmente destinado al Sureste mexicano, extendido después a los pueblos indígenas de todo el país, e invadiendo ya las calles de las ciudades.

Diga si no, mientras el gobierno argumenta que la presencia masiva militar en Chiapas es para evitar la desestabilización, un rápido recuento de los hechos de los últimos dos años muestra al Ejército Federal como la causa principal de la desestabilización y el deterioro en el Sureste mexicano. Ahí donde aparecen los federales, suben las tensiones y se desatan los conflictos.

Desde que el señor Zedillo llegó a Los Pinos de la mano de los asesinos de Colosio, el Ejército Federal ha roto el cese al fuego cuando menos en tres ocasiones: en febrero de 1995 (saldo: 5 muertos zapatistas y un coronel; 10 de tropa del Ejército Federal muertos en combate); en junio de 1998 en El Bosque (saldo: 8 zapatistas ejecutados después de haber sido tomados prisioneros por militares), y en agosto de 1999 en San José La Esperanza (saldo: 2 zapatistas heridos de bala y 8 militares "golpeados con piedras y palos"). ¿Los secretarios de Gobernación? Moctezuma Barragán (alias *Guajardo*) en 1995, Francisco Labastida (alias *El Suavecito*) en 1998, y Diódoro Carrasco (sin alias todavía) en 1999. Con Chuayffet el enfrentamiento siguió el camino de los paramilitares y "regaló" a la historia mexicana una de sus páginas más vergonzosas y humillantes: la matanza de Acteal en diciembre de 1997.

182

Además del ataque militar de los federales, todos estos actos desestabilizadores tienen un común denominador: Ernesto Zedillo Ponce de León.

Sí don Alberto, lejos de garantizar el orden interno, el Ejército Federal ha sido una causa importante de desorden y desgobierno.

Pero volviendo a *Parte de guerra*, es imposible leer este libro sin la sombra de este agosto–septiembre del 99. Imposible hacerlo "olvidando" la Chiapas zapatista. Imposible leerlo sin tener presente no sólo la existencia del actual movimiento estudiantil en la Universidad Nacional Autónoma de México, también las obvias y grandes diferencias, pero sobre todo las no tan claras similitudes. Este es uno de esos libros, de los que hay muy pocos, que se deben leer muchas veces y descubrir en ellos nuevas palabras y silencios nuevos (cosa que no será fácil pues la encuadernación es del modelo "úsese y tírese"), según los agostos y septiembres que vayan gastando calendarios.

Pero, además de con el Movimiento Universitario de hoy y la Chiapas rebelde, este libro se cruza con el *Tirano Banderas* en muchas páginas. Vea, don Alberto, el siguiente diálogo entre dos "periodistas" al servicio del tirano:

¡Quién tuviera una pluma independiente! El patrón quiere una crítica despiadada.

Fray Mocho sacó del pecho un botellín y se agachó besando el gollete:

—¡Muy elocuente!

—Es un oprobio tener vendida la conciencia.

—¡Qué va! Vos no vendés la conciencia. Vendés la pluma, que no es lo mismo.

—¡Por cochinos treinta pesos!

—Son los frijoles. No hay que ser poeta. (...)

Ahora crúcela con éstas del texto de Monsiváis: "El gobierno desata una campaña de prensa, radio y televisión contra los 'subversivos', y las Explicaciones Patrióticas se desbordan". (*op. cit.* p. 148). "En 1968, el periodismo en México atraviesa por la experiencia mortecina de negar la modernidad desde un "respeto a las instituciones" que ya poco o nada les dice a los jóvenes y que por lo común se traduce al lenguaje del cinismo. (...) El periodista, por lo común, está al servicio de los políticos, los únicos lectores que se toman en cuenta, y mientras más declamatorio se muestra, más corrupto resulta. (...) Eso explica el grito de "¡Prensa vendida!" en las marchas, y la grotecidad de la desinformación". (p. 174) Y más adelante: "En 1968, la televisión privada se niega a difundir las posiciones del Movimiento. Se prodigan las calumnias y las llamadas al linchamiento moral, los noticieros delatan la insignificancia numérica de las marchas" (p. 183).

El movimiento universitario de 1999 ha sufrido, como pocos movimientos en los últimos años, una verdadera guerra de medios. Particularmente la televisión privada (donde Televisa y TV Azteca se arrebatan entre sí el *honor* de ser la columna vertebral de la ultraderecha en México) y la radio, se esfuerzan hasta mucho más allá de la evidente complacencia del gobierno. Con singular entusiasmo reparten calificativos como si fueran muestras gratis de un nuevo producto: "Agitadores", "subversivos", "asaltantes", "secuestradores", "delincuentes", "pseudoestudiantes", "paristas" (para contraponerlo con *los estudiantes que sí quieren estudiar*), y, marcadamente, el ex priísmo que les facilitó algún intelectual perredista: *ultras*.

Y en el Sureste mexicano, los poderosos y sus sabuesos no se quieren quedar atrás. Grandes cantidades de dinero, originalmente destinadas a las comunidades indígenas, fluyen hacia los medios de comunicación en Chiapas. Si el tono declamatorio de algunos "periodistas" fuera un referente de la cantidad de dinero que recibieron, entonces podría entenderse por qué, a pesar de todo lo que ha invertido el gobierno en el estado, poco o nada llega a las comunidades. Buena parte se queda en las mesas de redacción y en los bolsillos de "periodistas" que tienen particular fascinación por transportarse en helicópteros del Ejército para cubrir "con toda objetividad" lo que sucede.

Pasada la moda de las "deserciones" zapatistas, hay un nuevo tema: los malvados estudiantes paristas de la UNAM han llegado a sembrar la discordia entre las plácidas comunidades indígenas, tan tranquilas que estaban, *ergo,* no hay que permitir que esos jóvenes "violen" la soberanía de Chiapas (y lo paradójico es que es a los zapatistas a los que acusan de separatismo). "O se van a la cárcel", declara completamente borracho *El Croquetas* mientras los militares del cuartel de San Quintín le aplauden.

En la Chiapas de Zedillo–Albores, los ecos del 68 se actualizan y gritan los ladridos de su patrón a los estudiantes que llegaron al poblado de Amador Hernández. El "¡Fuera pinches extranjeros!" (porque en la Chiapas de Albores todo el que no sea priísta es un *pinche extranjero*) tiene su antecedente en "¡Queremos *Ches* muertos!, gritaban y, como un eco enorme, la multitud respondía: ¡Queremos *Ches* muertos! ¡Mueran todos los guerrilleros apátridas!, volvían a gritar y la multitud respondió exaltada: ¡Mueran!". (*El Heraldo de México*, 9 de septiembre de 1968. *op. cit.* 178).

Si Scherer y Monsiváis redescubren que fue un miedo histórico el principal motor de la respuesta gubernamental al movimiento de 68, agosto y septiembre revelan algo igualmente terrible: Zedillo y Albores, y prensa que los acompaña, se convencen que un nuevo fantasma recorre las aulas universitarias y las montañas del Sureste mexicano: el *anti-México*. La histeria al frente del gobierno federal y estatal.

Más dice el libro, y todavía más la realidad de este agosto de fin de siglo. Este libro de *Parte de guerra* es *casi* tan bueno como *La noche de Tlatelolco*, ese espejo roto que nos regalara hace años la hija de la princesa.

Pues sí, don Alberto, ya se va agosto y ya se llega septiembre, la UNAM y Chiapas le duelen ahora a flor de piel a este país llamado México. El movimiento estudiantil universitario y la rebelión zapatista luchan esos dolores. Tal vez no alcancen a aliviarlos, y apenas sirvan para sentirlos de veras como lo que son: dolores de todos...

Leí por ahí que los libros sí le llegaron a tiempo y, tal vez, pudo usted empacarlos en su maleta, pensando que después podría pintarle algunas letras a esas palabras dibujadas.

Vale don Alberto. Salud y ¿sabe qué?, de la muerte lo que duele es que a veces abraza a quien no debe.

Sup Marcos

P.D. Si necesita algo, avíseme para llevarle cuando yo me vaya. Sí le llevaré *Parte de guerra*.

Se interrumpe ahí la escritura. Pendiente, esperando su acomodo, una cita de *Parte de guerra* queda sola: "La furia coaligada de políticos, empresarios, obispos y medios informativos no disuade a los huelguistas, ni el miedo de los padres de familia evita el vigor del Movimiento". (p. 178).

Sobre la última frase, la vela da su parpadeo último y cierra su único ojo. Un instante apenas. Una nueva llama ilumina momentáneamente la pipa y la cara de la sombra sentada.

Imposible verle el rostro pues está de espaldas.

Y aunque de frente estuviera, este hombre es un sin rostro, uno más de los que abundan en esta esquina de la historia.

Desde las montañas del Sureste mexicano
Subcomandante Insurgente Marcos
México, agosto–septiembre de 1999

Hace 15 años...

Septiembre de 1999

Para Rodolfo F. Peña,
otro abrazo equivocado de la muerte.

*Cuando te voy a escribir
se emocionan los tinteros;
los negros tinteros fríos
se ponen rojos y trémulos,
y claro calor humano
sube desde el fondo negro.
Cuando te voy a escribir,
Te van a escribir mis huesos;
Te escribo con la imborrable
tinta de mi sentimiento*
Miguel Hernández

Ahora es uña de nácar la luna, y su rasgueo en las cuerdas de la noche produce una tempestad en toda forma. Asustada se esconde la luna, niña blanca, luz morena que se arropa con obscuros nubarrones. Ahora es la tormenta la señora de la noche y los relámpagos dibujan, en breve y apresurado trazo, árboles y sombras necias.

Allá abajo se llueve muchas veces, tantas como se duele la guerra. Se duele y se recuerda, porque es la memoria la que vuelve fértil el dolor. Sin ella nomás doliera doliendo el doliente dolor y nada se nacería ni nada, por tanto, crecería acumulando calendarios, que cada uno es una vida.

La sombra escribe o dibuja. Hay un 15 doble, segundo dos del siete, que es aniversario y fiesta y recuerdo y dolor y alegría y memoria.

Apenas salió la carta uno, paloma de muerte, cuando ya la sombra que nos ocupa empieza a afilar la punta de la segunda. Si la uno fue para quien se marchó, la dos es para quien está siguiendo la senda del ausente. El largo y húmedo caminar de agosto, hasta septiembre se llega y alcanza fechas de celebraciones y recuerdos.

Como memoria insatisfecha, la lluvia tamborilea su impaciencia sobre el techito y, más de una vez, el viento burlón cierra luces y da en el lodo con papeles y tinta. La sombra se afana entre abrir velas y levantar papeles como si de vientos se tratara para quien navega.

Una hoja queda en un rincón de la champita y, bajo el pestañeo de los rayos, algo se alcanza a leer. Un momento. Trataré de acercarme. Claro, el lodo. Y esta niebla que se deja caer así nomás. Es difícil. Bien, ya está. Esto es lo que alcanzo a ver...

Carta dos

Les propongo entonces, con la gravedad de las palabras finales de la vida, que nos abracemos en un compromiso: salgamos a los espacios abiertos, arriesguémonos por el otro, esperemos, con quien extiende sus brazos, que una nueva ola de la historia nos levante.

Quizá ya lo está haciendo, de un modo silencioso y subterráneo, como los brotes que laten bajo las tierras del invierno.

Ernesto Sábato, *Antes del Fin*

A: Todas y todos los que trabajan en *La Jornada*
De: *Sup* Marcos
Damas y caballeros:

Iba a poner "hermanos y hermanas" pero a los periodistas no se les puede dar ese trato porque luego Rodríguez Alcaine pide las *ídem* y pues tampoco se trata de emparentar con criminales, ¿o qué?

¿En qué estaba? ¡Ah, sí! En "Damas y caballeros", sigo pues:

Les escribo a nombre de los hombres, mujeres, niños y ancianos del Ejército Zapatista de Liberación Nacional, para desearle a todas y a todos un muy feliz 15 aniversario y que los cumplan muy felices por siempre jamás.

No agregaré más a lo que ya les deben haber dicho sobre la importancia de su quehacer periodístico, acaso sólo recordar y recordarles a muchos de memoria flaca y selectiva (como los que brincan sobre los techos de los autos; *by the way,* a nosotros no nos molesta la idea de que Monsiváis tenga un puesto en el próximo gabinete, sería la primera vez que alguien con sentido del humor ocupe un puesto así, aunque es de suponer que lo perdería –el sentido del humor o el puesto–, así que a qué desvelarse), que *La Jornada* ha sido siempre sensible a los movimientos sociales y a lo que abajo bulle y balbucea.

Cuando "la nota" la dan los de abajo no es sólo porque su movimiento sacude al sistema mexicano, también porque hay quien se preocupa de dar cuenta del hecho y contribuir así a esa memoria cotidiana que hoy aparece caótica, desordenada

189

y angustiante, pero que habrá de acomodarse luego en eso que llaman historia. No sólo *La Jornada,* es cierto, pero también *La Jornada* se ha convertido en una página importante del apunte que lleva para su memoria la historia contemporánea de nuestro país.

Imaginamos que no ha sido fácil llegar a los 15 años siendo lo que son, con tanto en contra, en medio de tantas envidias, recelos, ambiciones... y ausencias como la de don Rodolfo F. Peña. Por eso, además de felicitar a quienes hacen hoy *La Jornada,* quisiéramos felicitar a quienes la hicieron y, desde donde se encuentran, a su modo y a su paso acompañan el orgullo de "los jornaleros"; pero bueno, no hay que ponerse dramático y hay que recordar que se trata de una celebración. Así que, por esta única vez (puesto que 15 doble, como se verá más adelante), revelaremos algunos de los premios especiales que, año con año, conceden los *zapatones.*

Es preciso aclarar que para decidir quién obtiene los premios somos *muuuy* científicos y "posmodernos", así que (acertó usted) hicimos ¡una encuesta! Conducida por la seria empresa "Marco's Publishing Very Baratito" fueron encuestados los 298 zapatistas que quedan (bueno, quedamos 300, pero dos estaban acostados) y los 4 millones 265 mil 312 ex zapatistas que "desertaron" y–que–han–vuelto–a–la–legalidá–porque–Albores–tiene–los–pantalones–bien–fajados–y–no–bravuconea–nomás–ladra–y–esto–es–una–muestra–más–de–que–el–Estado–de–Derecho–es–una–realidá–en–Chiapas–y–qué–importa–la–redacción–para–gobernar–Chiapas–se–necesita–mano–dura–y–no–buenos–modales.

Los premios quedaron, para este 1999, como sigue:

La mejor columna de análisis político en 1999: Trino, por *Policías y Ladrones* y *El Rey Chiquito.*

La sección más leída en 1999 (y en los 15 años, me *cai*): Socorro Valadez por "El Correo Ilustrado".

La mejor caricatura en 1999: Héctor Aguilar Camín, por *himself.*

La sección más odiada en 1999 (y en los 15 años, neta): la de anuncios y cartelera.

La mayor injusticia en 1999: mandar los suplementos sólo a suscriptores.

El mejor sindicato de *La Jornada* en 1999: Sitrajor.

El mejor director de *La Jornada* en 1999: No es un "El", sino una "La", Carmen Lira.

El trabajo más ingrato de 1999 (y de los últimos cinco años): "capturar" los comunicados del *Sup* al cuarto para las doce (no le aunque, raza, acá les aplaudimos y no incorporamos la demanda de que les suban el sueldo nomás para que no digan que a cada rato ampliamos nuestro pliego).

El mejor homenaje para *La Jornada* en 1999: la requisa de diarios en Chiapas que *El Croquetas* Albores ordenó durante varios días.

Lo más lamentable de 1999: no habernos invitado al reventón de los 15 años (¿a poco ya tenían un chambelán de nuestra categoría?).

El resto de los premios no pueden ser revelados por obvias razones (o sea que no hay espacio).

Bueno, estimadas y estimados jornaleros y jornaleras, felicidades y no se atasquen de bocadillos y bebidas porque luego se va a necesitar un suplemento de "fe de erratas" igual de pesado que el "debate" de los cuatro fantoches.

Un abrazo a quienes, como ustedes, se arriesgan por el otro.

Vale. Salud y que al 15 se sigan muchos calendarios siempre mejores.

Desde las montañas del Sureste mexicano
Subcomandante Insurgente Marcos
México, septiembre de 1999

*P.D. Que, como se verá a continuación, explica el por qué
del 15 doble, y como éste es el segundo dos del siete.*

Hace 15 años...

Cada agosto, año tras año, las montañas del Sureste mexicano
se las arreglan para parir una madrugada particularmente
luminosa. Ignoro las causas científicas, pero en esa madrugada, una sola en todo el desconcertante agosto, la luna es
un columpio de nacarado vaivén, las estrellas se acomodan
para ser contorno y objeto, y la Vía Láctea luce orgullosa
sus mil heridas de luz coagulada. Este agosto de finales de
milenio, el calendario anunciaba el día sexto cuando esta madrugada apareció. Así, con el lunado balanceo, se llegó el
recuerdo de otro agosto y otro 6, cuando hace 15 años iniciaba
mi entrada a estas montañas que fueron y son, sin quererlo
ni proponérmelo, casa, escuela, camino y puerto. Empecé a
entrar en agosto y no acabé de hacerlo hasta septiembre.

Debo confesarles algo, cuando subía trabajosamente la
primera de las empinadas lomas que abundan en estos suelos,
sentí que sería la última. No iba yo pensando en la revolución,
en los altos ideales del ser humano o en un futuro luminoso
para los desposeídos y olvidados de siempre.

No, yo iba pensando que había tomado la peor decisión
de mi vida, que el dolor que me apretaba más y más el pecho
terminaría por cerrar definitivamente la cada vez más rà-
quítica entrada de aire, que lo mejor sería regresarme y dejar
que la revolución se las arreglara sin mí, a más de otros ra-

zonamientos parecidos. Si no regresé, fue simplemente porque no conocía el camino de retorno, y sólo sabía que debía seguir al compañero que me precedía y que, a juzgar por el cigarro que fumaba mientras cruzaba el lodo sin ninguna dificultad, parecía estar de paseo. No pensé que algún día podría yo subir una loma fumando y sin sentir que me moría a cada paso, tampoco que alguna vez podría sortear el lodo que abundaba abajo tanto como las estrellas arriba. No, yo ya no pensaba, estaba concentrado en cada respiración que trataba de hacer.

En fin, el caso es que en algún momento alcanzamos la punta más alta de la loma y quien venía al mando de la raquítica columna (éramos 3) dijo que descansaríamos ahí. Me dejé caer en el lodo que me pareció más cercano y me dije que tal vez no sería tan difícil encontrar el camino de regreso, que bastaba caminar hacia abajo otra eternidad y que algún día llegaría al punto donde el camión de redilas nos había dejado. Estaba yo haciendo mis cálculos, incluyendo los pretextos que daría y me daría a mí mismo por haber abandonado el inicio de mi carrera como guerrillero, cuando el compañero se me acercó y me ofreció un cigarrillo. Negué con la cabeza, no porque no quisiera hablar, sino porque traté de decir "no gracias" pero sólo me salió un gemido.

Después de un rato aprovechando que la persona que iba al mando se había retirado un poco para satisfacer necesidades biológicas que llaman primarias, me incorporé como pude sobre la vieja escopeta calibre .20 que portaba, más como bastón que como arma de combate. Así pude ver desde lo alto de esa montaña, algo que me impactó profundamente.

No, no mire hacia abajo, no hacia el retorcido garabato del río, ni a las débiles luces de los fogones que mal alumbraban un caserío lejano, tampoco a las montañas vecinas que dibujaban la cañada salpicada de pequeños pueblos, milpas y potreros. Miré hacia arriba. Vi así un cielo que era regalo y alivio, no, más bien una promesa, Estaba la luna como sonriente y nocturno columpio, las estrellas salpicaban azules luces y la anciana serpiente de luminosas heridas que ustedes llaman "Vía Láctea" parecía reposar su cabeza allá, muy lejos.

Quedé viendo un rato, sabiendo que había que subir esa loma endemoniada para ver esa madrugada, que eran necesarios el lodo, los resbalones, las piedras que afuera y adentro de la piel dolían, los pulmones cansados e incapaces de jalar el aire necesario, las piernas acalambradas, el angustiado aferrarse a la escopeta–bastón para poder así liberar las botas de la prisión del lodo, el sentimiento de soledad y desolación, el peso que llevaba a la espalda (que, después lo supe, era sólo simbólico, pues en realidad se cargaba siempre el triple o más; en fin, el tal "símbolo" a mí me pesaba toneladas), que todo eso –y mucho más que vendría después– es lo que había hecho posible que esa luna, esas estrellas y esa Vía Láctea estuvieran ahí y no en otro lado.

Cuando escuché a mis espaldas la orden de reanudar la marcha, allá en el cielo una estrella, seguramente harta de encontrarse sujetada al techo negro, logró desprenderse y, cayendo, dejó en la nocturna pizarra un breve y fugaz trazo. "Eso somos —me dije—, estrellas caídas que apenas arañan el cielo de la historia con un garabato". Según yo, esto sólo lo pensé, pero parece que lo pensé en voz alta porque el compañero preguntó: "¿Qué dijo?". "No sé —contestó quien tenía el mando—, debe ser que ya le empezó a dar fiebre. Tenemos que apurarnos".

Esto que les cuento fue hace 15 años. Hace 30, algunos arañaron la historia y, sabiéndolo, empezaron a llamar a otros muchos para que, a fuerza de rayones, rayitas y rayas, acabara por romperse el velo de la historia y se viera al fin la luz, que ésa, y no otra cosa, es la lucha que nosotros hacemos. Así que si nos preguntan qué queremos, sin empacho responderemos: "Abrirle una rendija a la historia".

Tal vez ustedes se pregunten qué paso con mis intenciones de regresarme y de abandonar la vida guerrillera, y supongan que la vista de esa primera madrugada en la montaña me había hecho abandonar mis ideas de huir, levantó mi moral, y solidificó mi conciencia revolucionaria. Se equivocan. Puse en marcha mi plan y bajé la loma. Lo que ocurrió es que me equivoqué de lado, en lugar de bajar por la cuesta que me llevaría de vuelta a la carretera, y de ahí a la "civilización", bajé por el lado que me adentraba más en la selva y que me llevaría a otra loma, y a otra, y a otra...

Eso fue hace 15 años, desde entonces sigo subiendo lomas y sigo equivocando el lado por el que bajo, agosto sigue pariendo cada 6 una madrugada especial, y todos nosotros seguimos siendo caídas estrellas arañando apenas la historia.

Vale de nuez, salud y... ¡un momento!, esperen. ¿Qué es aquello que relumbra a lo lejos? Parece una rendija...

El Sup *arriba de la loma echando un volado*
para ver por cuál ladera baja...

Dos acosos, dos rebeldías
(y, claro, algunas preguntas)
Carta tres

Cartas, relaciones, cartas:
tarjetas postales, sueños,
fragmentos de la ternura
proyectados en el cielo,
lanzados de sangre a sangre
y de deseo a deseo.
Miguel Hernández

Esta vez de la luna sólo un difuso resplandor. Y sólo por un rato, porque ya llega la lluvia y todos a callar. No habla, más bien grita esta lluvia de las montañas del Sureste mexicano. Y a pesar de los gritos, pocos son los que escuchan y entienden.

Cuando llueve, allá abajo todo parece tan callado. Tal vez no. Tal vez es sólo que la tormenta de esta noche borra cualquier otro ruido que no sea el de su taconeo sobre techitos, lodos, animales y sombras. En fin, siendo noche y siendo lluvia, no deja de ser extraño que esté aún encendida aquella luz. Sí, esa, la de aquel rincón. Esa champita parece solitaria tabla en medio de una tormenta en altamar. Pero no, quien dentro hace de capitán y tripulación, todo uno, reposa boca arriba, los ojos bien abiertos, la mente a saber dónde.

Algo hay sobre la mesita, al lado de la velada vela. Parece una hoja con algo escrito. A ver. Sí. Anote usted. Bueno, pues parece una carta. Mmh. Encabezando la hoja, al centro, se lee: "Ejército Zapatista de Liberación Nacional, México". Después, más abajo y a la izquierda, la palabra "agosto" tachada, luego "septiembre" igualmente tachado y después "agosto–septiembre". ¿Está usted apuntando todo? Bien. Mmh. Le siguen varios números tachados sucesivamente:

"6", "8", "15", "27", a continuación el número "1999" y, punto y aparte. "A los Estudiantes de la UNAM". Dos puntos. Después sigue lo que sigue, es decir...

Si esta carta que les mando parece a veces un "collage" de tarjetas postales y cartas, pues es porque así fue saliendo. Les empecé a escribir en agosto y ya es septiembre, así que bien puede cargar el calendario con la culpa de la probable incoherencia.

Les escribo a nombre de todos los hombres, mujeres, niños y ancianos del EZLN. No es mucho lo que pueda agregar a lo que ya antes hemos dicho sobre lo que para nosotros, los zapatistas, representa y significa su lucha. Siguen en nosotros, acaso más grandes todavía después del desafío que asumieron al venir a las montañas del Sureste mexicano a acompañar a los indígenas que resisten contra la ocupación militar, la admiración, el respeto y el cariño hacia todos ustedes, los estudiantes y "estudiantas" que sostienen y llevan adelante el movimiento en contra de la privatización de la UNAM.

Como seguramente sabrán ustedes, después de que un grupo de estudiantes, maestros, trabajadores e investigadores de la Escuela y el Instituto nacionales de Antropología e Historia (ENAH e INAH), junto con otras personas de la socie-dad civil, se trasladaron a Amador Hernández para ser testigos de la militarización de la zona, se desató en tierras chiapanecas una feroz campaña de linchamiento y persecución en contra de todo lo que pudiera parecer "joven estudiante". Para el Ejército Federal, migración, la policía de Seguridad Pública, judiciales, paramilitares, priístas y funcionarios de diverso tamaño, toda persona joven y mestiza era "un parista del D.F.".

No importaba que no fueran de la UNAM, que no fueran estudiantes, o que no fueran del D.F., para el gobierno y anexos todos eran culpables de ser jóvenes y de parecer estudiantes. Al grito de "fuera los ultras de Chiapas", decenas de jóvenes fueron y son hostigados, perseguidos, vejados, humillados y amenazados de muerte.

Moción. Si este clima de linchamiento encontró uno de sus soportes ideológicos en la argumentación de un sector de la izquierda, es algo que no debe sorprendernos. La derecha carece de pensamientos y argumentos, el uso de la fuerza es lo único "racional" que concibe. Pero cuando tiene necesidad de un "pensamiento", ahí está la izquierda para darle razones y argumentos. El calificativo de *ultras*, soltado tan a la ligera (y ocultando la pereza mental de intentar siquiera entender y explicar un movimiento social), fue rápidamente apropiado por los medios electrónicos e impresos de derecha, por la pandilla de Barnés y por ese preclaro defensor de los derechos animales que es *El Croquetas* Albores.

No obstante que era evidente que Chiapas era el lugar más inapropiado para exhibir la credencial de estudiante de la UNAM, decenas de hombres y mujeres –jóvenes, estudiantes y universitarios– viajaron hasta el Sureste mexicano y unieron sus voces a las de los indígenas rebeldes en la comunidad de Amador Hernández.

Moción a la Moción. En su camino rumbo a Amador Hernández, a su paso por La Realidad, pude escuchar a varios hombres y mujeres representantes al CGH y de la base estudiantil de la UNAM. Les pregunté cómo veían su movimiento, su situación actual y sus perspectivas. Menudearon los discursos flamígeros llamando a tomar –conciencia–y–seguir–adelante–compañeros–la–lucha–es–por–México–y–no–debemos–retroceder–ni–un–paso–atrás. Yo sé que da un poco de risa que eso nos lo digan a los zapatistas, pero no nos reímos, escuchamos y esperamos. Ya luego parece que se dieron cuenta que no estaban en el CGH y que se podía hablar, argumentar y, sobre todo, escuchar al otro.

Hablaron todos y cada uno, y todos escucharon. Fuera de un estudiante de Letras, la característica común era la falta de sentido del humor, cosa lamentable en quien lucha por un cambio y algo terrible en quien es joven: pero todos fueron y son sinceros, creen en lo que hacen (algo cada vez más raro de encontrar en el mundo de la "política").

Había quienes veían al movimiento desgastado y quienes lo veían bogante y en ascenso. Había quienes defendían la posición de mantenerse firmes en las demandas del movimiento y había quienes estaban por la flexibilización. Hubo muchas razones en uno y otro lado, todas buenas, de peso, reflexionadas y argumentadas. Sus palabras, actitudes y convicciones me parecieron muy lejanas a las que parecieran predominar en las maratónicas sesiones del Consejo General de Huelga. No sólo eso, uno y otro bando se quejaron de que en el CGH no se podía argumentar o discutir, que lo que predominaban eran los gritos y los insultos. Y uno y otro lado defendían al CGH como representativo y legítimo. "Y sin embargo se mueve" fue la frase que sintetizó la agridulce valoración que hicieron del CGH.

Hablé también. No, no les dije consignas. Les dije la verdad, que iban a ganar, que los respetábamos, que los queríamos, que los admirábamos, que seguíamos con atención lo que hacían y lo que dejaban de hacer. Que veíamos muchas cosas nuevas en ellos, y también muchas cosas viejas muy encerrados en sí mismos (todo gira alrededor del movimiento universitario, y si no gira pues debe hacerlo), falta de sentido del humor, seriedad acartonada, y, sobre todo, poco oído para el otro.

De notar el hecho de que, en la pintura del México nuevo que trazaban en sus alegatos, la palabra "indígena" no aparecía por ningún lado. "Falta que tengamos un lugar también con ellos", le dije a *Tacho*. "Falta", me respondió mientras ensillábamos los caballos.

"Y sin embargo se mueve" dije y me dije cuando regresó el primer grupo de Amador Hernández, con otro brillo en la mirada y hablando hasta por los codos de las comunidades indígenas zapatistas. "Hay de universidades a Universidades", le digo a *Tacho* mientras ensillamos los caballos. "Hay", responde sonriendo *Tacho* ya con el pie en el estribo.

Pero no fue sólo con Albores y sus ladridos con los que la UNAM y Chiapas mostraron sus coincidencias. Estas vienen de antes:

Mientras en Chiapas los protagonistas son indígenas mexicanos, despreciados y olvidados, en la UNAM el movimiento lo realizan jóvenes mexicanos igualmente despreciados y olvidados. En su inicio, abundaron las dudas de que el levantamiento zapatista fuera realizado con la fuerza de indígenas, y que esta sola fuerza haya sido capaz, como lo fue, de conmover el sistema político mexicano exhibiéndolo en toda su mediocridad; en la UNAM de 1999 se duda de que los jóvenes "de la generación X", los sin causa, organicen y lleven adelante una huelga que, en su fundamento, cuestiona la política privatizadora del Estado mexicano.

Desde el inicio del alzamiento, las dos más grandes televisoras privadas claman por el aniquilamiento de los indígenas y, en complicidad con el gobierno y parte de la prensa escrita y radiofónica, organizan una campaña de desprestigio; en la UNAM y desde el inicio de la huelga, TV Azteca y Televisa se dedican con particular énfasis a calumniar a los estudiantes, las acompañan buena parte de la prensa nacional y la radio, el gobierno y Rectoría hacen la segunda voz. "Son sólo unos cuantos indios manipulados", gritan en la televisión, "son unos cuantos jóvenes holgazanes y manipulados", se desgañitan en TV Azteca y Televisa. El gobierno insiste en que detrás del levantamiento indígena hay "intereses oscuros", "universitarios blancos", la "Iglesia Roja", "el PRD"; gobierno y Rectoría repiten una y otra vez que detrás del movimiento de huelga de la UNAM hay "intereses extrauniversitarios", "zapatistas", "el PRD".

La demanda principal de los indígenas zapatistas es "AQUÍ ESTAMOS, queremos un país que nos incluya, un país libre, democrático y justo, no luchamos por despensas ni molinos de nixtamal, nos levantamos en armas por un México mejor"; "AQUÍ ESTAMOS, queremos un país que nos incluya, educación pública gratuita, no luchamos porque a nosotros no nos cobren el semestre, hicimos una huelga por la educación gratuita para todos los mexicanos", dicen los estudiantes de la UNAM. El gobierno ofrece láminas para techo y despensas a los alzados, "¿qué más quieren? Depongan las amas y ríndanse" claman en los medios de comunicación; Rectoría ofrece disfrazar las cuotas, "¿qué más quieren? Entreguen las instalaciones y ríndanse", graznan en los medios.

El gobierno pone de negociadores a personajes torpes, inexpertos, fascistas y represores, con instrucciones de reventar el diálogo; Rectoría pone una "comisión de enlace" autoritaria, intolerante, fascista, con instrucciones de reventar el diálogo. Los "abogados" de la ultraderecha, *Carrancá y Rivas e Ignacio Orihuela demandan que se desconozcan los Acuerdos de San Andrés, exigen el empleo de la fuerza pública y la masacre de los indígenas alzados: Orihuela y Carrancá y Rivas exigen el uso de la fuerza pública en contra*

201

de los estudiantes en huelga. Zedillo, en los momentos más difíciles y complejos del diálogo, empeora todo con sus declaraciones amenazantes y su reiterado ultimátum al EZLN; *Zedillo entorpece el diálogo entre autoridades universitarias y huelguistas con sus declaraciones, y "torpedea" la propuesta de "los ocho eméritos" con la amenaza de usar "la fuerza legítima del Estado" si dicha propuesta no es aceptada.*

Los intelectuales de derecha no escatiman tinta para pedir la intervención del Ejército Federal y la aniquilación de los zapatistas; los intelectuales de derecha exigen mano dura contra los huelguistas. La Coparmex exige la represión de los indígenas zapatistas; La Coparmex pide el cierre de la UNAM *y la represión contra los que participan en el movimiento universitario. Una vez en el diálogo, el* EZLN *hace todo lo posible por mantenerlo y el gobierno hace lo suyo por romperlo; en la* UNAM *los estudiantes flexibilizan su propuesta y dan muestras claras de querer dialogar, y el gobierno y Rectoría hacen hasta lo imposible porque el diálogo fracase. El gobierno acusa al* EZLN *de intransigente y no querer el diálogo; gobierno–Rectoría acusan a los estudiantes de intransigentes y no querer el diálogo. El gobierno y sus plumas difunden la versión de que al interior del* EZLN *hay una línea "dura" que no quiere el diálogo y que se enfrenta a una línea "conciliadora"; el gobierno y sus anexos difunden la versión de que el movimiento universitario está dividido entre* ultras y moderados *y la "mayoría de los huelguistas están siendo manipulados por los* ultras", *los* ultras, *por su parte acusan a los medios de comunicación de aliarse a los* moderados *para "vender" la huelga.*

Moción a la moción de la moción. Son varias las preguntas que flotan en torno al movimiento:

1. ¿Por qué los maestros eméritos que se presentaron al CGH para explicar y argumentar la propuesta de *los ocho*, no les dijeron a los estudiantes que ni Rectoría ni el gobierno van a cumplir ningún compromiso? ¿No es cierto que cuando menos dos de los ocho eméritos de la propuesta de marras fueron asesores del EZLN en los Diálogos de San Andrés y uno de ellos estuvo en casi todo el proceso de diálogo y negociación? ¿Olvidaron decirles lo que ocurrió después de que el gobierno firmó los primeros acuerdos? ¿No es cierto que no cumplió, ni cumple ni cumplirá? ¿Es *ultra* pensar que Rectoría y el gobierno no van a cumplir su palabra, no importa que firmen o prometan lo que sea? Dicen los maestros eméritos que ellos se comprometen a poner en juego su autoridad moral para respaldar el cumplimiento de los acuerdos a los que se lleguen, pero ¿no olvidan decirles que los Acuerdos de San Andrés han movilizado a personas y organizaciones en todo el mundo, no sólo en México, que han puesto en juego su autoridad moral (igual o mayor que la de los eméritos) y el gobierno no ha cumplido? ¿No es cierto que intelectuales con todos los grados académicos imaginables, premios Nobel, cantautores, pintores, escultores, escritores, danzantes, actores, científicos, investigadores, líderes políticos y sociales, organizaciones no gubernamentales, gente de la calle o del campo, personas con nombre y rostro reconocido, y personas sin nombre y sin rostro se han movilizado en México y el mundo para exigirle al gobierno que cumpla su palabra? ¿Lo ha hecho?

2. Cuando menos dos de los ocho eméritos han dado clases de ética y escrito algunos libros sobre el tema. Días antes de que el CGH discutiera la propuesta de los ocho eméritos, el señor Ernesto Zedillo Ponce de León amenazó con el uso de la fuerza pública "si la generosa y lúcida propuesta de un grupo de maestros" no era aceptada, ¿es ético sostener una

propuesta que necesita el argumento de la amenaza de la represión para mostrar su "generosidad" y "lucidez"?

3. En días pasados, el CGH "vetó" a varios universitarios de los llamados *moderados* impidiéndoles que hablaran a nombre del CGH o participaran en sus comisiones. El argumento fue que daban entrevistas, hacían declaraciones o publicaban sus posiciones en medios de comunicación. Miembros del "Heróico" (¡JA!) Comité de Huelga de Ciencias Políticas y Sociales, han dado frecuentes entrevistas a periódicos nacionales y hasta visitas guiadas a reporteros (con descanso en el puesto de tacos), ocupando varias páginas (con fotos a color) en un semanario nacional, ¿por qué el CGH no hace lo mismo con ellos? Si el criterio de "veto" es el número de líneas ágata, ¿contó el CGH el espacio ocupado por los así llamados *moderados* y lo comparó con el usado por los supuestos *ultras*? ¿El método para ganar una argumentación es imponer el silencio a la parte contraria? El CGH, ¿se hace más fuerte "depurando" y convirtiéndose en un ente homogéneo? ¿Esa es la *universidad* que quiere el CGH? ¿No significan el Reglamento General de Pagos, el Ceneval, y todo eso contra lo que se levanta el pliego de los 6 puntos, un intento de "depurar" la universidad y convertirla en un ente homogéneo con puros estudiantes "que sí puedan pagar"?

4. El 4 de agosto de 1999, la policía del gobierno del Distrito Federal reprimió a estudiantes huelguistas de la UNAM. La foto de los jóvenes estudiantes obligados a estar de rodillas, con las manos en alto y contra una reja, rodeados de policías, las narraciones de las jóvenes vejadas por los "representantes de la ley", además de las declaraciones del señor Cárdenas después de la represión (declaró que es "un aviso para que se tome conciencia sobre la necesidad de reanudar el diálogo": golpear para dialogar, *remember* Chiapas), resolvieron muchas dudas que había que en las montañas

del Sureste mexicano, pero ¿por qué el silencio de los intelectuales de izquierda? ¿Tolerancia e inclusión para todos menos para los *ultras* (además los reprimidos no eran *ultras*, sino estudiantes sin "corriente")? La izquierda hoy en el gobierno del D.F., ¿no era *ultra* apenas ayer?

5. Lo escrito por un intelectual del PRD en una columna periodística de que hay que levantar la huelga porque el conflicto en Chiapas requiere de toda la atención, ¿no es una excelente muestra de que ser intelectual no significa ser inteligente?

6. Contra el movimiento de huelga de la UNAM, en la izquierda perredista se argumenta que ya lleva mucho tiempo, que afecta la imagen de Cárdenas, que distrae atención de Chiapas, y que es de nacos (no lo dicen así, para eso está el más cómodo de *ultras*), ¿no hay ningún argumento coherente y razonable para pedir el levantamiento de la huelga? (digo, además de que ya lo negociaron).

7. Además de ser la arena de competencia entre *ultras* y *moderados* a ver quién dice la porra más "ingeniosa", a ver quién manipula mejor, a ver cómo y en dónde se cobran las "derrotas" o se restriegan las "victorias", ¿el CGH sigue siendo la cabeza visible, representativa y legítima del movimiento universitario?

Como prueba de que, al menos en los zapatistas, hay conciencia de la importancia del movimiento universitario, aprovecho este viaje para hacerles llegar algunas cartas que les mandan compañeros del EZLN y que se explican por sí solas. Se las mando tal cual, respetando la redacción y ortografía originales. Sale pues, van sin anestesia previa:

I. De Omar, indígena tzeltal, base de apoyo del EZLN:

Compañeros(as) y amigos(as) estudiantes. Los saludo con un afecto especial de amigos luchadores por una vida más justa. Deceando al todo poderoso que asi sea esten bien de salud. Despúes de mi humilde pero sincero saludo paso a lo siguiente.

Un saludo especial al Consejo general de Huelga y a toda su base de estudiantes. Mucha fe y mucha fuerza y asta victoria.

No he tenido la oportunidad de conocerlos y estrechar nuestras manos de luchadores por una vida más útil y justa.

Amigos sus luchas es nuestra lucha y no están solos aparte del señor, estamos con ustedes.

Los invito a que continúen asta la victoria y asi ser lo que decean.

Que hermoso es morir aciendo el bien pero gacho es morir por hacer el mal.

Nadie nos ara darlo si nuestro afan es bueno, justo y valiente.

Desde las montañas del Sureste chiapaneco Aguascalientes IV.

Omar.

II. De unas bases de apoyo del EZLN

Fecha: Julio.
Asunto: Apollando

Las bases de Apollo del EZLN Ejército Zapatista Liberación Nacional, internacional, estamos apollando hermanos

estudiando de la UNAM *universidad autónomo de México,*
ustedes no están solos, estamos con ustedes.

Ustedes con nosotros, nosotros con ustedes. No tengan
temor. Hermanos estudiantes, ya basta en las injusticias del
mal gobierno, de nuestro país queremos la demogracia para
todos en la nación, donde aya libertad y dignidad para todos
los estudiantes la UNAM *debería ser gratuita, ay que luchar*
hermanos estudiantes recuerden que los bases de apollo del
EZLN *del sin temor porque queremos la dignidad y la igualdad*
de nuestra nación e internacional. Hermanos es-tudiantes
estaremos con ustedes cualquier instante.

Un saludo todo, hermanos estudiantes.
Los bases de apollo del EZLN.
Ejército Zapatista de Liberación Nacional.

III. De Veto (no sé si así escribe su nombre el compa o es que está siendo irónico respecto a las últimas decisiones del CGH), base de apoyo del EZLN

Esta carta llegó con todo y sobre (pero sin estampillas), en
él se lee:

"Pensar es difícil, actuar es más difícil todavía,
pero actuar como se piensa es lo más difícil del mundo"

Para la UNAM *y Consejo General de Huelga*
Estimados hermanos y hermanas
Jóvenes estudiantes todos
Al Consejo General de Huelga
PRESENTE

Reciban todos c/uno de ustedes un cordial y cariñoso saludos, esperando que como siempre, resuene sus voces en un solo ideal...

"La educación no es de quien la imparte o la reciba, sino de quien la defiende".

Pues si estimados hermanos; quiero en primera línea decirles que su lucha es nuestra lucha: ¡No a la privatización de la educación!... ¡No a las p... de Barnés y de sus títeres tras él.

Tomemos con valentía a nuestras justas demandas y en un solo corazón unamos nuestro esfuerzo, levantemos la verdad: EDUCACION PUBLICA Y GRATUITA, esa verdad es nuestra bandera.

Todo nuestro apoyo está con las demandas que ustedes exijen, Por estas y tantas razones, nos pronunciamos a favor de una mejor educación.

Sabemos que están muy claros y concientes en la lucha, no es por demás decirles que aunque las cosas suelan ir mal, no hay que desistir. Ni un paso atrás, muchos pasos hacia delante.

Con la conciencia clara, honesta y franca, están derrocando a esa pudedumbre de burócratas, porque lo único que saben decir y hacer, es mentir, sí, hacer de la verdad mentira.

Que vergüenza para quienes se consideran formadores políticos de la UNAM, grandes eminencias según ellos, hombres educados, pero resulta que los hombres verdaderos y la patria, lo ha calificado como los más corruptos, los más déspotas, hombres, políticos o como quiera que le designe, solo son vacíos como los globos al vacío, con su único interés como la bestia del mal. Me entristece y es lo más vergonzoso en la humanidad, ver a una máquina despreciada (a lo mejor odiada) como lo es los medios de información, ¡Claro! Algunos; Te Ve Azteca por ejem.

¡HERMANOS TODOS!
Nos enorgullece ver a esa juventud llenos de victoria,
¡Ver a un muchacho con el puño en alto...!
¡Ver a una señorita con la victoria hasta la vista...!
Sí mis hermanos: ¡Hasta la victoria siempre!!

Desde las montañas del Sureste chiapaneco, Aguascalientes IV.
Su amigo y hermano en pie de lucha
Compañero Veto
Base de apoyo del EZLN

Creo que estas cartas sintetizan muy bien lo que ustedes representan para nosotros, y son una muestra de hasta qué punto la UNAM y Chiapas no son espejo una de la otra, sino síntomas de algo que está emergiendo.

"Estudiantas" y estudiantes de la UNAM:

Sé bien que ahora no la tienen fácil (pero, por otra parte, ¿cuándo la han tenido fácil?), y que los días que siguen (como los que nos han precedido) requerirán mucha imaginación y audacia. Sabemos que ustedes saben que la firmeza no está reñida con la inteligencia, y que la razón y el convencimiento no tienen qué ver con el volumen a la hora de exponer los argumentos.

Moción a la cuarta potencia. Ya por terminar esta carta, conocimos la del Comité de Huelga de la Facultad de Ciencias Políticas y Sociales de la UNAM (publicada en *La Jornada*, 19 de septiembre de 1999, dirigida "al pueblo de México". Le aclaramos "al pueblo de México" que los zapatistas NO somos hermanos del "heróico" (¡JA!) Comité de Huelga de Ciencias Políticas y Sociales (nos falta mucho para poner

209

"heróico" antes del "EZLN" sin ruborizarnos un poco siquiera). Sobre lo de que *La Jornada* está "al servicio del PRD", pues ya lo dicen el gobierno y su prensa. Una duda: eso de que "no nos queda otra cosa que la prensa *underground*", ¿quiere decir que en la prensa underground se puede escribir con mala redacción y faltas de ortografía?

Otra duda: como amablemente nos comunica el "heróico" (¡JA!) comité de Huelga de Políticas, *La Jornada* y *Proceso* están aliados a la burguesía reformista, ¿entonces *Milenio*, que les ha dado amplia cobertura, varias páginas y fotos a color, está aliado al proletariado revolucionario? Que conste que no tengo nada contra *Milenio* (ellos si nos invitaron a su aniversario –y *La Jornada* no–, lo que pasa es que llegó tarde la invitación), pero ignoraba su carácter insurreccional (*cosas veredes Sancho*).

Yo sé que ya lo saben, si se los digo es sólo para que no lo olviden; nosotros, los zapatistas, entendemos su lucha, la apoyamos y, aún cuando todos los abandonen, nosotros estaremos a su lado. No sólo porque es nuestro deber, pero también porque lo es.

Vale. Salud y no se olviden que algunos de sus compañeros y compañeras están en Amador Hernández y tienen enfrente a 500 soldados armados hasta los dientes, (pero nos tienen a nosotros de su lado, así que van de gane).

Desde las montañas del Sureste mexicano
Subcomandante Insurgente Marcos
México, agosto–septiembre de 1999

P.D. Que no hace nada por la rima. Llegaron el Olivio y el Marcelo (7 años aproximadamente) y me dijeron: "Oí *Sup*,

210

ya lo hicimos una consigna de la lucha ¿vos la vas a oír?" No me dejaron responder, se miraron y empezaron, bastante disparejos a decir: "¡Uva, limón y pistache. Uva, limón y pistache. Vivan la UNAM y el EZLN!".

Yo puse la misma cara que deben estar poniendo ustedes. El Marcelo lo volteó a ver al Olivio y dijo "¿Acaso lo gusta el pistache? ¡Es nuez!" "¡Sale!" dice el Olivio y vuelta los dos ahora con: "¿Uva, limón y nuez. Vivan la UNAM y el EZLN!". Yo aplaudí, ¿qué otra cosa podía hacer?

La "H" tiene la palabra
(y, como es muda, la cede a la Huelga)

Para Cosme Damián Sastre Sánchez, zapatista,
25 años de edad, asesinado por la policía
de Tijuana, B.C., el 2 de octubre de 1999

En un rincón enmudecen
cartas viejas, sobres viejos,
con el color de la edad
sobre la escritura puesto.
Allí perecen las cartas
llenas de estremecimientos.
Allí agoniza la tinta
y desfallecen los pliegos,
y el papel se agujerea
como un breve cementerio
de las pasiones de antes,
de los amores de luego.
Miguel Hernández

Avanza la madrugada con la misma inquieta prisa de la lluvia cayendo sobre las montañas del Sureste mexicano. Sí, ahora llueve sobre el llover que de por sí se llueve en el otoño indígena. Lluvia sobre lluvia, hasta la vista se ciega y no hay ni noche arriba, ni nubes, ni árboles, ni sombras. Todo lluvia. Y el agua caída se busca modo para hacerse a un lado y darle espacio a la que viene bajando, y así son decenas de arroyitos y riachuelos hendiendo potreros y caminos reales. Lastima la lluvia a la montaña, le hace muchas y rápidas cuchilladas y, sembrando un cementerio de humedades, le zurce heridas por toda la cara.

Allá abajo una luz parpadea en un costado de la loma. Se adivina que debe estar pasándosela mal la sombra perseguida, porque a ratos se apaga y a ratos se ilumina la champita. Será la vela que titubea. Si tanto no lloviera, bien podría competir con las luciérnagas. ¡Ssshh! Ahora amaina la tormenta. Veamos de acercarnos, arremangando pantalones y naguas. Apúrese porque si no nos empapamos. Ya está.

Pegada a una vela la sombra hace por leer el periódico. El cuartito luce los estragos de la lluvia; un arroyo en toda forma atraviesa la champa de lado a lado y un *nylon* viejo trata de proteger lo que en la mesa como quiera se humedece. El viento, que mojado no se duerme, sopla también acá dentro y levanta el negro plástico que cubre la mesa. Cuatro carpetas se ven extendidas y en ellas se lee: "Carta 4", "Carta 5", "Carta 6", "Carta 7". Hay un libro con pasta azul celeste. Sobre la imagen del cráneo y las tibias cruzadas se lee: *Historia General de los Robos y Asesinatos de los más Famosos Piratas*. Daniel Defoe. Otro libro: *Historia Militar de México*, 1325-1810. Teniente Coronel Daniel Rodríguez Santos. Algunos lapiceros, una bolsa de tabaco y un altero así de grande de periódicos. Todo está perlado de gotitas de lluvia. ¡Cuidado!, que ya la sombra deja de leer. Se adivina que duda. Un profundo suspiro. Despacio enciende la rota pipa, hace a un lado las cuatro húmedas carpetas, se acerca una hoja de papel y, a la pobre luz de la vela, reiterando el dos, escribe...

Carta 3 bis

> *"(...) el hombre sólo cabe en la utopía. Sólo quienes sean capaces de encarnar la utopía serán aptos para el combate decisivo, el de recuperar cuanto de humanidad hayamos perdido."*
>
> Ernesto Sábato

Para: Carlos Monsiváis

Sigue pendiente el dilema del "tú" o el "usted" (aventar un volado con este lodo significa no sólo no resolver la cuestión, además se pierde la moneda), así que seguirá el oscilante ir de uno al otro. Quiero aprovechar esta carta para usted, para también responder a las cartas y artículos de los doctores Alfredo López Austin, Luis Villoro, Adolfo Sánchez Vázquez y Octavio Rodríguez Araujo. Sólo evito responderle a Adolfo Gilly, pues desde el 4 de agosto no hablamos con funcionarios del gobierno de la ciudad de México (lo que es una lástima porque sus artículos sobre la UNAM son realmente buenos, ricos y pertinentes). Espero que me disculpen tú y los doctores por el retraso en la respuesta. Hube de esperar a ver si alguien más decía algo (o se "adhería" a lo dicho por otros) y, además, no son pocos los caminos que están cortados por las lluvias que acá nos duelen.

Bien. Le escribo a usted no sólo porque, en cronología, fue el primero en responder a la *Carta 3*. También porque en tu texto planteas algunas cosas sobre las que, creo, vale la pena profundizar. Entonces quisiera que en esta carta me permitiera usted responder primero a los doctores en lo general, y luego abundar en algunos filos de su escrito. ¿Sale? Bueno, interpreto tu silencio como una aceptación, así que vale:

Bueno, primero es necesario ratificar que la posición sobre el movimiento estudiantil en la UNAM no es del Subcomandante Marcos, es la del Ejército Zapatista de Liberación Nacional. Si los textos aparecen con mi firma no es porque reflejen un punto de vista personal (que lo tengo), sino para "certificar" que es la posición de los zapatistas respecto de algo. En el caso de la UNAM podría aparecer que es sólo mi punto de vista, dado mi cargo de presidente vitalicio de SEXZU (Sociedad de Ex Alumnos Zapatistas de la UNAM, lo de "vitalicio" es porque las reelecciones siempre son un enfado, si no que le pregunten a Hernández Juárez que ya va para la séptima con los telefonistas), pero es la posición de todos nosotros, los compañeros y compañeras zapatistas. Para que no hubiera duda de ello la *Carta 3* incorpora tres cartas de compañeros bases de apoyo que se explican por sí mismas (y que, por cierto, ninguno de ustedes menciona).

Esta es, en resumen, la posición del EZLN frente al movimiento de los estudiantes de la UNAM. Su causa es justa, tienen razón, los apoyamos, los admiramos, los queremos, van a ganar. Además, son el síntoma de "algo" de lo que nosotros también somos síntoma: la crisis política o del *que-hacer* político (pero ya hablaré de esto más adelante).

Algo más, el EZLN no hizo comentario alguno sobre la propuesta de los eméritos hasta ahora, después de que ya ha sido rechazada hasta cuatro veces por las asambleas y el CGH. Pero ya definimos nuestra posición, cosa necesaria por lo que se verá más adelante.

Después de tu escrito del 28 de septiembre de 1999 en *La Jornada* (sobre el que volveré más adelante), siguieron la carta de los doctores Villoro y López Austin (29 sep.), la adhesión del *Güilly*, y sendos artículos de los doctores Rodríguez Araujo (30 sep.) y Sánchez Vázquez (1 oct.). Hubo también una columna de Granados Chapa en el periódico *Reforma* (30 sep.) que, por lo que dice, respondo en la *Carta 3 bis bis* (anexa).

Yo pregunté por qué, teniendo a la mano la experiencia de San Andrés, no le habían dicho a los estudiantes que el gobierno y rectoría no iban a cumplir. También pregunté si era ético sostener la propuesta de "los 8" después del discurso de Zedillo. A estas dos preguntas responden los 4 doctores (vos también, pero ya dije que lo dejo para más adelante).

Bien, primero algunas precisiones. Dicen Villoro y López Austin: *"En tu carta haces alusión a un emérito que ha dado clases de ética y escrito algunos libros sobre el tema. Llamémosle por su nombre y dimensiones: Adolfo Sánchez Vázquez, distinguido profesor de filosofía, internacionalmente reconocido, y con una larga vida de absoluta rectitud e inquebrantable espíritu de lucha por las causas justas".* No es así, yo puse "cuando menos 2" y no uno. El otro que ha escrito libros de ética es el doctor Luis Villoro –de quien se puede decir lo mismo que se dice sobre Sánchez Vázquez–, tengo aquí a la mano el libro del Fondo de Cultura Económica titulado *El poder y el valor. Fundamentos de una ética política,* de Luis Villoro. *Ergo*, son cuando menos dos los eméritos que han escrito libros sobre el tema.

El mismo día que el *Güilly* se adhiere a la carta de Villoro y López Austin, aparece un texto del doctor Octavio Rodríguez Araujo llamado: "La extraña lógica de Marcos sobre la UNAM". El doctor Rodríguez se pregunta: *"¿Qué el EZLN no sabía, cuando aceptó el diálogo con el gobierno, que éste no cumple frecuentemente con sus compromisos? Si alguien le hubiera dicho al EZLN que el gobierno no cumpliría sus compromisos no hubiera aceptado el diálogo y la firma de los Acuerdos de San Andrés".*

La respuesta es: No, no sólo no sabíamos, sino que estábamos firmemente convencidos que la sociedad civil nacional e internacional iban a generar una presión tal que obligaría al gobierno a cumplir sus compromisos. Y voy a insistir en esto porque sigue latente el problema de una ética política. Si nosotros no hubiéramos pensado que la vía del diálogo era factible, además de deseable, no nos hubiéramos sentado a dialogar con el gobierno. Porque eso es lo que está en cuestión en un diálogo entre partes enfrentadas: llegar a acuerdos, a compromisos, y cumplirlos.

Nosotros no podemos seguir la ruta que nos ofrecen (nunca amablemente, siempre a golpes, pero aunque fueran amables no lo haríamos) de decir una cosa y pensar o hacer otra.

Si el gobierno se sentó en la mesa del diálogo sabiendo que no iba a cumplir, tratando de ganar tiempo para operar el aniquilamiento violento (al mismo tiempo que presentaba una imagen *maquillada* para consumo internacional), nosotros no. Nosotros no nos sentamos a dialogar para ganar tiempo, nos sentamos para buscar y encontrar una salida política a la guerra. Lo hicimos porque "leímos" las movilizaciones de la gente en 94 y en estos casi seis años de guerra. Lo hicimos porque la gente nos pidió insistir en la vía del diálogo y nosotros nos comprometimos a seguirla. Nosotros tenemos palabra (tal vez es lo único que tenemos realmente nuestro) y la cumplimos.

Por eso dialogamos, porque nos comprometimos al diálogo con la sociedad civil y a abrir espacios de participación política nuevos y nueva. La guerra es el espacio más excluyente que la humanidad ha creado, tan excluyente que te aniquila. Desde entonces, teniendo armas y parque suficientes, nos defendemos del ejército con puños, piedras y palos. ¿Por qué? Porque gente como los doctores Rodríguez, Villoro, López Austin, Sánchez Vázquez, y muchos otros y otras que no son doctores pero son gente, nos pidieron que siguiéramos la ruta del diálogo, de la política. Y nos dijeron que se movilizarían en sus medios y con sus fuerzas para que esa ruta fuera factible, además de deseable. Y nosotros dijimos que sí y hemos cumplido. Y gente como ustedes y que no es como ustedes también han cumplido. Aquí el único que no ha cumplido es el gobierno, y esto, creo, hay que decirlo una y otra vez en todas partes y a toda hora. No sé si conocen ustedes a un señor que se llama Javier Sicilia. Yo no tengo el gusto, pero escribe a veces en *Proceso* y en una revista que se llama *Ixtus*. Siempre sus textos, aunque no sean sobre Chiapas o sobre los indígenas o sobre los zapatistas, terminan con: *"Y además opino que hay que respetar los Acuerdos de San Andrés"*. ¿Por qué? ¿Piensa él que sus palabras van a conmover al gobierno y obligarlo a cumplir? No sé, yo creo que lo hace porque es su forma de cumplir la parte que le toca. Y así como él hay muchos miles en México y en el mundo cumpliendo su parte. ¿Por qué no lo haríamos nosotros, aunque esto implique sumar muertos y presos a la larga lista que ya cargamos?

Y esto es lo que preguntamos en la *Carta 3*, ¿por qué no le dijeron a los estudiantes que el gobierno no cumple? Y no responden. A cambio, vienen largos párrafos hablando de lo indignados y dolidos que están por la *Carta 3* (y por el rechazo de los estudiantes a su propuesta), de lo mal que están los que no están de acuerdo con ustedes, de lo deseable del diálogo, de la necesidad de flexibilizar las posiciones en la negociación.

Por cierto, ahora me entero de que el comité de huelga de Políticas está muuuy molesto conmigo por la *Carta 3* y me acusan de favorecer a los *moderados*. ¿Qué tal? ¡Por fin una coincidencia entre los eméritos y la *ultra*! Y, como viene siendo costumbre, obra de los zapatistas, que se especializan en unir a los diferentes (aunque en este caso se unen en contra del *Sup*, ni modos, así es el abarrote).

Pero bien, sobre todo esto de las críticas es de notar la clasificación en la que todos ustedes coinciden: lo que en ustedes es "crítica de nivel", en el "otro" es "descalificación", lo que en ustedes es "madurez", en el "otro" es "irresponsabilidad"; lo que en ustedes es "notable racionalidad", en el "otro" es "delirio".

El doctor Sánchez Vázquez dice sobre la propuesta de "los 8": "*Públicamente nadie la ha rechazado, con excepción de alguno que otro académico delirante, que también los hay*".

¿Ven? Para ustedes el "otro" no existe o es "delirante". A pesar de que públicamente el CGH y la mayoría de las asambleas estudiantiles rechazaron la propuesta, el doctor dice "nadie", y las posiciones de muchos académicos que no están de acuerdo con ella (pero no tienen los recursos de rectoría para pagar decenas de desplegados apoyando "la propuesta de los 8 eméritos") se reducen a "alguno que otro académico delirante". Va más allá, el doctor Sánchez Vázquez escribe: "*La propuesta de 'los ocho' quedaba pues como la única viable si se descartaba el uso de la fuerza pública, implicado en todos los supiros por restablecer la legalidad*". El viejo argumento de "yo o el infierno, escoged". Sin embargo, más adelante el doctor dirá que no hay que considerar la propuesta como la única o tomarla como ultimátum.

De acuerdo en que los doctores tienen el legítimo derecho de presentar sus razones y argumentos para su posición en el conflicto de la UNAM, incluso tienen derecho a autodenominarse "la única salida viable". Hasta pudiera decirse que también tienen derecho a condenar a todo aquel mortal que ose criticar su posición (por su parte, el doctor Rodríguez se permite afirmar que soy un irresponsable –y lo son todos los que no coincidan con él– de acuerdo, me han dicho cosas peores, pero no podrá afirmar que soy un inconsecuente, espero que él pueda decir lo mismo). Ya se ve que son lo mismo que dicen criticar (y tratan inútilmente de exorcizar, porque la realidad no deja de pasar regularmente la factura –para usar un término tan a la moda por la mercadotecnia política–). Con esas ideas y planteamientos, se han desatado muchas de las campañas "antisépticas" en las que "lo bueno, lo racional y lo normal" elimina todo lo que no entiende (que, es preciso recordarlo, suele ser una grande porción de lo que acontece).

Bueno, el caso es que su propuesta no pasa, los estudiantes la rechazan, no pocos académicos la ven como un refrito de la propuesta de rectoría, y ha habido por ella un enorme entusiasmo en las esferas gubernamentales.

Los cuatro doctores insisten en que están por la vía del diálogo y la negociación. Y, como antes, vuelven sus baterías hacia los estudiantes del movimiento, el CGH, y los "delirantes", "irresponsables" y "descalificadores" encapuchados que osen tener una posición distinta a la de ellos. Pero, con todo, algo tenemos nosotros que decir sobre diálogo y negociación. Y lo haremos.

No es la negociación lo fundamental en un diálogo, ni el ceder mucho o poco. Ustedes desvían el problema a la hora que señalan que el CGH debe aceptar la negociación, flexibilizar, abandonar él "todo o nada" (en algún lado he oído yo esto antes) y los etcéteras en los que abundan. El problema es que ese diálogo va a llegar a uno o varios acuerdos (si no, ¿para qué se dialoga?) y se deben cumplir.

Enfrascados en la frágil ruta de buscar "salidas" al conflicto, se olvida que lo que se necesitan son "soluciones" y se enfoca todo en el asunto de los puntos a negociar (ceder, imponer en política). Dice el doctor Sánchez Vázquez: "No se estaba, por consiguiente, en la posición irreductible del "todo o nada" en que se situaba, lamentablemente, el CGH al considerar innegociable su pliego petitorio".

El "todo o nada"... Las seis demandas del pliego petitorio son perfectamente atendibles, razonables y coherentes. No piden la renuncia del Ejecutivo o la del rector, no demandan el cambio de rumbo económico, no exigen el cumplimiento de los Acuerdos de San Andrés, ni la entrega incondicional de palacio nacional. ¿Dónde está el "todo" del CGH? Cualquier cosa que demanden será su "todo". Cualquier intento de mantenerse firmes en sus demandas será intolerancia, intransigencia, necedad del "todo o nada".

¿Por qué? Porque son estudiantes y su papel debe ser sólo estudiar, y no andar haciendo huelgas, enseñando la barriga, los senos o las nalgas con los colores rojo y negro, haciendo marchas, mítines, y todo eso que hacen y que tanto escandaliza a las buenas conciencias. Su único presente debe ser el estudio, aunque el futuro les prometa el desempleo, la hipocresía, el cinismo y el escepticismo, y no deben demandar educación gratuita y democratización de los institutos de estudios superiores aunque sea justo y legítimo hacerlo.

"Todo o nada". Veamos: Si los estudiantes bajan de seis a cuatro puntos su pliego de demandas, no les van a solucionar nada. Si lo bajan de cuatro a dos tampoco. Si sólo dejan un punto del pliego, tampoco. Si levantan la huelga sin más, tampoco. Si levantan la huelga y además le piden perdón al rector, tampoco. El poder no va a descansar hasta que esos estudiantes que hoy lo desafían y retan, sean parte de él. No los van a dejar en paz hasta que los conviertan en uno más de ellos. Hasta entonces dejarán de perseguirlos, de calumniarlos, de hostigarlos. Este es el "todo o nada" que busca el Poder, sea con el nombre de gobierno, sea con el de rectoría. En este conflicto de la UNAM, los únicos que han dejado claro que están dispuestos a dialogar ("diálogo directo, público y resolutivo", dicen una y otra vez) son los estudiantes a través de su cabeza, el Consejo General de Huelga. Tanto lo han dicho, tantas muestras han dado de disposición, y tan claro lo han expresado que, creo, es ya el séptimo y más importante punto de su pliego de demandas: diálogo. Y con "diálogo" están diciendo "solución".

Dicen unos y otros doctores que la propuesta era independiente de cualquier grupo interno o externo de la UNAM, pero el doctor Villoro, en sus declaraciones a la prensa para "explicar" la propuesta, dijo que había que esperar a que los *moderados* tuvieran el control del CGH para que el proyecto pasara. Así, la iniciativa de los ocho eméritos dejó de ser " a los estudiantes" y entró al juego de fuerzas políticas al interior del movimiento y, por lo tanto, se vio sujeta a las reglas de ese juego. Y perdió. Y no porque los zapatistas la hayamos "descalificado" o hayamos sido "erróneos" e "injustos" con sus promotores. Perdió porque es una propuesta de salida al conflicto, y los estudiantes buscan una solución a sus demandas. "Salida" y "Solución" no son la misma cosa. Si además de esto, anotan ustedes la cargada que rectoría desató para "sumarse" al plan de los ocho (las decenas de desplegados con el logotipo de la UNAM, con el que rectoría encabeza sus pronunciamientos, ni siquiera tuvieron el cuidado de cambiar la redacción de su "adherencia"), el "madruguete" de las corrientes estudiantiles y académicas afines al PRD, y la soberbia con la que se han conducido ustedes en el debate, tal vez alcancen a entender por qué su propuesta fue rechazada por los estudiantes.

Ciertamente su iniciativa no proviene de rectoría (conozco la historia de las reuniones previas a su redacción, en el CUC, entre ustedes y representantes de la Coalición, la Coordinadora y el CEM), pero de que se la apropió, pues sí; y de que el movimiento estudiantil no la aceptó, pues no. Esto significa que no estaba tan "en medio" como se decía o esperaba.

Resumiendo: el EZLN tiene derecho a opinar sobre un asunto de interés nacional como es el actual conflicto de la UNAM. El EZLN opina, después de que ha sido rechazada por una de las partes, sobre la propuesta de los ocho eméritos y señala su crítica y desacuerdo. El EZLN ha tomado partido, desde el inicio del conflicto, de lado del movimiento estudiantil universitario. Lo hemos hecho simple y sencillamente porque de su lado está la razón y la justicia. Pensamos que el movimiento ha sido claro en sus demandas, ninguna de las cuales nos parece desproporcionada, delirante, irresponsable, descalificadora, o equivalente. El movimiento, a través del CGH, en ningún momento se ha pronunciado en contra del diálogo (en cambio rectoría sí y en repetidas ocasiones) y ya ha flexibilizado su posición. No es al movimiento estudiantil al que hay que convencer de que debe dialogar y negociar (mucho menos con base en una propuesta que se les ha querido imponer por todos los medios, que van desde la amenaza de la represión, hasta el escarnio y la burla, pasando por el continuo y blando blandir de los títulos académicos), sino a rectoría (con la que no se ha sido tan enérgico en las exigencias, como sí se ha sido en las presiones a los estudiantes). (Y ya que están en la "onda" de nombrar las cosas y las personas por su nombre, ninguno hace referencia a la represión que el gobierno de Cuauhtémoc Cárdenas ejerció contra los estudiantes el 4 de agosto de 1999. Ignoro si este silencio significa que piensan que los huelguistas merecían un escarmiento, o no se le da importancia al hecho o es ánimo protector o qué. Ustedes sabrán...)

Poco o nada se ha dicho o argumentado en contra de las demandas de los estudiantes. Por qué no debatir en ese terreno? ¿Son justos o no esos seis puntos del pliego? ¿Merecen una solución o no? ¿Merecen los estudiantes en huelga ser tratados con respeto o para ellos sólo hay burlas, desprecios, humillaciones, amenazas y autoritarismo?

De acuerdo en que las razones y argumentos son las que deben ponerse en juego. Les propongo entonces debatir sobre los seis puntos del pliego del CGH. ¿O debemos pensar que, cuando se acaban los argumentos, la *ultra* saca los puños, el gobierno las armas, y los intelectuales el *currículum vitae*?

Don Monsi:

Perdona el atrevimiento de, en una carta que es para ti, responder también a otros, pero, después de todo, se trata de un debate. Ahora permítame tocar algunos puntos de su escrito de usted. Supongamos (soy el "Sup" por "supuesto") que agrupo tu escrito en tres partes. En uno usted expone sus razones y argumentos para levantar la huelga; en otro criticas mi crítica a la propuesta de los eméritos; y en otro abre la puerta o la ventana por las que se pudiera tratar de entender lo que pasa en la UNAM.

En lo que se refiere a las razones y argumentos, se puede decir exactamente lo contrario, a saber:

La huelga sí daña al señor Zedillo. A diferencia del asunto Fobaproa el conflicto en la UNAM sí sacó a los protagonistas (de ambos lados) a la calle, y el asunto ha exhibido al señor Zedillo como algo muy alejado de un "jefe de Estado".

La distancia que se acentúa no es entre el CGH y la opinión pública, sino entre el CGH y los líderes de opinión, y las limitaciones argumentativas y falta de urgencia se han lucido más del lado de rectoría (sin embargo, los líderes de opinión no han sido ni tan distantes ni tan enérgicos con rectoría como sí lo han sido con el CGH). Como explicaré más adelante, la distancia que también se está acentuando es entre los líderes de opinión y la opinión pública.

Sobre la desesperación de los padres de familia con hijos en la UNAM, lo de que las empresas ya no quieren contratar a egresados de esa casa de estudios, y el que las universidades "patito" hacen su agosto (este argumento no es de usted, pero lo pongo de una vez), se repite lo que dicen los medios de comunicación y los "líderes" de opinión, y se podría demostrar lo contrario (los padres de familia que hacen guardias en la huelga, las empresas no contratan a egresados de la UNAM... y de ninguna universidad porque el desempleo es una realidad independientemente del "alma mater" de origen, la inmensa mayoría de los estudiantes de la UNAM siguen ahí) sin que falten razones para cada lado.

Mención aparte merece lo que señala usted de que son muchas las cosas que ya ha conseguido el movimiento y haces una rápida descripción de esos logros. Estoy de acuerdo contigo, sólo que el problema no es si son muchos o pocos los logros, sino si son o no *suficientes*. Y eso les tocará decirlo a los estudiantes del movimiento.

Sobre el punto de mi crítica a la propuesta de los eméritos, usted discrepa y da sus razones. Sale y ni modos. Pero insistes en que la UNAM no es Chiapas y, como dices a veces, esto es cierto sí y no. Es cierto que no hay militarización (todavía) en la UNAM, ni Acteal, ni paramilitares. Pero no es cierto que lo que ahí ocurre sea algo muy distinto a lo que acá (Chiapas) ocurre. Y es aquí donde creo que vienen puntos en los que se puede profundizar más. Antes escribí que la UNAM y Chiapas eran el síntoma de "algo", la crisis política o la crisis del *quehacer* político en México (y en el mundo, pero ése es otro tema).

224

Odio decir que se los dije, pero se los dije. Cuando advertimos que la clase política se estaba separando de los ciudadanos, dijimos que la sociedad no iba a perdonar e iban a surgir movimientos cada vez más alejados de la política tradicional, y cada vez más críticos frente a ella. Para enfrentar la crisis que sacude la columna del sistema político mexicano, el sistema de partido de Estado, y a quien arrastra consigo, la clase política, han optado por construirse un mundo virtual propio, elaborado en la asepsia del laboratorio de la informática moderna, sobre el cual "ensayar" los escenarios posibles y sus acciones frente a ellos. Pero lo que empezó como ejercicio teórico, se convirtió en práctica frecuente y, luego, en costumbre. De ahí a constituirse en una forma de hacer política, el proceso fue rápido. En este mundo virtual existe sólo la clase política como variable y el resto, incluyendo los ciudadanos, son índices porcentuales perfectamente previsibles y, por tanto, manejables. *Ergo*, la política moderna llega a su máximo sueño: un mundo con puros políticos puros, sin movimientos sociales y ciudadanos, sin imprevistos, sin sobresaltos. Un mundo perfectamente sujeto a las reglas de la clase política. Maravilloso, a no ser por un pequeño problema: la realidad.

Si Chiapas fue el síntoma de que el quehacer de la clase política estaba "olvidando algo", el movimiento estudiantil universitario viene a decirnos que nada se aprendió de Chiapas. Claro, a diferencia de los zapatistas (que están recluidos en las montañas del Sureste mexicano), los estudiantes están en las calles de la principal y más grande ciudad del país, la Ciudad de México (lo que no sé es si esto sea una ventaja o una desventaja). Que la crisis de la clase política alcance a arrastrar a la izquierda "parlamentaria" (como la llaman algunos) no es de extrañar. En el mundo entero, la izquierda institucional parece arrastrada en la moda de ser agradable... a la derecha. No, no sólo los partidos políticos tradicionales de izquierda han sido arrastrados en esa crisis, también la izquierda "extra-parlamentaria".

Quiero decir, siguiendo con el ejemplo de la UNAM, que las organizaciones políticas "radicales" (para evitar propositivamente el término de *ultras*) también padecen esta mezcla de escepticismo, desconfianza y rechazo de la mayoría de los estudiantes activos del movimiento. No sólo eso, a esta banda (y uso el término en el muy digno de los chavos banda) poco o nada le importan los títulos académicos, los premios y los prestigios que se blanden en lugar de argumentos. Es más, tampoco los impresionan los cargos militares, por muy revolucionarios que sean. Así que si los eméritos arguyen serlo, los estudiantes alegan que Burgoa y Carrancá también son eméritos. *Ergo*, lo emérito no vacuna contra la desconfianza y el recelo. Y créeme que lo de "Subcomandante" los tiene sin cuidado, usan el "sup" como apelativo o dejan el "Marcos" a secas y así me quedo (fino el albur ¿no?).

Bueno, no hay que *agüitarse* raza, el problema no es que la clase política esté en crisis, quiero decir no sólo. También resulta que la clase política ha arrastrado a los líderes de opinión en su crisis. Esa distancia o alejamiento respecto a la realidad que sufren los políticos, también la padecen los intelectuales sociales o los líderes de opinión pública. Ahora hablan para sí mismos o para sus iguales, se comentan entre sí, se argumentan y contra argumentan, se convencen y se desilusionan. Se acabó el pesado fardo de tener que entender las cosas (algo cada vez más dicícil) y, además, explicarlas (ya casi imposible). No, ahora se trata de decir, no, de ***dictar*** cómo deben ser las cosas. Si el editorial no corresponde a la realidad, peor para la realidad (ya sé que es lugar común, pero sirve para explicarme). Un editorialista (no, no voy a

226

decir su nombre porque no es emérito) me comentó que el número de lectores de periódicos y revistas ha disminuido. Le pregunté si el número de lectores o el número de personas que compran periódicos y revistas, me respondió que los dos (también me dijo cuáles periódicos vendían más ejemplares, y tampoco voy a decir los nombres porque me caen encima los y las directores y directoras, y por ahora tengo bastante con los doctores). La baja en el *raiting* (¿así se escribe?) de los medios electrónicos también es apreciable. O sea que alguien que ayer te leía, veía o escuchaba, ya no te lee, ni te ve ni te escucha más. Claro que queda el consuelo de que sea por la crisis económica, pero ¿y si no? Doble contra sencillo a que, a raíz de la huelga de la UNAM y de las precampañas y campañas presidenciales, baja más el número de lectores, televidentes y radioescuchas. ¿También le echamos la culpa a los estudiantes y a los zapatistas? (bueno, a los zapatistas no pero a Marcos, sí, porque con ese número de cuartillas a cualquiera se le quitan las ganas de leer). Y, sin embargo, crece el número de publicaciones, programas "noticiosos", de "análisis" y etcétera. ¿Por qué? Bueno, porque los líderes de opinión necesitan muchos medios para dirigirse... a sí mismos.

Lo que quiero decirte o decirle es que, detrás del movimiento estudiantil universitario, no está la perversa maquinación de una *ultra* rápida de puños y lenta de argumentos. No, lo que está detrás es la crisis de una política que no ve en la gente algo que no sea un número (para el voto) o un activista por reclutar. ¿Qué mejor síntoma de esto que la explicación que daba un intelectual perredista del avance de las posiciones *moderadas* en asambleas y CGH? Decía él (palabras más palabras menos): "los *moderados* se han dedicado a convencer a los adolescentes púberes e imberbes que habían sido engañados por los *ultras*". ¿Qué tal? Por supuesto que en la siguiente asamblea se revirtió el citado avance. ¿Qué pueden esperar si desprecian así a la gente? ¿Cómo pueden pensar que van a escuchar sus argumentos si en el principio sólo tuvieron boca para hacer escarnio, burla, desprecio y calumnia?

No, maestro, yo creo que el problema no es la falta de autoridad moral de la izquierda en la Universidad. Es algo más, creo que es en la juventud, o en amplios sectores de ella. Y más aún, me atrevería a decir que es en el grueso de la sociedad. Este hastío y hartazgo de la política no son gratuitos, son algo cultivado por la desidia y el desapego de una clase, la política, que cree que está formada por una generación de elegidos que "sí entienden".

Chiapas fue un síntoma, la UNAM es otro. Vendrán más. Y los movimientos y efervescencias serán cada vez más y más radicales (o *ultras*, para usar el término de moda en la clase política y líderes de opinión), y, ojo, cada vez más difícil tender puentes de diálogo con ellos. De esto no tenemos la culpa los zapatistas, tampoco los estudiantes del movimiento universitario. Unos y otros estamos diciendo "aquí estamos, no se olviden". A unos y a otros se nos responde con el silencio, con la burla, con el desprecio, con el olvido. Odio decir que se los dije, pero sí, se los dije. Mientras la clase política y líderes de opinión que la acompañan sigan en su mundo virtual, la realidad pasará regularmente a cobrar la cuenta del olvido. Sólo que cada vez será más alta, más brutal y más catrastrófica.

Sale pues. Será bienvenida la continuación de esta "polémica". Si me tardo en responder no es por hacerles desaire, es porque a veces (no muy seguido, es cierto) debemos atender otros asuntos. Finalmente, si así lo deciden, pueden archivar esta *Carta 3 bis* en la "H" de "hablar", de "herida", de "historia", de "hombre", de "huelga", y de "herrores" (ya sé que errores va sin "h", pero es para remarcar el error y no dejar que la "h" sólo quede para el "herido" comité de huelga de políticas).

Vale. Salud y lo que hay que lamentar es que este movimiento tenga tan pocos dispuestos a tratar de entenderlo y demasiados prestos a juzgarlo.

Desde las montañas del Sureste mexicano
Subcomandante Insurgente Marcos
México, octubre 8 de 1999
Día del guerrillero heroico (ése sí),
Ernesto *Che* Guevara

P.D. Para El Tonto.[30] ¡A la bio, a la bao, a la bim–bom–ba, los estudiantes en concreto, los estudiantes en concreto, ra, ra, ra! ¿Ya entendí un poco de algo?

c.c.p. Doctores Alfredo López Austin, Octavio Rodríguez Araujo, Adolfo Sánchez Vázquez, Luis Villoro.

Carta 3 bis bis

Para: Miguel Angel Granados Chapa
Periódico *Reforma. Corazón de México*

Maestro:

Para saludarlo y comentar su columna, "Plaza Pública", del día 30 de septiembre de 1999, con el título de "Zapatismo en la UNAM". He tratado de calcular las cuartillas que toma llenar su "Plaza Pública" y no extenderme más de lo que me permita suplicarle que, puesto que de un debate se trata, ponga en su espacio estas líneas. No sé cuántas cuartillas (¿dos? ¿tres?), así que trataré de ser lo más breve posible:

Como se aprecia en la *Carta 3 bis*, he respondido a los doctores Villoro y López Austin (y no sólo a ellos). Lo que no ha ocurrido es que surja una nueva posición del EZLN respecto al conflicto de la UNAM. Seguimos sosteniendo el mismo apoyo al movimiento estudiantil universitario y seguimos manteniendo la misma actitud crítica frente a "los ocho". Pero sobre este punto quisiera extenderme más. Usted escribe: *"Si a su vez es congruente con su crítica a los procedimientos autoritarios de los ultras, el Subcomandante Marcos **puede controlar el daño a su propia causa y, aunque no le importe, hacer un servicio a la Universidad si propicia la atención desprejuiciada en el CGH, donde su voz es oída, a la propuesta de los eméritos, en vez de descalificarla"*, (las negritas son mías).

Si nosotros (porque cuando escribe el *Sub* Marcos lo hace el EZLN) hiciéramos lo que usted señala entonces no seríamos más lo que somos. No entra dentro de nuestra ética política el cambiar los principios por conveniencia. Si nuestra posición de apoyo a los estudiantes en huelga significa que se abra una brecha (para usar la imagen que usted usa) entre nosotros y asesores y activistas del zapatismo, pues ni modos.

Al apoyar al movimiento estudiantil universitario, como lo señalé en la *Carta 3*, estamos cumpliendo nuestro deber. Si esto aleja a unos u otros, ni modos. Estamos dispuestos a morir por lo que creemos, imagine usted si no estamos dispuestos a que nos abandonen quienes antes o ahora estuvieron a están, cerca. Nos importa la Universidad y créame que le hacemos un servicio a la UNAM apoyando a quienes quieren y luchan por transformarla y democratizarla, los estudiantes del movimiento. No vamos a propiciar en el CGH la atención desprejuiciada a la propuesta de los eméritos. Nosotros respetamos a los estudiantes y al CGH, ellos ya la han rechazado y han dado sus razones y argumentos. No sólo eso, nos parecen perfectamente entendibles sus recelos y distancias frente a esa propuesta.

Lo que sí hemos hecho, y seguiremos haciendo, es darles a conocer nuestro punto de vista y nuestra posición que es, sintéticamente, que hay que escuchar todas las propuestas, porque la Universidad es eso, universal, y contiene un universo de pensamientos. Las demandas de los 6 puntos del movimiento estudiantil universitario apuntan a mantener la Universidad como ese espacio donde confluyen muchos "otros", y la posición de rectoría apunta a redefinir la Universidad como "Particularidad" que, creo (no estoy muy seguro), sería la negación lógica de la universidad. Para mantener lo universal de la Universidad, los estudiantes han tenido que estallar y mantener una huelga. Para acabar con esa huelga sólo es necesario una cosa, solucionar sus, ahora, 4 demandas (dos se van a Congreso). Verá que no es complicado: Piden la derogación (no la suspensión, que significa que se deja "para después") del Reglamento General de Pagos, lo que sería garantizar el carácter gratuito de la UNAM. El argumento economicista esgrimido para justificar el aumento de las cuotas se ha derrumbado ante el empuje de dos cosas: el palabrerío gubernamental sobre el repunte económico (si estamos tan bien, ¿por qué no aumentar el presupuesto de la educación superior?), y el gigantesco derroche de recursos de rectoría en su campaña de medios en contra de la huelga. Piden la adecuación del calendario escolar de modo que nadie vea afectada la continuidad de sus estudios (no deja de sorprender que se ataque a los estudiantes por no querer estudiar y que una de sus demandas sea que les den chance de continuar con sus estudios).

En el mismo tenor, pero tocando el carácter policial con el que rectoría y el gobierno han afrontado el movimiento, se pide que se anulen los procesos judiciales iniciados en contra de varios estudiantes, maestros y trabajadores. Los puntos referentes al Ceneval y a las reformas del 97 se pasaron al congreso. Y, como punto 6, se demanda la realización de un Congreso Universitario (donde toda la comunidad discuta y *resuelva* –por eso su carácter resolutivo–) la pregunta "¿qué Universidad queremos?"

Si pudiéramos resumir el pliego de demandas, se podría decir que lo que los estudiantes están diciendo es: *"Rectoría tomó una serie de decisiones sin consultar a la comunidad universitaria. Nosotros nos fuimos a la huelga para que esas decisiones sean tomadas por la comunidad universitaria en su conjunto. Por eso es necesario anular las torpezas de Barnés y hacer un congreso RESOLUTIVO".*

¿Por qué no quiere ir a un congreso el señor Barnés? Porque perdería sus propuestas frente a los argumentos de los estudiantes. Y este es el problema, señor Granados Chapa, por el lado de las autoridades ya no hay ni siquiera razonamientos economicistas o empresariales (que los hubo y bastante ridículos), ya hay sólo el principio de autoridad. El "no voy a ceder ante unos mocosos" suplantó a la razón. Y es este principio de autoridad el que, si mal no recuerdo, ha desatado pesadillas que tienen fecha y nombre en el calendario mexicano: Del 2 de octubre del 68 al 10 de junio del 98, pasando por el Jueves de Corpus, el 6 de julio de 88, el 9 de febrero de 95, y Acteal en 97. No es a los estudiantes a los que hay que presionar para una solución de la huelga, ellos ya dieron lo que tenían que dar. A los que hay que exigirles que la solucionen YA es a quienes tienen los medios para hacerlo: el gobierno y rectoría. ¿Cómo? Satisfaciendo a cabalidad los puntos del pliego de demandas del CGH.

Bueno, pues salieron dos cuartillas bien apretaditas. A ver si se puede completa. Si no, pues yo comprenderé que sólo cite algunos párrafos. Sale. Espero poder visitarlo pronto en su programa de radio (y ojalá que esta vez nadie me regañe por teléfono por fumar pipa).

Vale. Salud y ya se ve que lo que planteamos es "otra" ética política (y así nos va), (suspiro).

Desde las montañas del Sureste mexicano
Subcomandante Insurgente Marcos
México, octubre de 1999

La hora de los pequeños
Primera parte: El regreso de...

Para don Emilio Krieger, que estuvo con los pequeños siempre.
Para los niños de "El Molino" (del Frente Popular Francisco Villa)
que perdieron sus casas en un incendio.

En el buzón de tiempo hay alegrías
que nadie va a exigir / que nadie nunca
reclamará / y acabarán marchitas
añorando el sabor de la intemperie
y sin embargo / del buzón de tiempo
saldrán de pronto cartas volanderas
dispuestas a afincarse en algún sueño
donde aguarden los sustos del azar.

Mario Benedetti

Llueve apenas una brisa húmeda y fría. Sin embargo, tanto
y tan fuerte ha sido el golpeteo de la lluvia sobre la montaña
en los días anteriores, que le ha dejado no pocas abolladuras
y hay cicatrices que le arruinan toda la falda. Pero bueno, después de tormenta tanta, esta llovizna se agradece. Es tiempo
de lluvia. Tiempo de los pequeños.

Un hombre bueno ha muerto. ¿Qué se dice cuando un
hombre bueno ha muerto? Unos niños, que sin miedo ayer
abrieron sus casas para recibir a mil ciento once sin rostros,
han perdido su casa. ¿Qué se dice cuando un niño pierde su
casa? Nada se dice, sólo se calla. Porque muchas veces los
dolores son para callarse. Sin embargo, intentando un alivio,
los pequeños de este lado del cerco tienden sus puentes como
manos hasta donde falta el hombre bueno y hasta donde faltan
puertas y ventanas para abrirse al otro olvidado y pequeño,
al otro digno y rebelde. Para acompañar se tienden, para estar
cerca, para no olvidar. Tal vez por eso, sin prisa, la sombra
afila con ternura el primer dos de la cuarta epístola, buscando
que arranque una sonrisa entre tanto dolor como allá se duele.

Allá abajo la vela reitera su vocación de faro para ese ma-
rinero en la montaña que, extraviado, navega las sombras de
la madrugada. Sí, vayamos, pero tenga usted cuidado con el

lodo y esos charcos. ¿Va usted despacio? Bueno, me adelanto y desde allá dentro le voy avisando. Bien, aquí estoy. Sí. Está de nuevo la sombra sola. No... Un momento... Parece que hay alguien más... ¡Esa vela que no deja de agitarse! No, no alcanzo a ver quién más está, pero es evidente que hay alguien porque la sombra le habla. No, más bien le niega, porque no hace sino repetir "no, no y no". Deje y me voy a aquella esquina para ver mejor. Ya está. Mmhh. Creo que nuestra sombra predilecta ha enloquecido. ¡No se ve nadie alrededor! Y él con su "no, no y no". En fin, era de esperarse, tanta lluvia y tanta madrugada acaban por enloquecer a cualquiera. ¿Qué? ¡Pero si ya le dije que no hay nadie! ¿Que me acerque? ¿Y si me ve? Bueno, sí, despacio y con discreción. No, le insisto, no hay nadie. ¡Un momento! ¡Espere! Sí, ya distingo algo... ¡Ahí, en un rincón! ¡Sí! ¡Que alivio! No se ha vuelto loco, no. Lo que pasa es que era tan pequeño que no lo notaba... ¿Qué? ¿Que con quién habla? Bueno, pues... verá usted... ¿de veras quiere saberlo? ¿Si? Pues... pues... ¡con un escarabajo!

¡Durito!
Carta 4a

—¡*No, no y no!* —le digo a Durito por enésima vez.

Sí, Durito ha regresado. Pero antes de explicarles mi "no" reiterado, debo contaros la historia completa.

Cuando la otra madrugada la lluvia formó un arroyo que se metió justo en medio de la champa, llegó Durito a bordo de una lata de sardinas que tenía un lapicero en medio y, en él, un pañuelo o algo así, que después lo sabría, era una vela. En la parte más alta del palo mayor, perdón, del lapicero, ondeaba una bandera negra con un cráneo feroz reposando sobre un par de tibias cruzadas. No era propiamente un barco pirata, pero sí, al menos, una lata de sardinas pirata. El caso es que el barco, o sea la lata, fue a dar justo al pie de la mesa, y lo hizo con tal estrépito que Durito salió volando y fue a aterrizar justo en mi bota. Como pudo se recompuso Durito y exclamó:

—*El día hoy... el día de hoy...* —voltea a verme y me dice:

—*¡Eh tú, nariz de zanahoria! ¡Decidme presto la fecha!*

Yo titubeo, un poco por las ganas de darle un abrazo a Durito pues ha regresado, otro poco por las ganas de darle una patada por lo de "nariz de zanahoria", y otro más por... por... ¿la fecha?...

—*¡Sí! La fecha. Es decir, día, mes y año en curso. ¡Despierta mentecato, que parece que estás en el debate de los presidenciables! ¡Dadme la fecha!*

Yo miro el reloj y digo:

—*12 de octubre de 1999*

—*¿12 de octubre? ¡A fe mía que la naturaleza imita al arte! Bien. El día de hoy, 12 de octubre de 1999, declaro descubierta, conquistada y liberada esta hermosa isla caribeña que responde al nombre de... de... ¡Rápido, el nombre de la isla!*

—*¿Qué isla?* —pregunto yo aún desconcertado.

—*¿Cómo que qué isla, so mentecato! ¡Pues ésta! ¿Y cuál va a ser? No hay pirata que se precie de serlo sin una isla para esconder el tesoro y las penas...*

—*¿Isla? Yo siempre pensé que era un árbol, una ceiba para ser más preciso* —digo mientras me asomo a la orilla del tupido copete.

—*Pues te engañas, es una isla. ¿Dónde se ha oído que un pirata desembarque en una ceiba? Así que decidme el nombre de esta isla o tu destino será servir de almuerzo a los tiburones* —dice Durito amenazando.

—*¿Tiburones?* —digo yo, tragando saliva. Y alego tartamudeando:

—No tiene nombre...

—"No tiene nombre". Mmh. A fe mía que es un nombre harto digno para una isla pirata. Bueno, el día de hoy, 12 de octubre de 1999, declaro descubierta, conquistada y liberada la isla de "No tiene nombre" y nombro a este individuo de obvia nariz mi contramaestre, primer oficial, grumete y vigía.

Yo trato de obviar tanto el insulto como la multitud de cargos conferidos, y digo:

—De modo que... ¡ahora eres un pirata!

—Un pirata... ¡Que no! ¡Soy EL PIRATA!

Hasta ahora reparo en la figura de Durito. Un parche negro le adorna el ojo diestro, una pañoleta roja le cubre la cabeza, en uno de sus múltiples brazos un alambrito retorcido la hace de garfio, y en otro reluce la varita que hace tiempo era Excalibur, ahora no estoy seguro, pero debe ser una especie de espada, sable, o lo que sea que usen los piratas. Además, amarrado a una de las varias patitas lleva un pedacito de rama como si fuera... como si fuera... mmh... ¡una pata de palo!

—Y bien, ¿qué te parece? —dice Durito mientras se da media vuelta para que se aprecien todas las galanuras que se ha confeccionado para su traje de pirata.

Con cuidado le pregunto:

—¿Así que ahora te llamas...?

—¡Black shield! —dice Durito pomposo, y agrega:

—Pero puedes poner Escudo negro, para los que no están globalizados.

—¿Escudo negro?, pero...

—¡Claro! ¿No hubo un Barbarroja y un Barbanegra?

—Bueno, sí, pero...

—¡No hay pero que valga! ¡Yo soy Escudo Negro! ¡Comparado conmigo, Barbanegra con trabajos llega al gris, y el tal Barbarroja queda más desteñido que tu viejo paliacate!"

Durito ha dicho esto blandiendo espada y garfio al mismo tiempo. Parado ahora en la proa de su lata de sardi..., perdón, de su embarcación, empieza a declamar la canción del pirata...

—*Con diez cañones por banda...*

—Durito... —trato de llamarlo a la cordura.

—*Viento en popa en toda vela...*

—Durito...

—*No corta el mar sino vuela...*

—¡Durito!

—¿Qué? ¿Algún galeón real se encuentra a nuestro alcance? ¡Pronto! ¡Desplegad velas! ¡Preparad el abordaje!

—¡Durito! —grito ya desesperado.

—*Calma, no grites que pareces bucanero desempleado. ¿Qué te pasa?*

—*¿Podrías decirme en dónde has estado, de dónde vienes, y qué te trae por estas tierras, perdón, islas?* —pregunto ya más tranquilo.

—*He estado en Italia, en Inglaterra, en Dinamarca, en Alemania, en Francia, en Ginebra, en Holanda, en Bélgica, en Suecia, en la península ibérica, en Islas Canarias, en la Europa toda* —Durito ha dicho todo repartiendo ademanes a diestra y siniestra.

—*En Venecia comí con Dario una de esas pastas que tanto entusiasman a los italianos y que a mí me dejan i–n–a–m–o–v–i–b–l–e.*

—¡Un momento! ¿Qué Dario? ¿No querrás decir que estuviste comiendo con Dario...?

—*Sí, Dario Fo. Bueno, comiendo, comiendo, no. El comía, yo lo miraba comer. Porque mira, esos espaguetis a mí me dan dolor de estómago, y más cuando les ponen "pasto".*

—Pesto —le corrijo.

—*Pasto o "pesto", pero sabe a zacate. Como te decía, llegué a Venecia procedente de Roma, después de escaparme de uno de los* Centri di Detenzione Temporanea (per Immigrati), *que son una especie de campos de concentración, donde las autoridades italianas aíslan, antes de expulsarlos del país, a todos los que provienen de otros países y, por lo tanto, son "otros diferentes". Salir no fue fácil, hube de encabezar un motín. Claro que fue fundamental el apoyo de esos hombres y mujeres que en Italia están en contra de este racismo institucionalizado. Bueno el caso es que Dario quería que le ayudara con algunas ideas para una obra de teatro y no tuve corazón para decirle que no.*

—Durito...

—*Después me fui a la marcha contra la* ONU *por la guerra en Kosovo.*

—*Será contra la* OTAN...

—*Es lo mismo. El caso es que, luego de una serie de peripecias, me embarqué rumbo a la Isla de Lanzarote.*

—*¡Un momento! ¿La Isla de Lanzarote? ¿No es donde vive José Saramago?*

—*Sí, bueno, yo le digo* Pepe. *El caso es que* Pepe *me invitó un café para que le comentara sobre mis experiencias en la Europa del Euro. Fue magnífico...*

—*Sí, me imagino que habrá sido magnífico platicar con Saramago...*

—*No, me refiero al café que nos preparó la* Pilarica. *Realmente hace un café magnífico.*

—*¿Te refieres a Pilar del Río?*

—*La misma.*

—*De modo que un día comes con Dario Fo y otro día tomas café con José Saramago.*

—*Sí, en esos días me codeaba con puros premio Nobel; pero te decía que con* Pepe *tuve una fuerte discusión.*

—*¿Y el motivo?*

—*Pues el prólogo ese que escribió para mi libro. Me*

pareció de muy mal gusto que a mí, el grande y ecuánime Don Durito de La Lacandona, me redujera al mundo de los coleópteros lamelicórneos". (Durito se refiere al prólogo de José Saramago al libro Don Durito de La Lacandona. Ed. CIACH A.C.)*

—*¿Y en qué quedó la discusión?*

—*Bueno, pues lo reté a duelo, tal y como mandan las leyes de la andante caballería.*

—*¿Y...?*

—*Y nada, que vi que a la* Pilarica *se le rompía el alma, pues era obvio que yo habría de vencer, y lo perdoné...*

—*¿Tú perdonaste a José Saramago?*

—*Bueno, no totalmente. Para que olvide yo la afrenta, deberá él venir a estas tierras y declarar a voz en cuello el siguiente parlamento: "Escuchad todos. Temblad tiranos. Suspirad doncellas. Alegraos infantes. Regocijaos los tristes y menesterosos. Escuchad todos. Que anda de nuevo sobre estos suelos el siempre grande, el portentoso, el inigualable, el bien amado, el esperado, el onomatopéyico, el más mejor de los andantes caballeros, Don Durito de La Lacandona".*

—*¿Tú obligaste a José Saramago a venir a México a decir esas... esas... esas cosas?*

—*Sí, a mí también me parece un castigo ligero. Pero después de todo es un premio Nobel, y tal vez necesite alguien que haga el prólogo de mi próximo libro.*

—*¡Durito!* —lo reconvengo, y agrego:

—*Bueno, pero cómo fue que te convertiste en pirata, perdón en EL PIRATA.*

—*La culpa la tuvo el Sabina...* —dice Durito como si hablara de un compañero de juerga.

—*¿O sea que también viste a Joaquín Sabina?*

—*¡Y claro! Quería que le ayudara con los arreglos musicales para su próximo disco. Pero no me interrumpas. El* caso es que estábamos el Sabina y yo correteando bares y féminas en Madrid, cuando llegamos a Las Ramblas.

—¡Pero eso está en Barcelona!

—Sí, ahí está el misterio. *Porque unos momentos antes estábamos en una Tasca en Madrid, embobados con una hembra de piel de aceituna, andaluza de Jaén para más señas, y entonces tuve que ir a satisfacer una de las necesidades biológicas que llaman "primarias". He aquí que me equivoco de puerta y, en lugar de la del* water, *abrí la de la calle. Y resulta que estaba en Las Ramblas. Sí, ya no había ni Madrid, ni Sabina, ni tasca, ni piel aceitunada, pero yo seguía necesitando un* water, *porque un caballero no puede andar haciendo esas cosas en cualquier rincón. Ergo, busqué un bar, tratando de acordarme de cuando anduve callejeando con Manolo...*

—Imagino que te refieres a Manuel Vázquez Montalbán —pregunto ya dispuesto a no asombrarme de nada.

—*Sí, pero es un nombre demasiado largo, así que yo le digo sólo* Manolo. *Entonces buscaba yo angustiado, inquieto y afanoso, un lugar con un* water, *cuando aparecen frente mío, en una oscura callejuela, tres sombras gigantescas...*

—¡Bandidos —interrumpí sobresaltado.

—*Negativo. Eran tres botes de basura, a cuya sombra yo calculé que podía hacer, con intimidad y discreción, lo que pensaba hacer en el* water. *Y así lo hice. Ya con la satisfacción del deber cumplido, encendí la pipa y escuché con toda claridad las 12 campanadas del Big Ben.*

—Pero Durito, eso está en Londres, Inglaterra...

—*Sí, a mí también me pareció extraño, pero ¿qué no lo era en esa noche? Caminé hasta que llegué frente a un letrero que decía: "Piratas. Se necesitan. No se requiere experiencia previa. Preferencia a Escarabajos y Caballeros andantes. Informes en el bar de "La Mota Negra."*

Durito enciende su pipa y continúa:

—*Seguí caminando, buscando el letrero de "La Mota Negra". Caminé a tientas, apenas adivinando esquinas y muros, tan cerrada era así la niebla que caía esa madrugada sobre los callejones de Copenhague...*

—*¿Copenhague? ¿Pero no estabas en Londres?*

—*Mira, como me vuelvas a interrumpir con obviedades, te mando a la plancha y de ahí a los tiburones. Ya te dije que todo era muy extraño, y si el letrero solicitando piratas lo leí en Londres, ya estaba buscando el bar "La Mota Negra" en Copenhague, Dinamarca. Me perdí unos momentos en los jardines del Tívoli, pero seguí buscando. De pronto, en una esquina, lo encontré. Una luz mortecina destilada de un solitario farol, apenas rasguñaba la niebla e iluminaba un letrero que anunciaba: "La Mota Negra. Bar & Table Dance. Descuento Especial para Escarabajos y Caballeros Andantes". No sin antes apreciar la alta estima y simpatía que tienen en Europa por los escarabajos y los caballeros andantes...*

—*Será porque no los padecen...* —murmuré apenas.

—*No creas que se me escapa la ironía de tus murmuraciones* —dice Durito—. *Pero en bien de tus lectores, continuaré con mi narración. Ya habrá tiempo de ajustar cuentas con vos. Decía que, después de apreciar la grande inteligencia de los europeos para reconocer y admirar la grandeza que algunas seres poseemos, entré en este bar del barrio de Montmartre, cerca del Sacré–Coeur ...*

Durito guarda silencio un momento, esperando a que yo lo interrumpa diciendo que eso está en el París francés, pero nada digo. Durito asiente con satisfacción y continúa:

—*Ya dentro una neblina morada invadía el ambiente, me senté en una mesa en el rincón más oscuro. No pasó ni un segundo para que un mesero, en perfecto alemán, me dijera:*

"Bienvenido a Berlín Oriental" y, sin decir más, me dejó lo que supuse era la carta o menú, lo abrí y una sola sentencia lo componía: "Piratas en ciernes, segundo piso". Subí por una escalera que estaba justo a mis espaldas. Llegué a un largo pasillo flanqueado por algunas ventanas. Por una de ellas se podían apreciar los canales y los 400 puentes que levantan Amsterdam sobre las 90 islas. A lo lejos se apreciaba la Torre Blanca, que les recuerda a los griegos de Salónica los extremos de la intolerancia. Siempre por el pasillo, más adelante, otra ventana daba vista al curvado copete del Matterhorn suizo. Más allá, se adivinaban las piedras milagrosas del irlandés Castillo de Blarney, que dan a quien las besa el don de la palabra. A mano izquierda, se alzaba el campanario de la Plaza Mayor de Brujas, en Bélgica. Siguiendo el pasillo, antes de llegar a una puerta desvencijada, una ventana miraba hacia a la Piazza dei Miracoli, y alargando un poco la mano se podía tocar el desfallecido inclinarse de la Torre de Pisa.

Sí, ese pasillo se asomaba a media Europa, y no me hubiera sorprendido que en la puerta hubiera un letrero que rezara "Bienvenidos al Tratado de Maastricht". Pero no, la puerta no tenía ni un letrero. Es más, no tenía ni picaporte. Toqué y nada. Empujé la pesada hoja de madera y ésta cedió sin problema. Un lúgubre rechinido acompañó el abrirse de la puerta...

Entré así a un cuarto que se encontraba parcialmente a oscuras. Al fondo, sobre una mesa llena de papeles, un quinqué mal alumbraba la cara de un hombre de edad indefinida, un parche le cubría el ojo diestro y un garfio hacía de mano que le mesaba las lenguas barbas. La mirada del hombre estaba fija en la mesa. No se oía nada y el silencio era tan denso, que se pegaba como polvo en la piel... —Durito se sacude el polvo de su traje de Pirata.

—He ahí un pirata, me dije, y avancé hacia la mesa. El hombre ni se inmutó. Yo tosí un poco, que es como los caballeros educados hacemos para llamar la atención. El pirata no levantó la vista. En lugar de eso, un lorito (que hasta entonces noté sobre su hombro izquierdo) empezó a declamar, con tan notable entonación que hasta don José de Espronceda aplaudiría, esa que dice: "Con diez cañones por banda, viento en popa a toda vela, no corta el mar sino vuela, un velero bergantín".

"Siéntese", dijo, no sé si el hombre o el lorito, pero el pirata o el que yo suponía pirata me extendió un papel sin mediar palabra alguna. Lo leí. No aburriré a tus lectores ni a ti, así que en resumen te digo que se trataba de una solicitud de ingreso a la "Gran Confraternidad de Piratas, Bucaneros y Terrores Marinos, A. C. de C. V. de R. L.". La llené sin dilación, no sin antes subrayar mi condición de escarabajo y caballero andante. Entregué la hoja al hombre y éste la leyó en silencio.

Al terminar, despacio me miró con su único ojo y me dijo: "Lo esperaba Don Durito. Sepa usted que soy el último de los piratas verdaderos que vive en el mundo. Y digo lo de "verdaderos" porque ahora hay infinidad de "piratas" que roban, matan, destruyen y saquean desde los centros financieros y los grandes palacios gubernamentales, sin tocar más agua que la de la tina. Aquí está su misión (me entrega un legajo de pergaminos viejos). Encuentre usted el tesoro y póngalo a buen recaudo. Ahora discúlpeme, pero tengo que morirme". Y al decir esto último, dejó caer la cabeza sobre la mesa. Sí, estaba muerto. El lorito levantó vuelo y se salió por una ventana diciendo: "Paso al exiliado de Mitilene, paso al hijo bastardo de Lesbos, paso al orgullo del mar Egeo. Abrid vuestras 9 puertas temido infierno, que allá va a descansar el grande Barbarroja. Ha encontrado quien le

*siga los pasos y duerme ahora quien hizo del océano apenas
una lágrima. Con* Escudo Negro *navegará ahora el orgullo
de los Piratas verdaderos".* Bajo la ventana se extendía el
puerto sueco de Göteborg y a lo lejos un nyckelharpa llo-
raba...

—¿Y tú qué hiciste? —pregunté, ya metido de lleno en
la historia (aunque un poco mareado por tantos nombres de
sitios y localidades).

—*Sin abrir siquiera el legajo de pergaminos, volví sobre
mis pasos. Recorrí de vuelta el pasillo y bajé al bar-table
dance, abrí la puerta y salí a la noche, justo en el paseo de
Pereda, en Santander, en el Mar Cantábrico. Enderecé hacia
Bilbao, entrando a Euskal Herria. Vi a jóvenes bailar Eurres-
ku y Ezpatadantza al compás del txistu y el tamboril, cerca
de Donostia–San Sebastián. Monté sobre los Pirineos y reto-
mé el río Ebro entre Huesca y Zaragoza. Ahí me las ingenié
para hacerme de una embarcación y seguí hasta la delta en
la que el Mediterráneo recibe al Ebro, en medio del rugido
del Vent de Dalt. A pie remonté a Tarragona y de ahí a Barcelona, pasando por donde se dio la famosa Battla de Mont-
joïc.* —Durito hace una pausa como para tomar impulso.

—*En Barcelona embarqué en un carguero que me llevó
a Palma de Mallorca. Enrumbamos al Sureste, bordeando
Valencia y, más al sur, Alicante. Avistamos Almería y, lejos,
Granada. En la Andalucía toda, un cante flamenco rodaba
palmas, guitarras y tacones. Una zambra gigantesca nos
acompañó hasta que, después de doblar por Algeciras, cru-
zamos Cádiz y en la desembocadura del Guadalquivir, "voces
de muerte sonaron" viniendo de Córdoba y Sevilla. Un cante
jondo llamaba "Duérmete ya, Durito, hijo dilecto del mundo,
deja tu andar sin rumbo, y para tu paso bonito". Todavía
alcanzamos a avistar Huelva, y después nos dirigimos a las
7 islas mayores de las Canarias. Ahí recalamos y junté un*

poco de sabia del árbol que llaman Drago, *buena, dicen, para males de cuerpo y alma. Así fue como me llegué a la Isla de Lanzarote y tuve con don* Pepe *el altercado que ya te referí.*

—*¡Uff! Largo has andado* —digo, cansado por el solo relato del periplo de Durito.

—*¡Y lo que me falta!* —dice él, ufano.

Yo pregunté:

—*Entonces, ¿ya no eres caballero andante?*

—*¡Claro que sí! Lo de pirata es pasajero. Sólo mientras cumplo la misión que me encomendó el difunto* Barbarroja.

Durito se me queda viendo.

Yo pienso: "siempre que Durito se me queda viendo así es porque... porque...".

—*¡No!* —le digo.

—*¿No qué?, si no te he dicho nada* —dice Durito fingiendo sorpresa.

—*No, no me has dicho nada, pero nada bueno significa esa mirada. Lo que sea que me vayas a decir, mi respuesta es "no". Bastante problemas tengo como guerrillero, como para que ahora me meta de bucanero. ¡Y no estoy tan loco como para embarcarme en una lata de sardinas!*

—*"Pirata", y no "bucanero". No es lo mismo, mi querido y narizón grumete. Y no es una lata de sardinas, es una fragata y se llama "Pon tus barbas a remojar"*

Yo obvio el insulto y replico:

—*¿Pon tus barbas a remojar? Mmh, extraño nombre. Pero en fin, "Bucanero" o "Pirata", lo que sea significa problemas.*

—*Como quiera, antes de cualquier cosa, debes cumplir con tu deber* —dice Durito solemne.

—*¿Mi deber?* —pregunto bajando la guardia.

—*Sí, debes comunicar a todo el mundo la buena nueva.*

—¿Cuál "buena nueva"?

—Pues que he regresado. Y no ha de ser uno de esos largos, densos y aburrido comunicados con los que torturas a tus lectores. Es más, para no correr riesgos, aquí traigo redactado el texto —dicho esto, Durito saca de una de sus bolsas, un papel.

Yo leo y vuelvo a leer. Volteo a ver a Durito y empiezo con el "no, no y no" que inicia este relato.

Para no aburrirlos demasiado, les diré que Durito pretendía que yo sacara una carta o comunicado, con la sociedad civil nacional e internacional como destinatarios, anunciándoles que Durito estaba ya de regreso.

Por supuesto que me negué, pues tenía yo que responder la carta que nos mandan quienes participan en la Comisión Civil Internacional de Observación por los Derechos Humanos (CCIDOLDH), solicitando que les otorguemos la misma confianza que les dimos en 1998, que los recibamos y que les demos nuestra palabra, pues vendrán a una nueva visita en fecha próxima.

Va pues:

Ejército Zapatista de Liberación Nacional
México

Octubre de 1999

A la Comunidad Civil Internacional
de Observación por los Derechos Humanos.
Hermanos y hermanas:

A nombre de los niños, mujeres, hombres y ancianos del Ejército Zapatista de Liberación Nacional y de las comunidades indígenas en resistencia, les comunicó que será un honor para nosotros que visiten estas tierras. Tienen nuestra confianza, serán tratados con el respeto que merecen como observadores internacionales y no tendrán, de nuestra parte, ningún impedimento para su labor humanitaria.

Tendremos también mucho gusto en platicar con ustedes. Los esperamos.

Vale. Salud y os recuerdo que acá, además de la dignidad, abunda el lodo.

> Desde la isla "No tiene nombre", perdón...
> Desde las montañas del Sureste mexicano
> Subcomandante Insurgente Marcos
> México, Fragata "Pon tus barbas a remojar"
> Octubre de 1999

Ojo: siguen posdatas:

P.D. Que da su mano a torcer. Resulta que, después de mi reiterada negativa, Durito me convenció ofreciéndome una parte del tesoro. Sí, hemos revisado los pergaminos y viene un mapa del tesoro. Por supuesto que falta que los descifremos, pero la perspectiva de aventura es irresistible.

¿Y el texto de Durito? Después de una ardua negociación, acordamos que vaya como posdata. *Ergo*, sigue la...

P.D. Para la sociedad civil nacional e internacional:

"*Señora:*

"*Es para mí un honor comunicarle la super-duper* (así dice el texto de Durito) *buena nueva, el regalo que hará el regocijo de chicos y grandes. ¡Que tiemblen los grandes centros fi-*

248

nancieros! ¡Que llegue el pánico a los palacios de los grandes y falsos señores! ¡Que festejen los de abajo! ¡Que las más bellas doncellas preparen sus mejores galas y suspiren las primaveras de sus vientres! ¡Que se descubran la cabeza los buenos hombres! ¡Que bailen alegres los infantes! ¡Ha regresado el más grande y mejor de los ~~piratas~~ (tachado en el original), *perdón, de los andantes caballeros que en el mundo han sido! ¡Don Durito de La Lacandona!* (copyrights reserved) (así dice el texto de Durito). *¡Albricias para la humanidad! Nuestro más sincero pésame para el neoliberalismo. Está aquí, ha regresado el grande, que digo 'grande', el gigante, el maravilloso, el superlativo, el hiper–mega–plus, el supercalifragilísticoespialidoso (así dice el texto de Durito), el único, el inigualable, ÉL, ¡Don Durito de La Lancandona! ¡Síííí!* (así dice el texto de Durito)".

Fin del texto de Durito (del cual me deslindo totalmente).

Bueno pues. Ya regresó Durito. (Suspiro). No sé por qué me empezó a doler la cabeza.

Vale. Salud y ¿alguien tiene una aspirina?

El *Subpirata*, guapísimo con su parche
en el ojo derecho (albureros, abstenerse)

Segunda Parte: Los otros de abajo

Para todos los pequeños y diferentes

pronto vendrán los locos del poder
refinados / desleales / un poquito caníbales
dueños de las montañas y los valles
de las inundaciones y los sismos
esos abanderados sin bandera
caritativos y roñosos
traje cartas favores exigencias
para envainar en el buzón de tiempo
Mario Benedetti

Ahora afloja un poco la tormenta. Los grillos aprovechan que escampa y vuelven a aserrar la madrugada. Una gran capucha negra cubre el cielo. Otra lluvia se prepara, aunque abajo los charcos se anuncian ya llenos. La noche anda ahora sus propias palabras y de su costado saca historias aparentemente olvidadas. Esta es la hora de la historia de los de abajo, la hora de los pequeños.

Allá abajo el largo ulular de un caracol llama, sombras le responden en silencio, apretado el hierro y apresurado el negro que les cubre el rostro. Las guardias intercambian santo y seña, y al "¿Quién vive?" la esperanza invariablemente responde "¡La Patria!" Vela la noche el mundo de los olvidados. Para ello ha hecho soldados sus recuerdos y los ha armado de memoria, para que se alivie el dolor de los más pequeños.

Llueva o no, allá abajo sigue la vela de la sombra sin rostro. De seguro sigue escribiendo, o leyendo, pero como quiera fumando esa pipa cada vez más rabona. Bueno, nada hay que hacer acá arriba, así que visitemos de nuevo la casita. Así, si de nuevo llueve, bajo techo estaremos. Aquí llegamos. ¡Vaya! Ahora el desorden está más extendido. Papeles, libros, lapiceros, encendedores viejos. Se afana en escribir la sombra. Llena cuartillas y cuartillas. Vuelve a ellas. Algo les quita, les agrega algo. En la grabadorita un sonido muy otro, como la música de una tierra muy lejana, en una lengua igualmente distante.

"Muy otro", dije. Sí, en la hora de los pequeños tiene también su lugar lo otro, lo diferente. Y en eso debe estar pensando nuestra sombra visitada, porque he alcanzado a leer que "Lo Otro" encabezaba una de las cuartillas.

Pero démosle tiempo que termine o a que defina más el puente entre lo que piensa y siente y esa coqueta escurridiza que es la palabra. Bien, parece que ha acabado. Despacio se levanta y despacio va al rincón que le sirve de lecho. Tenemos suerte, ha dejado la vela en vela. Sí, sobre la mesa han quedado acomodadas algunas hojas. Es en la primera, donde se lee...

Otra carta. Otro silencio roto.
Carta 4b

Para las víctimas de sismos
e inundaciones

La carta que ahora sigue no la escribí yo, la recibí. Dando tumbos en un barquito de papel, un arrollo de agua de lluvia trajo hasta mi champa las hojas mojadas y las húmedas letras.

"8 de octubre de 1999, 04:45 a.m.
Sup:

251

Ahí le va para distribuirlo por sus redes. Aparte de la tragedia natural, lo que más duele es la violencia criminal que, desde las alturas del Poder, llueve sobre una población desesperanzada, mutilada, ignorante, fatigada y llena de dolor. Hagamos algo por los más de 500 mil damnificados. Estas torrenciales lluvias han dejado SIN NADA a niños, ancianos, hombres y mujeres, sobre todo indígenas y campesinos, los condenados de este sistema despiadado y genocida, inmisericorde y demagógico. Les comparto un escrito que me mandó una joven con la que estuve platicando por la mañana de ayer; en él se palpa la cruda realidad que nos golpea:

O, como sucedió en el Pueblo llamado.............. (ponga usted cualquier nombre de cualquier comunidad afectada, la historia es la misma), *a donde llegó Zedillo y el Gobernador*.............. (ponga el nombre de cualquier gobernador, son iguales) *y todo su aparato informativo con muchos camiones de despensas y ayuda, y en cuanto los helicópteros que los transportaban despegaron, también arrancaron llevándose los camiones con despensas, dejando unas cuantas de ellas, lo que nos mueve a algo más que la indignación. A cada pueblo nos informan que no nos dan ayuda porque están ayudando y atendiendo a otros que están más necesitados, no sabiendo que existe comunicación entre todos los pueblos (la comunicación que funciona eficazmente, por lo menos para conocer la situación que viven las Comunidades, es la Banda Civil), y es así como nos enteramos que no hay ayuda eficaz para ningún pueblo (solamente algunos reportan una mínima y escasa ayuda que se consume en cuanto se recibe). En el caso particular de*.............. (nombre de comunidad indígena) *(y parece que es el caso de todos lados), lo único que se necesita es que rehabiliten la carretera, ya las organizaciones civiles se encargarán de que se subsanen desde las necesidades de alimentación hasta las necesidades de vivienda. La concentración del mejor y único medio de comunicación (helicópteros) hace que el gobierno se vuelva soberbio y que piensen que son los únicos que conocen y manejan la situación. Pero la maquinaria gubernamental es insuficiente en la apertura y rehabilitación de caminos; sin embargo, los funcionarios encargados de esa área tampoco recurren a Pueblos y Organizaciones que tienen la capacidad y la disposición para ayudar.*

.... (nombre del estado) necesita dejar de ser el último estado en la injusta e inequitativa distribución de los recursos federales.

En los inicios de su sexenio, Zedillo dijo que en esta entidad se pondría a prueba su política social: reprobó, porque no solamente nunca consiguió otorgarle al estado los recursos necesarios y suficientes para que salgamos de la marginación y el atraso milenarios al que hemos estado sometidos (no está por demás mencionar que el problema principal de.............. (nombre del estado) es el empobrecimiento y que todos los demás son sus efectos) sino además tampoco hizo lo suficiente por vigilar que lo poco que llega se administre bien y, finalmente, en los casos de desastre tampoco se constató una respuesta satisfactoria (aunque en los Medios de Comunicación se hayan adornado y lucido).

La tragedia continúa; al terremoto se agregaron las torrenciales lluvias. Todavía ayer por la noche nuestra/os promotores/as reportaban a través del Radio de Banda Civil una gravísima situación de la que aquí les describo unos pincelazos: En.............. (comunidad indígena), 100 casas destruidas por el TERREMOTO y 80 arrasadas por el río, un helicóptero les llevó un envío mínimo de víveres, hay cerca de 250 niños enfermos: en .... (nombre de municipio) están deshechas las Comunidades de el .... y ....

(nombres de comunidades indígenas), *no les han llevado nada, un helicóptero sólo bajó a saludarlos y se fue; en* .... (comunidad indígena) *solamente llevaron un mínimo apoyo a la comunidad de* .... (comunidad indígena) *(que fue sepultada por un cerro la tercera parte de la Comunidad), mientras que las otras nueve Comunidades siguen incomunicadas, en* .... (municipio) *además de que el 70% de las viviendas quedaron destruidas, el río arrasó milpas, cafetales y cortó carreteras, ya fueron visitados y les llevaron víveres (25 paquetes de maseca, 3 cajas de agua y 12 cajas de aceite). La situación es dramática; no solamente no ha sido superada la emergencia sino que está cada vez peor: hacen falta medicamentos, ropa, cobijas, alimentos no perecederos, láminas... Por eso nos hemos unido cuatro Organizaciones para acopiar recursos y juntar donativos. No nos vamos a dejar. Ya no"*.

Ahí termina la carta. Quiero decir, lo que se puede leer. El resto está emborronado por el agua y con lodo.

Durito, colgado de una mis carrilleras gracias a su garfio, ha seguido atento la lectura.

—*¿Qué te parece?* —le pregunto.

—*No es la criminal irresponsabilidad del gobierno la que sorprende. Cierto que no son culpables de terremotos y lluvias, pero es asqueroso cómo han enfrentado la situación. La desgracia de los de abajo sólo les sirve para aparecer en las primeras planas y en los encabezados de los noticieros electrónicos. Pero no es eso lo que llama la atención, era de esperarse. Lo verdaderamente fuerte y grandioso es ese "No nos vamos a dejar. Ya no"*.

—*Sí* —le digo—, *como que otro silencio se ha roto.*

—*Habrá más...* —dice Durito descolgándose hasta mi bota.

Vale. Salud y de acuerdo, "ya no".

El *Sup* callando con respeto

Tercera Parte: Los otros indocumentados

Para las y los *cafés* en Estados Unidos

somos los emigrantes los pálidos anónimos
con la impía y carnal centuria a cuestas
donde amontonaremos el legado
de las preguntas y perplejidades.
Mario Benedetti

Cuenta Durito que, cruzada la línea fronteriza, una oleada de terror te golpea y persigue. No es sólo la amenaza de la *migra* y los *kukuxklanes*. Es también el racismo que llena todos y cada uno de los rincones de la realidad del país de las barras y las turbias estrellas. En las plantaciones, en la calle, en los comercios, en la escuela, en los centros culturales, en la televisión y las publicaciones, hasta en los baños, todo te persigue para que reniegues de tu color, que es la mejor forma de renegar de cultura, tierra, historia, es decir, rendir la dignidad que, siendo otros, andan en el color café de los latinos en Norteamérica.

"Esos *brownies*", dicen los que esconden detrás de la tipificación de seres humanos, de acuerdo al color de su piel, el crimen de un sistema que tipifica de acuerdo a la capacidad de compra, siempre directamente proporcional al precio de venta (mientras más te vendas, más podrás comprar). Si los *cafecitos* sobreviven a la campaña de blanqueadores y detergentes del Poder en la Unión Americana, ha sido porque la comunidad latina "café" (no sólo mexicana, pero también mexicana, y puertorriqueña, y salvadoreña, y hondureña, y nicaragüense, y guatemalteca, y panameña, y cubana, y dominicana, por mencionar algunas de las tonalidades en las que el color café latinoamericano pinta Norteamérica) ha sabido construir una red de resistencia sin nombre y sin organización hegemónica o producto que la patrocine. Sin dejar de ser "los otros" en una nación blanca, los latinos levantan una de las historias más heroicas y desconocidas de este agonizante siglo xx: la de su color dolido y trabajado hasta hacerlo esperanza. Esperanza en que el café sea un color más en el arcoiris de las razas del mundo, y ya no sea más el color de la humillación, el desprecio y el olvido.

Y no sólo lo "café" padece y es perseguido. Cuenta Durito que, a su condición de mexicano, hay que agregar el color negro de su caparazón. Era así "café y negro" este valiente escarabajo, y fue perseguido por partida doble. Y por partida doble ayudado y apoyado, pues lo mejor de la comunidad latina y negra de Estados Unidos lo protegió. Pudo así recorrer las principales ciudades norteamericanas, que así llaman también a estas pesadillas urbanas. No caminó la ruta del turismo, el *glamour* y las marquesinas. Anduvo Durito los caminos de abajo, donde negros y latinos construyen las resistencias que les permiten ser sin dejar de ser otros. Pero, Durito dice, eso es historia para otras páginas.

Ahora Durito *Black Shield* o Durito *Escudo Negro* (si usted no está globalizado) se ha empeñado en que es importante que anuncie yo, con bombo y platillo, su nuevo libro, al que ha llamado *Cuentos de Vela en Vela*. Ahora me ha entregado un cuento que, dice, escribió recordando esos días cuando anduvo de *wetback* o *mojado* en Estados Unidos.

"El Arriba y el Abajo es relativo...
relativo a la lucha
que se haga por subvertirlo"

Carta 4c
(va incluida en el cuento)

—Es un título muy largo —le digo a Durito.

—No te quejes por el cuento o nada de tesoro —amenaza Durito con su garfio. Va pues.

"Había una vez un suelito que muy triste se estaba porque todos le pasaban encima y todo estaba arriba suyo. '¿Por qué te quejas?', le preguntaban los otros suelos. ¿Qué otra cosa podría pasarle a un suelo? Y el suelito callaba que su sueño era volar ligero y enamorar aquella nubecita que, de tanto en tanto, se asomaba, y que no le hacía caso. Más y más triste se puso el suelito, y tanto era su dolor que empezó a llorar. Y lloró y lloró y lloró y lloró..."

—¿Cuántas veces vas a poner "y lloró"? Con dos o tres bastan —interrumpo a Durito.

—Al grande Durito *Escudo Negro* nadie lo va a censurar, mucho menos un grumete narizón y, para colmo, agripado —me amenaza Durito al mismo tiempo que señala la terrible plancha sobre la que los desgraciados caminan rumbo a la panza de los tiburones. Yo cedo en silencio. No porque le tema a los tiburones, sino porque un chapuzón sería letal para mi perenne gripa. Sigo pues el cuento...

"Y lloró y lloró y lloró. Tanto lloró el suelito que todo y todos se resbalaban si encima de él se estaban o caminaban.

Y nadie ni nada tenía ya encima. Y tanto lloró el suelito que muy delgado y ligero se fue poniendo. Y como ya no tenía nadie ni nada encima, empezó a flotar el suelito y alto voló. Y se salió con la suya y cielo le llaman ahora. Y la nube en cuestión se hizo lluvia y ahora está en el suelo y le escribe cartas inútiles diciéndole 'cielito lindo'. Moraleja: No desprecies lo que tienes abajo porque el día menos pensado te puede caer en la cabeza. Y tan-tán".

—¿Tan–tan? ¿Se acabó el cuento? —pregunto inútilmente.

Durito ya no me escucha. Recordando sus viejos tiempos, cuando trabajaba de mariachi en el East End de Los Ángeles, California, se ha colocado un sombrero de charro y entona, desafinado, ésa que dice *"Ay, ay, ay, ay, canta y no llores, porque cantando se alegran, cielito lindo, los corazones"* Y después un grito destemplado de *¡Ay Jalisco, no te rajes!*

Vale. Salud y creo que tardaremos en zarpar: Durito se ha empeñado en hacerle modificaciones a la lata de sardi..., perdón, a la fragata, para que parezca de *low raider*.

El *Sup* Orale Essse

P.D. *De wacha bato.* ¿Alguien puede ayudar? Durito se ha empeñado en que el menú de a bordo incluya *chilli hot dogs* y burritos. ¡Ah, qué carnal éssse!

La verdadera historia de Mary Read
y Anne Bonny
Cuarta parte: lo otro...

Para lesbianas, homosexuales, transgenéricos
y travestis, con admiración y respeto

So they loved as love in twaine,
Had the essence but in one,
Two distincts, Division none,
Number there in love was slaine.
("Así se amaron, siendo en amor dos
Mas teniendo la esencia sólo en uno;
Distintos dos, sin división alguna;
Enamorada cifra allí fue muerta.")
Tórtolo y Fénix. William Shakespeare

Revisando los pergaminos, encontré una historia que Durito me pide que incluya en su nuevo libro *Cuentos de Vela en Vela*. Se trata de una carta de remitente desconocido (la firma es ilegible). El destinatario es también un enigma, aunque es nombrado claramente, no es claro si es un él o una ella. Mejor que la veáis vosotros mismos. A fe mía que la indefinición entre masculino o femenino se explica por sí sola en la epístola. La fecha está emborronada y acá carecemos de la tecnología para averiguar cuándo fue escrita. Pero también me parece que igual pudo haber sido escrita hace siglos o hace semanas. Ya me entenderéis. Sale pues.

Carta 4d

"Tú:

Cuentan las historias de piratas que hubo dos mujeres, Mary Read y Anne Bonny, que se disfrazaron de hombres y como tales surcaron los mares en compañía de otros bucaneros, rindiendo plazas y embarcaciones, enarbolando el pendón de la calavera y las tibias cruzadas. Corría el año de 1720 e historias distintas llevaron a una y a otra a vivir y luchar el accidentado navegar de esos tiempos. En un barco pirata, comandado por el capitán John Rackam, se encontraron. Cuentan que, pensando una que la otra era hombre, floreció el amor y, al saber la verdad, todo volvió a la normalidad y cada cual para su lado.

No fue así. Esta que te escribo es la verdadera historia de Mary Read y Anne Bonny. Confiada fue a la otra historia, la que no aparecerá en libros porque éstos aún se empeñan en hilar sólo la normalidad y sensatez del que todo tiene, y la normalidad de 'otro' no va más allá del silencio reprobatorio, la condena o el olvido. Esta es parte de la historia que camina los puentes subterráneos que los 'otros' tienden para ser y saberse.

La de Mary Read y Anne Bonny es una historia de amor y, como tal, tiene partes visibles, pero lo más grande siempre está oculto, en lo profundo. En la parte visible está un barco (una balandra para más señas), y un pirata, el capitán John Rackam. Ambos, barco y pirata, fueron protectores y cómplices de este amor tan 'otro' y 'diferente', que la historia de arriba hubo de maquillar para ser escuchada por las generaciones posteriores.

Mary Read y Anne Bonny se amaron sabiendo que compartían también la misma esencia. Algunas historias refieren que eran mujeres las dos, que vestidas de hombre se encontraron sabiendo que eran mujeres y, como tales se amaron bajo la cariñosa mirada de Lesbos. Otros dicen que las dos eran varones que escondían, detrás de las ropas de pirata, la atracción que hacia el mismo sexo tenían, y que ocultaron su amor homosexual y sus apasionados encuentros detrás de la complicada historia de mujeres piratas disfrazadas de hombres.

En un caso o en otro, sus cuerpos se encontraron en el espejo que descubre lo que por obvio, es olvidado, esos rincones de la piel que contienen nudos que, al desatarse, alientan suspiros y tormentas; rincones que a veces sólo los iguales conocen. Con labios, piel y manos levantaron los puentes que unieron los iguales haciéndose diferentes. Sí, en uno u otro caso, Mary Read y Anne Bonny eran travestis que, en la mascarada, se descubrían y encontraban. En ambos casos, siendo iguales se develaban diferentes y el dos perdía toda división y se convertía en uno. A la originalidad de su ser piratas, Mary Read y Anne Bonny sumaron la de su amor anormal y maravilloso.

Homosexuales o lesbianas, travestis siempre, Mary y Anne superaron en valentía y arrojo a quienes la normalidad ponía cadenas. Mientras los varones se rendían sin presentar resistencia, Mary y Anne pelearon hasta lo último antes de caer prisioneras.

Fueron así consecuentes con lo que dijo Mary Read. Ante la pregunta de si no temía morir: Ella contestó que en cuanto a morir en la horca no lo consideraba demasiado rudo, porque si no fuera por eso todos los cobardes se harían piratas e infestarían los mares a tal extremo que los hombres de valor se morirían de hambre: que si se dejase a los piratas elegir castigo, no tendrían otro que la muerte, porque su miedo a ella mantendría honrados a algunos ladrones cobardes; que muchos de los que ahora estafan a viudas y huérfanos y oprimen a sus vecinos pobres que no tienen dinero para obtener justicia saldrían a la mar a robar, con lo que el océano estaría lleno de ladrones como lo está la tierra (...) (*Historia general de los robos y asesinatos de los más famosos piratas*, Daniel Defoe, traducción de Francisco Torres Oliver).

¿Homosexuales o lesbianas? No lo sé, la verdad se la llevaron John Rackam, a la tumba cuando fue ahorcado en Port Royal (el 17 de noviembre de 1720), y la balandra que les sirvió de lecho y cómplice, al naufragio que la partió. Como quiera, fue su amor muy otro y grande por diferente. Porque resulta que el amor sigue caminos propios y es, siempre, un trasgresor de la ley...

Cumplo con relatarte la historia.

Adiós".

(Sigue una firma ilegible).

Ahí termina la historia... ¿o sigue?

Dice Durito que los diferentes en preferencia sexual son doblemente "otros", pues son "otros" dentro de los que de por sí son otros.

Yo, un poco mareado por tanto "otro", le pregunto:

—¿No puedes explicar más eso?

—Sí —dice Durito. Cuando luchamos por cambiar las cosas, muchas veces olvidamos que eso incluye cambiarnos a nosotros mismos.

Arriba la madrugada hacía por cambiarse y hacerse "otra" y diferente. La lluvia seguía, también la lucha...

Vale de (setenta y) nueve. Salud, y no le digan a nadie, pero no he podido averiguar cómo diablos voy a caber en la lata de sardinas (suspiro).

El *Sup*, achicando el agua de la fragata porque, como ya se imaginan, empezó a llover de nuevo y Durito dice que achicar el agua es uno de los "privilegios"

X parte: los otros estudiantes

A las jóvenes universitarias en huelga

El dolor nos agarra, hermanos hombres,
por detrás, de perfil,
y nos aloca en los cinemas,
nos clava en los gramófonos,
nos desclava en los lechos, cae perpendicularmente
a nuestros boletos, a nuestras cartas...
César Vallejo

Toda la noche lloviendo. Llega la madrugada y la lluvia aún ahí, lavando caminos, cerros, milpas, potreros, champas. Hay como un palpitar de gotas apresurado y sin orden alguno, cayendo en techos, en árboles, en charcos ya llenos y, finalmente, en el suelo. Porque así anda la hora de los pequeños, desordenada, ansiosa, multiplicada.

Allá abajo... Habrá que esperar para saber qué pasa allá abajo, porque ahora no se puede dar un paso sin que el lodo te seduzca y acabes besándolo con todo el cuerpo. Sí, es algo complicado el definir así una caída, pero llueve tanto que hay tiempo para eso y más. Una caída... Hay veces que uno cae y hay veces que a uno lo caen. Quiero decir, hay de caídas a caídas. ¿Qué? ¿Sí? ¿Ya aminora la lluvia? Sí, pero el lodo no. Bueno, vamos, pero despacio. Está oscuro. Tal vez no haya nadie o tal vez al fin se durmió la sombra de nuestra atención. ¿Nos asomamos? ¿Tiene usted una lámpara? Bien. Mmh. No, no hay nadie.

El desorden sobre la mesa es el de costumbre. Pero ahora hay una hoja distinta sobre ella. A un lado un ejemplar del periódico *La Jornada*, fecha del 15 de octubre de 1999. Las ocho columnas declaran: "Granaderos y paristas chocan en el Periférico". Media plana la ocupa una foto. ¿Qué? ¿Quiere usted que se la describa? Bueno, acerque más la luz... Así... Bien. Es en blanco y negro. En el primer plano hay una muchacha tirada en la calle, con la cara ensangrentada. Junto a ella, alguien recibe las patadas de tres granaderos (dos en primer plano y un tercero, entre estos dos, semioculto por el escudo y usando su mano derecha para apoyarse en la patada que da).

El pie aporta más datos: la foto es de Rosaura Pozos, la muchacha en el suelo se llama Alejandra Pineda, y quien se encuentra a su lado bajo las botas de los granaderos es su hermano, Argel Pineda, uno de los representantes al Consejo General de Huelga; la escena es en Periférico Sur. En la foto, el resto de los granaderos (cuando menos seis más, si se observa con atención el número de cascos) mira hacia la derecha de la fotografía, sólo el último en cuadro voltea hacia la pareja de estudiantes, dudando entre seguir adelante o sumarse a los que tunden al joven en el suelo.

¿Más detalles? Bueno, al fondo de la acción de los golpes contra Argel y Alejandra se distinguen perfectamente cinco hombres. Tres de ellos apuntan sus lentes (dos traen cámaras fotográficas y uno una cámara de video) hacia la derecha de la foto. Otros dos miran hacia la escena de las patadas, uno de ellos de camisa a cuadros se rasca la oreja o se lleva algo al oído, el otro simplemente mira. Más atrás, en tercer plano, se distinguen apenas dos vehículos: un automóvil cuyo conductor es tapado por las piernas del hombre que sólo mira, y la cabina de otro vehículo (probablemente una camioneta) cuyo chofer mira hacia su frente, es decir, hacia a la izquierda de la foto. En cuarto plano, a la derecha, tres "espectaculares", cuyos textos no se alcanzan a leer (el de la extrema derecha parece anunciar un programa noticioso). En el mismo plano, a la izquierda, hay algo que parece una torre, de esas que llevan reflectores o espectaculares en su parte más alta.

Bueno, pues creo que eso es todo. ¿Diga? ¿La hoja escrita? ¿Qué dice? Sí, le leo...

Carta a una foto
Carta 4x

Doña Foto:

Usted disculpará, pero no la pude ver hasta la madrugada del día 17 de octubre.

No, no crea que se lo reprocho. Entiendo que, con tanta lluvia, se haya usted retrasado. Además, el peso que usted lleva no es nada ligero.

¿Sabe?, cuando la vi a usted sentí un dolor aquí. Si, yo ya sabía que hay fotos que duelen, sólo quería que supiera que usted es una de ésas.

Si vamos de la mano del reportero (Roberto Garduño), tenemos más elementos para leerla a usted. La muchacha, Alejandra Pineda, es estudiante de la Preparatoria 5, y su hermano, Argel, lo es de la Facultad de Ciencias Políticas y Sociales, ambas de la UNAM. Después de la foto (así suponemos por la narración), es decir, después de los golpes de los granaderos, Argel trata de ayudar y calmar a Alejandra, quien preguntaba por sus compañeros: "¿Cómo están? ¿No les pegaron a más? A mí me duele mucho la cabeza, no queremos más represión, queremos educación gratuita". (*La Jornada*, 15 de octubre de 1999, p. 66).

Según este reportero, y algunos testimonios recogidos por el mismo periódico, los estudiantes se estaban retirando ya hacia Ciudad Universitaria cuando fueron atacados por los granaderos.

Lo que usted habla con su imagen, y lo que describen las crónicas, reportajes y testimonios, me dicen algunas cosas. Pero ¿sabe usted?, hay otros cuestionamientos que no responden ni su imagen ni las páginas interiores. Entonces yo quisiera que usted, señora Foto, me permitiera hacerle algunas preguntas. ¿Vale?

1.- ¿Cuántos años tenía Alejandra antes de la golpiza? ¿17, 18? ¿Y Argel? ¿Cuántos años tienen ahora?

2.- Si no me engaña la vista, ¿Los granaderos están golpeando a Alejandra y a Argel en la lateral del Periférico y no en los carriles centrales (que son los que iban a "desalojar")?

3.- Los granaderos que miran hacia la derecha de la foto, ¿Están mirando hacia allá para no ver lo que hacen sus compañeros? ¿O están protegiendo a los 3 que golpean a Alejandra y Argel, para evitar que alguien llegue a rescatarlos? ¿Allá adelante (a la derecha de la foto) se desarrolla otra golpiza? ¿Se retiran los estudiantes?

4.- El gobierno del D.F., ¿golpea a Alejandra por el delito de ser hermana de Argel? ¿Golpea a Argel por el delito de llegar a socorrer a Alejandra? ¿Golpea a ambos por el delito de ser *ultras*? ¿Los golpea porque los autos demandan libre tránsito? ¿Los golpea por el silencio que proliferó allá arriba después del 4 de agosto? ¿Los golpea porque así lo mandan las encuestas? ¿Los golpea para concitar el aplauso de Televisa y TV Azteca? ¿Los golpea por jóvenes? ¿Los golpea por estudiantes? ¿Los golpea por universitarios? ¿Los golpea porque así se demuestra que se es firme para gobernar? Perdone usted, señora Foto, pero no entiendo, ¿Por qué golpean a Alejandra y Argel?

5.- Las mujeres que felicitaron a Rosario Robles por haber llegado a Jefa de Gobierno del D.F., ¿también la felicitaron por mandar golpear a Alejandra? Ellas, ¿le mandaron a Alejandra una palabra amable? ¿Callaron? ¿O se dijeron a sí mismas "se lo merece por revoltosa"? ¿Qué? Sí, perdón, eso no tiene por qué saberlo usted...

6.- Usted, señora Foto, presenta a cuando menos tres granaderos pegándole al estudiante. ¿Por qué son sólo dos los poiicías consignados?

7.- Esa macana que el granadero de la extrema derecha lleva, ¿es una exhortación al diálogo? ¿Una muestra de que el gobierno actual del D.F. es "diferente" a los anteriores? ¿O es sólo la medida de la distancia que separa las palabras de los hechos?

8.- ¿Con quién habla el hombre de la camisa a cuadros, si es que es un teléfono celular lo que se lleva a su oído izquierdo?

9.- El conductor del carro que circula más atrás, y que no es visible en la foto, ¿aplaudiría la golpiza que los policías le dan a Alejandra y Argel?

10.- ¿Qué es lo que Alejandra tiene bajo su cuerpo, quiero decir, además de la sangre? ¿Una manta? ¿Un suéter? ¿Un paño? ¿Una chamarra?

11.- El conductor de más al fondo, que circula viendo hacia su frente, ¿nos invita a hacer lo mismo? ¿A pasar de frente a la foto de Alejandra ensangrentada y Argel caído sin mirarlos, sin mirarla?

12.- En la página 69 del periódico en el que usted es primera plana, hay otra foto (también de Rosaura Pozos, con el pie: "Escena previa al desalojo policiaco en Periférico Sur"). En ella se ve, en primer plano, a un joven, camisa a cuadros, de rodillas frente a una línea de granaderos. El joven tiene su mochilita frente a las rodillas y le muestra a los granaderos un libro. En los escudos de los policías se puede leer claramente: "Seguridad Pública, Granaderos. Distrito Federal". En segundo plano, una mujer con sombrero. Más atrás un camarógrafo. Al fondo, árboles, y edificios.

Van preguntas...

12a.- ¿Cuál es el título del libro que el joven muestra a los granaderos?

12b.- ¿Les dice algo a los granaderos el joven de rodillas?

12c.- ¿No era el punto 3 del pliego petitorio del Consejo Nacional de Huelga en el movimiento de 1968 (cito textualmente): "Extinción del Cuerpo de Granaderos, instrumento directo de la represión, y no creación de cuerpos semejantes" (*Parte de Guerra*, Julio Scherer García y Carlos Monsiváis, p. 161)?

12d.- ¿Es constitucional la existencia y operación del Cuerpo de Granaderos?

¿Qué dice usted? ¿Qué eso se lo pregunte a la otra foto? Bueno, tiene usted razón.

Permítame unas últimas preguntas:

¿Se acuerda usted que el motivo de la marcha de los estudiantes era protestar por el manejo informativo que TV Azteca y Televisa daban al conflicto universitario?

Si usted, señora Foto, no hubiera hablado, ¿nos hubiéramos quedado sólo con la versión que los medios electrónicos y el gobierno del D.F. dieron la noche del 14 de octubre de 1999, en la cual los estudiantes eran los agresores, la policía que habría intervenido era sólo la femenil, y sólo una estudiante estaba lesionada ("nada grave") por "un vehículo que la arrolló"? ¿Teníamos derecho a esperar que un gobierno encabezado por el PRD actuaría diferente?

¿Debíamos quedarnos callados y no preguntar nada?

Sabe qué, señora foto, usted le da la razón a la *Carta 3 bis*. Pero viera cuánto hubiera deseado que no le diera la razón a esa carta, sino a quienes, frente a un espejo vano, se precian de ser "orgullosos funcionarios de un gobierno democrático como el del D.F.".

¿Y sabe qué?, cada que la veo a usted, señora Foto, no sé por qué, pero me entran unas ganas irresistibles de tomar una piedra y arrojarla lejos y romper para siempre ese silencio que allá arriba, cómplice, se calla.

¿Qué? Sí, vaya usted, señora Foto, siga su camino y siga preguntando. Tan incómoda usted, señora Foto, tan preguntona.

Vale. Salud, y yo creo que lo que tiene Alejandra bajo su cuerpo es una bandera. Y además creo que se levantó junto con ella.

El *Sup* acumulando preguntas como si de lluvia se tratara

La P.D. toma la Cámara... de video

Octubre de 1999

P.D. Bis a la Carta 3 Bis. En la pantalla la Ciudad Universitaria. Las dos figuras caminan por el estacionamiento de la

Biblioteca Central. Inicia el diálogo. La escena cambia a un largo *traveling shot* que va desde el plantón indígena frente al reforzado cuartel militar en Amador Hernández, sigue el vuelo rasante de tres helicópteros verde olivo sobre La Realidad, y continúa por toda la Carretera Panamericana. Se suceden imágenes de la catástrofe que inundaciones y terremoto han dejado en las tierras indias del país. Las voces pasan a *off*, por lo que el espectador deberá ser ayudado con letreros a conveniencia de modo que pueda saber cuándo habla cada uno de los susodichos. En el audio se escucha:

—*De todos los que conozco, usted es el más cronco* —dice el *Monsi*.

—*Usted el más petiforro* —dice el *Sup*. *Me llama cronco a mí, pero se ve que nunca se ha huesnado la cara en un espejo.*

—*Lo que usted busca es pelearme,* doc —dice el *Monsi*.

Los dos se huesnan con una mulga tremenda. Entonces el *Sup* saca una tiza y dibuja un zote en el piso.

—*Usted es el más cronco* —dice el *Monsi*.

—*Y usted el más petiforro* —dice el *Sup*.

El *Monsi* tora el zote con la suela del zapato. Parece como si estuviera a punto de amafarse.

—*Usted es el más cronco* —dice el *Monsi*.

—*Y usted el más petiforro* —dice el *Sup*.

—*Lo que usted busca es pelearme* —dice el *Monsi*.

—*Usted me toró el zote* —dice el *Sup*.

—*Yo se lo toré porque usted me motó de petiforro.*

—*Y lo moto de nuevo, si vamos a eso.*

—*Porque usted es un cronco* —dice el *Monsi*.

—*Un cronco es mucho más que un petiforro* —dice el *Sup*.

(Variación sobre un texto de Julio Cortázar.
62. Modelo para Armar)

—¿Y ora?

—Parece que nos hemos quedado solos en este debate. Si estuviéramos en el CGH ya podríamos pasar a votar "acciones contundentes".

—Monsi, no es el momento de andar con ironías.

—No es una ironía, es una moción, ya que estamos en la onda de "asamblea popular prolongada"...

—Monsi...

—Bueno, qué pues.

—La mesa propone que se pase a discutir el punto referente a...

—¡Un momento! ¿Se puede saber quién te nombró "mesa"?

—Nadie en particular, la tomé por asalto. Aunque, claro, si lo prefieres, podemos abrir una ronda de intervenciones sobre el tema.

—No, me rindo, sólo te suplico que no vayas a poner alambre de púas. Prometo solemnemente no intentar tomar a golpes la palabra.

—Me regocija tu actitud. Bueno, estábamos por votar si se discute o no la votación para abrir la ronda de intervenciones para argumentar la votación sobre el tiempo de intervención de los oradores en lo referente a la orden del día...

—¡Moción!

—Sí compañero, ¿su moción es de orden, de procedimiento o de qué?

—Es aclaratoria.

—Proceda.

—Pregunto, ¿qué rayos estoy haciendo yo en un diálogo imaginario contigo?

—Moción denegada. No es un diálogo imaginario, sino de realismo mágico.

—*Mociono la denegación a mi moción. Tampoco es realismo mágico.*

—*Bueno, la mesa propone que se abra el debate sobre el realismo mágico y lo imaginario.*

—*Moción de procedimiento. Primero la respuesta.*

—*Mira* Monsi, *te puse en este diálogo imaginario o mágico-realista por varias razones. Una es porque en tu texto del 19 de octubre de 1999 en* La Jornada, *al que llamaste "De la búsqueda belicosa del* Nada", *no me dejaste mucha tela de dónde cortar para continuar el debate.* Ergo, *estoy haciendo uso de un subterfugio si no muy legítimo que digamos, cuando menos simpático. Así podré retomar el debate en otro terreno...*

—*¿Simpático?*

—*Sí, no negarás que al ponernos en los papeles del* Calac *y el* Polanco *del* Cortázar de 62. Modelo para Armar, *subrayo la natural simpatía que ambos poseemos.*

—*Dudo que muchos suscriban eso.*

—*Lo suscribimos tú y yo, lo que en el caso de esta "asamblea" se puede definir como "apabullante unanimidad"; pero volviendo a tu pregunta, estoy remarcando el hecho de que se puede discutir, debatir, confrontar ideas, sin que eso signifique abandonar el humor, la ironía, el* charming, *ya que estamos en la onda globalizadora, y todo eso que causa el regocijo de chicos y grandes. En segundo lugar, te pongo a ti porque me parece que vos has comprendido que la finalidad de un debate de ideas no es ver quién gana, sino el generar más ideas y más argumentos para las distintas posiciones, es decir, para obligar y obligarnos a pensar. En tercer lugar, porque si ya apareciste en las tiras cómicas de* Jis y Trino, *no veo por qué habrías de quejarte de salir en uno de mis diálogos imaginarios.*

—*Supongamos, sin conceder, que mi finalidad en este debate no es derrotarte, ¿qué garantías tengo de que no me pondrás a decir cosas que no he dicho y acomodarás los parlamentos de modo que tú quedes como un brillante expositor y yo como un opaco papanatas?*

—*Me ofende usted. ¿Qué le hace pensar que yo sería capaz de semejante cosa?*

—*Que usted es un cronco.*

—*Y usted es un petiforro.*

—*No sigamos con eso.*

—*¿Por qué no? Se supone que uno de los objetivos de esta asamblea es batir el récord del* CGH *y hacer una que dure, lo menos 777 horas, excluyendo los recesos para mentadas, golpes e idas al baño.*

—*¿Y cuántos días son 777 horas?*

—*Algo así como 32 días y pelos.*

—*Imposible, tengo que hacer* Por mi madre, bohemios, *artículos para periódicos y revistas, asistir a la presentación de 17 libros distintos, darle de comer al gato...*

—*Pero ¿no decía el Gironella que estabas clonado?*

—*¡Bah! Pura propaganda. Mejor negociemos.*

—*La palabra "transigir" no está en el vocabulario de esta asamblea.*

—*¿Tan pronto ya hay* ultras*?*

—*Era una broma, ¿qué pasó con tu sentido del humor?*

—*Se agotó en el primer punto de la orden del día...*

—*Bueno, que sean 77 horas. Son tres días y algunas orejas. Creo que con eso batimos el récord del* CGH, *aunque dudo que lo mantengamos por mucho tiempo.*

—*Moción de resignación.*

—*Aceptada. Proceda con el argumento sobre los afectados por la huelga.*

—*"Al neoliberalismo la huelga no lo perjudica. Más bien le confirma a un sector amplio su idea de la izquierda y de los extremistas. A ojos vistas, la derecha no se debilita con el paro; pierden, y considerablemente, la* UNAM, *la izquierda partidista y el gobierno de Ernesto Zedillo, pero a la derecha le llega gratis un regalo; el elogio por contraste de sus instituciones de enseñanza superior, no muy descollantes hasta el momento, dicho sea de paso".* (De la búsqueda belicosa del "Nada". Carlos Monsiváis. *La Jornada*. 19 de octubre de 1999.)

—*Pero, Monsi, a la mayoría de la población el elogio de las instituciones de enseñanza superior de la derecha la deja impasible. ¿De qué sirven las alabanzas a universidades que ya están muy lejos de cualquier presupuesto de clase media? Es como el elogio a las cualidades de un Mercedes Benz o un Ferrari. Por cierto, ¿recuerdas eso de que la masturbación es como tener un Ferrari y andar en pura primera? ¡Quién diría que la jerarquía católica se permite el albur público!*

—*Es que la campaña de los precandidatos ha contagiado todo allá arriba. Volviendo al tema, no te hagas pato. Tú sabes que me estoy refiriendo a que la huelga cuestiona la excelencia académica en la* UNAM *y, por contraste, exalta la supuesta superioridad de las universidades privadas. La imagen de una universidad donde sus miembros recurren a los golpes, los alambres de púas y el exorcismo sexista de "puto, puto" como argumentos de debate, no es real, y sin embargo esta imagen es la que permea ahora a la opinión pública. ¿Qué tienes que decir a esto?*

—*¿Cuá–cuá?*

—*Muy gracioso.*

—*Gracias, favor que me haces. Digo que hay un brinco: esta imagen de la* UNAM *es la que está en los medios de comunicación electrónica. De ahí a que permea a la opinión pública hay un salto, supone que estos medios de comunicación tienen legitimidad, credibilidad. A menos que "opinión pública" y "medios de comunicación" sean ya un equivalente, tesis que no me parece desproporcionada. Pero supongamos, sin conceder, que son ya lo mismo. Vos debés reconocer que hay un poco de... de... déjame buscar alguna palabra que no ofenda o lastime al respetable...*

—¿Un sinónimo de...?

—"Histeria", pero no es un sinónimo lo que busco, sino algo que defina ese ambiente que hay en la prensa para detectar y resaltar los absurdos de un movimiento que, como todos los movimientos, no carece de ellos.

—Explícate. O bueno, no hay que ser presuntuosos: trata de explicarte.

—¿Ya nos llevamos tan feo? Bueno, obviaré tu agresión. Te voy a poner algunos ejemplos. Cuando la marcha del 14 de octubre, donde los estudiantes protestaban por el manejo informativo de TV Azteca y Televisa, en una estación de radio del D.F. se manejó que un niño había muerto por falta de atención médica, el bloqueo del Periférico le había impedido llegar a tiempo al hospital. Resultó que era falso, pero durante horas el locutor se encargó de inflamar los sentimientos humanitarios de los radioescuchas y agregó, sin hacerlo explícito, el calificativo de "asesinos" al largo caudal que ya llevan encima los huelguistas. ¿Otro ejemplo? En La Jornada, *en las crónicas sobre las sesiones del CGH, se consigna que un estudiante propuso el veto a este diario y a uno de sus reporteros (Roberto Garduño). Por un complicado malabarismo, se dio por un hecho que el CGH asumía este veto. Esto provocó que el* Sindicato de La Jornada *(Sitrajor) mandara un extrañamiento al CGH por este veto y que, a su vez, el CGH respondiera con otro extrañamiento, pues no había tomado ningún resolutivo en ese sentido. Un imbécil propuso que, cuando tomaran la DGSCA (o algo así, pero es donde está la computadora grande), se cerrara primero que*

nada el servidor que usa La Jornada. *Entonces surgieron voces para reclamarle al* CGH *esta intención, aunque era claro que no era intención del* CGH, *sino lo que uno había dicho.*

—*Y sin embargo, nadie en el* CGH *se tomó la molestia de contradecir esas dos intervenciones que mencionas o intervino para deslindarse.*

—*De acuerdo. Pero estoy en el tema del ambiente que hay en los medios en contra del movimiento. Porque hay una serie de saltos: una actitud o intervención de un miembro de una de las corrientes radicales, se toma como del* CGH *en su conjunto, como del movimiento en su conjunto, como de la* UNAM *en su conjunto, como de la izquierda radical en su conjunto, como de la izquierda a secas en su conjunto. A mi manera de ver, alguien debe empezar por imponer la serenidad, la reflexión y el análisis, y me equivoco o eso les toca, en parte, a los líderes de opinión progresistas y a los medios.*

—*Y a los estudiantes...*

—*De acuerdo. Pero alguien tiene que empezar. Y es a quienes han hecho de las ideas su profesión, que les toca empezar.*

—*Estás pontificando, pero suponiendo que tuvieras razón, ¿qué es lo que les toca empezar?*

—*El tratar de entender el movimiento como lo que es, como un movimiento social. Es decir, hay corrientes radicales o* ultras *y corrientes* moderadas, *que responden a líneas de organizaciones políticas y/o sociales, sí, pero también hay estudiantes que no pertenecen a estas corrientes y están en el movimiento y lo sostienen. Algunos están en el* CGH, *la mayoría en las escuelas y en las brigadas.*

—"*Por supuesto, hay en el* CGH *jóvenes generosos, convencidos de la lucha contra la privatización de la enseñanza. ¿Pero hasta qué punto han decidido el rumbo del movi-*

miento? ¿Y cuál es su papel en el diálogo? Según creo, la voz más persuasiva del movimiento se da por vía indirecta, y es la terquedad represiva y la grave inconsecuencia de las autoridades, reacias a considerar interlocutor al CGH *y a entender sus razones"* (ibídem).

—*¡Bingo!*

—*¿A qué ese "bingo"?*

—*A eso que dices que hay jóvenes generosos en el* CGH, *convencidos de la lucha contra la privatización. Permíteme dejar pendientes las dos preguntas que haces y vamos a esto: este movimiento estudiantil tiene como motor el fin que persigue. La educación gratuita no es una consigna, es decir, no sólo una consigna, no es sólo una bandera. No, la educación gratuita es una causa para el movimiento estudiantil, y aquí digo "causa" en el doble sentido de "motivación" y "antecedente". Estoy tratando no de decir obviedades, sino de entender a un movimiento por el que sentimos, es irremediable, simpatía.*

—*"Simpatía por el diablo", Rolling Stones* dixit.

—*Espérame, ya voy encarrerado. La causa de la educación gratuita ha prendido tanto en estos jóvenes estudiantes (y aquí estoy dejando fuera a quienes ven en esta lucha un escalón o una etapa de la gran Revolución o de la siempre postergada insurrección popular), por eso, porque es una causa. A pesar de que a la gran mayoría de los estudiantes hoy en huelga no les afectaba directamente el aumento en el pago de cuotas, se lanzaron al movimiento porque era, y es, una causa justa, una causa cuyo fin es dejarle "algo" a los que siguen, a los que vienen, a los "otros".*

—*Pues si las cosas siguen como hasta ahora, les van a dejar un montón de escombros...*

—*Al entrar al movimiento los estudiantes no están entrando a un movimiento estudiantil, están pensando en el que no es estudiante pero podría llegar a serlo. Es, ¿cómo* podría decirlo?, su herencia, su legado, su "aquí estuve, esto hice". Quien abraza una causa, abraza al "otro". Y es un abrazo que crea compromisos. Estos jóvenes están diciendo "tenemos un compromiso, tenemos que cumplirlo". Su lucha abraza a quien no conocen, a quien no le van a poder "cobrar" el abrazo. Es de admirar.

—Clap, clap, clap. Conmovedor. Pero olvidas decir que, en el caso de la ultra, se abrazan ellos mismos, el compromiso es consigo mismos, su herencia es una asamblea eterna, y su legado es el "aquí estuve, aquí me quedo".

—Reduces al calificar con lo de ultras, renuncias a los matices, a ver la esencia del movimiento. Además, ese abrazo al espejo igual cabe para la izquierda no ultra.

—"Lo de ultras tan no es un calificativo que ellos mismos lo han utilizado" (ibídem).

—Bueno, también usan lo de "heroicos" o "revolucionarios" y no así los llamas.

—Y eso de que ''renuncio a los matices", mira quién lo dice. Si tú fuiste torpe cuando te referiste a la propuesta de los ocho maestros y la descalificaste de un plumazo.

—De acuerdo, pero yo soy un guerrero y vos sós un pensador.

—En lo que se refiere a "guerrero" no es una disculpa, en todo caso, es una agravante.

—Bueno, pero me entiendes.

—Trato.

—Y yo trato de que entendamos el movimiento estudiantil. No sólo porque su causa es justa, vos lo has reconocido, también porque alcanzo a ver que es síntoma de que algo viene...

—Probablemente sea otra moción, así que no hagas caso. Lo que yo trato de que entiendas es que si el movimiento no encuentra salidas que lleven a soluciones, entonces vamos *a tratar de entender los restos del naufragio y no un navegar admirable o, lo más deseable, un feliz llegar a buen puerto. Y a fe mía que el movimiento ya ha conseguido muchas cosas, además de exasperar a medio mundo. "El CGH ha ganado una batalla fundamental. Exhibió lo falible del principio de autoridad aplicado sin reflexión, reivindicó el carácter gratuito de la educación pública, provocó el debate más intenso que se conozca sobre las funciones de la UNAM, reavivó por distintos motivos a un conglomerado hasta hace poco ausente de sus posibilidades comunitarias. ¿Qué más puede lograr? Mucho, si no intenta, a partir de la posesión de las instalaciones, la rendición de los adversarios y el aplauso incondicional de la sociedad* (ibídem).*

—*Te repito que el asunto no es si el movimiento ya ha ganado muchas cosas, sino es si éstas son suficientes. El resto de tu argumentación se ancla en lo de "el todo o nada". Permíteme insistir: el pliego de los 6 puntos (que ahora son 4, puesto que 2 se van al congreso -y olvidas mencionarlo), no plantea la rendición de los adversarios, sino educación gratuita, no a las represalias, oportunidad de regularizar sus estudios y un espacio de discusión y decisión (el congreso) para todos, incluidos "los adversarios". Y no creo que busquen el aplauso incondicional de la sociedad, más bien esperan su comprensión. El CGH ha flexibilizado su "todo o nada", dejando pendientes 2 puntos de su pliego. Y esto, a más de que no se le reconoce, ha recibido de rectoría la "inteligente" respuesta judicial de las actas de denuncia y el reactivar el tribunal universitario, esa "santa inquisición" que siempre tiene cuidado de seleccionar a luchadores sociales como víctimas.*

—*"El* todo *del CGH no está en lo irreductible del pliego, sino en la voluntad de un grupo de arrinconarse y descalificar al mundo. Los 6 puntos no son el "todo"; el "todo" es*

usar el pliego petitorio como espacio de dominio, no de diálogo, desde el cual todo se exige" (ibidem). *Tú sólo ves lo
bueno del movimiento, lo idealizas y solapas actitudes de
intolerancia que, cada vez con más frecuencia, llegan a la
violencia física.*

    —*¿Te refieres a los granaderos?*

    —*¡No!, hablo del continuo ajuste de cuentas interno
que se llama "asamblea del* CGH". *De los granaderos, ya
dije que es del todo censurable el salvajismo.*

    —*No hay comparación entre el énfasis que pones en
las críticas al* CGH *y el que dedicas al gobierno del D.F. Pero
volviendo a tu argumentación respecto al movimiento,
tenemos que hay una huelga estudiantil cuyo detonante es
el Reglamento General de Pagos que impuso, con una de-
licadeza que le envidiaría Albores, el rector Barnés. El
movimiento estudiantil va en contra del aumento de cuotas,
pero no sólo. También va contra el mecanismo de toma de
decisiones que permite arbitrariedades como la de Barnés,
las que a su vez provocan conflictos como la presente huelga.
Ergo, el movimiento demanda dos cosas fundamentales: la
derogación del Reglamento General de Pagos y la realización de un congreso resolutivo; las otras dos demandas se
siguen como lógica: no a las represalias judiciales, académicas y administrativas en contra de quienes participan en
el movimiento; y mecanismos para "ponerse al corriente"
en sus estudios para los estudiantes huelguistas. Me parece
lógico, racional, consecuente y lúcido. Me parece una causa
inobjetable...*

    —"Lo objetable es la privatización de la causa. Como
se ve ahora, los ultras, tan antiprivatizadores, se han adue-
ñado de la huelga, protegidos por alambres y cercos de sus-
picacia que agreden periodistas y confiscan rollos de
fotógrafos" (ibidem). *Te he concedido que los* ultras *no son*

todos los estudiantes del movimiento, ahora concede tú que los ultras son los que hegemonizan las asambleas del CGH y han logrado imponer ese delirante atropello que pomposamente llaman "acciones contundentes".

—Concedido. Y voy más lejos, estas "acciones contundentes" han demostrado ser un fracaso. Y eso no escapa a esos "otros" estudiantes a los que reconoce generosidad. Los días de los ultras como fuerza hegemónica en el CGH están contados. La historia viene ya a pasar la cuenta, como antes la pasó a los estudiantes de filiación perredista. Pongo el ejemplo de la toma y cierre de institutos. Error: dispersa sus fuerzas y consigue ponerles en contra a un sector neutral hasta entonces o en el que podrían haber despertado algunas simpatías. Otro ejemplo, a pesar de que no había acuerdo del CGH para bloquear el Periférico, un grupo de Políticas y Acatlán, a más de algunos otros dispersos, toman la decisión. El desenlace de esta acción ya lo conocemos, entre otras cosas por esa doblemente valiente foto de La Jornada *del día 15 de octubre y la excelente crónica del odiado–por–la–ultra Garduño (y digo doblemente valiente porque, además de la valentía de tomarla, fue valiente el publicarla). Pero ahí no terminó todo, la inconformidad con la manera de decidir la acción empezó a cundir en las escuelas. Es decir, además de críticas al gobierno del D.F., llovían críticas a quienes habían realizado la acción. La molestia se extendió por la manera en que se cerraron los institutos y por la forma en que se corrió a los investigadores y trabajadores.*

—¿Y por qué no les dices eso?

—Ellos se dan cuenta, no son tontos y, sobre todo, son honestos. Y me refiero a los "otros" estudiantes. Y tan es así que ahora leo que el hartazgo en contra del "modito" de los radicales en el CGH está proliferando en estos "otros" que son la mayoría del movimiento. Los así llamados y autode-

nominados ultras *están demostrando que, a la hora de la política, son iguales que los que critican (e insultan y golpean). Y olvidan que los "otros" estudiantes no están buscando un "ismo" que los ampare, sino cumplir su deber, es decir, ganar sus demandas.*

—Escríbeles una carta.

—No contestan. Vaya, ni siquiera acusan recibo. Pero se entiende, o al menos nosotros los entendemos. Lo que quiero decir es que, al linchamiento que en los medios se promueve en contra del movimiento, el movimiento está correspondiendo con el linchamiento de los "rivales" que tiene a la mano: los moderados *en este caso. El problema del movimiento, creo, es que tiene que librarse de la trampa de las etiquetas y los "bloques" y retomar el movimiento en su base, es decir, en sus demandas. En este momento, si criticas a los* ultras *entonces eres* moderado, *y si criticas a los* moderados *entonces eres* ultra. *Ergo, ya no importa la argumentación, mucho menos las demandas, sino la posición que ocupes en un espacio cada vez más angosto.*

—¿Y entonces?

—Van a ganar.

—"En asuntos fundamentales ya ganaron, aunque también se podría decir van a perder" (ibidem).

—Negativo, van a ganar. Y te voy a decir por qué. Al inicio del movimiento el cgh *nombró una comisión (o varias, no lo sé) para que explicara a otros sectores sociales las razones del movimiento. Esa comisión llegó a La Rea-lidad y habló con una delegación del* ccri-cg *del* ezln. *Quiero decir con esto que ellos y ellas (unos 40) tenían claro que estaban hablando con el* ezln *y no con algunos de sus miembros. Bueno, el caso es que nos hablaron, nos expusieron las razones de su movimiento y nos dijeron que iban a ganar. En esa comisión no venía ninguno de las llamadas "corrientes"*

(como es costumbre, los ultras *nos acusaban de* moderados, *y los* moderados *nos acusaban de* ultras*). Venían jóvenes, hombres y mujeres, estudiantes de la* UNAM *que están en huelga para demandar educación gratuita. Después de ellos llegaron más. Preparatorianos, ceceacheros, de las facultades, de las* ENEP *de las Escuelas Nacionales, de las* FES. *Algunos quedaban en La Realidad, otros seguían rumbo a Amador Hernández. Todos nos dijeron lo mismo; que luchaban por la educación pública gratuita y que iban a ganar. Nosotros les creemos, porque nosotros creemos, irremediablemente, en la gente. Y es mejor que nos equivoquemos al creerles, que al no creerles. Si no ganan (cosa que dudo) entonces habremos hecho mal en creerles, pero no sería la primera vez que nos engañáramos creyendo en algo o alguien. Si ganan (y así será) habremos hecho bien en creer en ellos y el escepticismo que ha empezado a endurecernos la piel se aflojará. Por eso, cuando hablamos nosotros, nos dirigimos a esos "otros" estudiantes, no sólo porque pensamos que ellos y ellas tienen la inteligencia y la habilidad para conducir la embarcación a buen puerto, también porque fue con estos "otros" que hablamos, y es en estos "otros" en quienes creemos. De su lado, además de nosotros, están la razón y la justicia...*

—*"Pero, ¿dónde están la razón y la justicia en el caso de la* ultra *o de la* megaultra*? A ellos no les incumbe la* UNAM*. Tan es así que han dividido el movimiento, desdeñan el diálogo con la opinión pública y la sociedad civil, y basta ver cómo tratan a la prensa, y las exigencias, las arbitrariedades, la descalificación permanente de cualquier posible interlocutor (su especialidad de ahora:* La Jornada *y sus reporteros) (ibidem)"*

—*Creo que todo eso va a cambiar muy pronto. La* ultra *ha derrochado rápidamente el capital político que heredó del desprestigio de los partidos políticos en la universidad (y no de su* quehacer *propio). Es la hora de los pequeños...*

—*Tu optimismo es exasperante, pero más tolerable que una asamblea del* CGH. *Por mi parte reitero que: "Es justa la demanda de la educación superior gratuita, la esperanza de la movilidad social y de las oportunidades de preparación, pero no de acuerdo con mi leal entender, el ejercicio de la intolerancia y el mero rencor social"* (ibidem).

—*En eso estamos de acuerdo contigo. Por cierto, los* compas *me piden que te diga que gracias por la carta, por el tono y por la cercanía. Quedan pendientes otros temas...*

—*¿Otros?*

—*Sí, el del diálogo-negociación (que tiene qué ver con el cumplimiento o no de los acuerdos a los que se lleguen) y el de la crisis política. Será para otra ocasión.*

—*¿En qué estábamos antes de todo esto?*

—*Estábamos en que usted es un petiforro.*

—*Y usted un cronco.*

En la pantalla vuelve la imagen de la Ciudad Universitaria. Desde las "islas", se ve a las dos figuras alejarse, con la Torre de Humanidades a un lado y la Biblioteca Central al otro. El diálogo sigue y el audio se va perdiendo conforme se alejan.

—*No estés triste,* Monsi. *Vas a ver que todo sale bien.*

—*Si no estoy triste por la huelga, es por mi colección de caricaturas.*

—*¿Qué paso? ¿Te las robaron?*

—*No, lo que pasa es que es imposible que compitan con las que ofrece cotidianamente la clase política mexicana. Y para* Por mi madre, bohemios *ya no me doy abasto, estoy por pedir que me den más espacio, cuando menos el que a ti te dan para tus comunicados.*

—*Ni le muevas, de por sí doña Carmen ya no sabe si abrir una nueva sección o poner los comunicados como suplemento. Y digamos que en la mesa de redacción no brillo por mi popularidad.*

—*Claro, como usted es un cronco.*

—*Y usted es un petiforro al cuadrado.*

—*Y usted un factorial de cronco.*

—*¿Notas que ya nos estamos poniendo muy de "estudios superiores"?*

—*Sí, hace bien venir a la universidad.*

—*Y que lo digas, tonsqué. ¿Vas a disparar los tacos al pastor? Hay unos buenos en División del Norte y Circuito Interior. Bueno, había... hace tiempo.*

—*No tengo dinero. Pero podemos hacer una asamblea ahí y, cuando el respetable caiga rendido de sueño, democratizamos el consumo de los bienes de digestión.*

—*No es mala idea, si no fuera porque usted es un petiforro.*

—*Y usted un cronco.*

—*Si se estudiara, usted tendría un doctorado de petiforro.*

—*Y usted es tan cronco que reprobaría el examen de admisión.*

—*Yo por eso apoyo el pase automático.*

—*¡Claro!, como que usted es un cronco.*

—*Y usted un petiforro.*

—*Apúrate, que nos deja el pesero.*

—*Entonces el pesero es también un petiforro.*

—*O un cronco, eso falta averiguarlo. ¿Traes cambio?*

—*¿Yo? Como dijo no sé quién, "no traigo* cash". *Vamos a hacernos los occisos, al fin que los dos tenemos* look *de* ultras.

Las voces se apagan hasta que sólo queda la música de fondo que, ahora lo sabemos, es Violeta Parra cantando *"brincan los paralíticos, sobre un filudo machete, ocho por tres ventisiete, divide un matemático"* (ojo: el acento grave es porque así va la canción).

Vale. Salud y los tacos sin cebolla y con mucha piña. ¿De tomar? Una *chaparrita* de uva. ¿Qué? ¿Ya no existen las *chaparritas*? ¡Voooy!

El *Sup* videograbando, sin darse cuenta de que la cámara
ya hace tiempo que marcó *stop* porque se le acabó la cinta
(lo cual puede interpretarse
como que hay de mociones a mociones)
(además, el maestro Oscar Menéndez ya me había dicho
que mis *travelings* revientan cualquier presupuesto).
Es octubre, es 1999, y es, ¡quién lo dijera!, México.

P.D. Que contrataca. Llamé al *Olivio* y al *Marcelo* y les dije: *"Ya inventé una consigna para la lucha: ¡Nuez, nuez, nuez! ¡Viva yo!"*. Se me quedan viendo los dos y pregunta el *Olivio*: *"¿Vos estás enfermo vos* Sup*?"*, y el *Marcelo* agrega: *"Sí, ¡que lo inyecten!"*. No paré de correr hasta que vi un letrero que decía "Bienvenidos a Guatemala". (Suspiro)

P.D. Que en el pecado lleva la penitencia. Estaba yo comiéndome unos chocolates con nuez (con figura de tortuga), cuando llegan el *sargento Capirucho* y el *cabo Capirote*, es decir, el *Olivio* y el *Marcelo*. No piden, saben que en tratándose de nuez, el *Sup* no reconoce grados militares, mucho menos si se trata de sargentos y cabos. Dice el *Olivio*: *"Vos* Sup*, ya llegaron ya los de las coordinadoras de la consulta"*, y el *Marcelo*: *"Sí, y trajeron una caja grande llena de* *inyecciones*". Les di las tortuguitas de chocolate con nuez que me quedaban. En tratándose de inyecciones, el *Sup* reconoce la importancia de los amigos... y de los cómplices. ¿O ustedes creen que delaten que estoy escondido arriba de la ceiba (gulp)?

P.D. Para el doctor Rodríguez Araujo. A ver si entendí bien: si usted dice que soy un irresponsable, es una crítica; y si yo digo que espero que usted pueda decir que nadie lo puede acusar de inconsecuente, es un ataque. ¿O al revés?

P.D. para la Sedena. Si hay emergencia en varios estados por las lluvias y se necesitan transportes aéreos para socorrer a la población, ¿por qué han aumentado acá los vuelos de helicópteros artillados y aviones bombarderos? ¿Es su "aportación" al debate?

P.D. Bis Bis a la Carta 3 Bis

P.D. Bis Bis a la Carta 3 Bis. En una hoja se lee: "Ejército Zapatista de Liberación Nacional. México. Octubre de 1999". Y sigue:

A los doctores Alfredo López Austin,
Adolfo Sánchez Vázquez y Luis Villoro
De: *Sup Marcos*

Maestros:

En El Correo Ilustrado de *La Jornada* del día domingo 24 de octubre de 1999, leí su carta.

Entiendo perfectamente que no crean conveniente entablar una polémica formal. Respeto su decisión. Pero no entiendo por qué dicen: "pues no favorecería las causas justas que compartimos". Creo que las causas justas que compartimos (entre otras la de los derechos de los pueblos indios y la democratización del país, pero no sólo), se verían favorecidas por la polémica y el debate de ideas (con la derecha no se puede debatir ni polemizar porque carece de ideas).

Entiendo que el clima que han propiciado contadas plumas en algunos medios de comunicación, en el sentido de que el EZLN está rompiendo lanzas contra sus aliados con motivo del conflicto en la UNAM, les preocupa y que, en aras de no servir de pretexto o aval para una acción re-presiva en contra de las comunidades indígenas, renuncien (así sea temporalmente) a su legítimo derecho de defender sus puntos de vista y opiniones. No escapa a nosotros la grandeza moral que ustedes reflejan con esta actitud.

La saludamos y nos felicitamos por el honor de haberlos tenido como asesores en el frustrado intento de conseguir una solución pacífica a la guerra en el Sureste mexicano. Pero lo que el gobierno vaya a hacer acá ya lo tiene decidido. No es el resultado de este debate lo que está esperando para llevar adelante sus planes.

Ergo, hay que entrarle a la polémica. La UNAM, la vida política del país y la izquierda lo necesitan. La posibilidad de continuar este diálogo más tarde (como señalan en su misiva) depende, desgraciadamente, de que nosotros todavía existamos "más tarde".

Vale. Salud y que de la confrontación de ideas no nazcan distancias, sino mañanas.

Desde las montañas del Sureste mexicano
Subcomandante Insurgente Marcos
México, octubre de 1999

La historia de los mundos

Octubre 1999

Hermanos y hermanas de las Coordinadoras
de Contacto de la Provincia Mexicana:

Bienvenidas y bienvenidos a La Realidad.

Queremos agradecerles el que hayan aceptado nuestra invitación para esta reunión de trabajo. Tenemos el honor de que estén con nosotros compañeros y compañeras de muchos rincones de nuestro país. Les voy a pedir a todos que saludemos nuestro estar aquí como de por sí saludamos los zapatistas, es decir, con un aplauso. Por eso pido un saludo para Baja California Norte, Baja California Sur, Chihuahua (especialmente a nuestros hermanos indígenas de la sierra Tarahumara, los compañeros rarámuris), Michoacán, estado de México, Puebla, Guerrero, de Jalisco, de Oaxaca, de Querétaro, de Guanajuato, de Coahuila, de Hidalgo, de Quinta Roo, de Campeche, de Colima, de Morelos, de Tlaxcala, de Chiapas. Mandemos también un saludo a los hermanos y hermanas de Veracruz y Tabasco, que no pudieron asistir porque están apoyando a las personas afectadas por las lluvias. Un saludo igual para Tlanepantla–Atizapán que no asiste por una actividad pública que fue imposible cancelar. El resto de los compañeros y compañeras no están presentes por razones económicas.

Falta mucho de informar y de platicar. La mayor parte de esto les toca a ustedes y queremos escucharlos con atención. Para esto los hemos invitado a esta reunión, para que nos hablen a nosotros y para que la palabra que cada uno trae sea también un puente con los otros que tienen el mismo empeño y el mismo dolor de cabeza por culpa de esas *siete tareas*.[31]

Sabemos bien que todas y todos han tenido que sacrificar algo para asistir a este encuentro en estos días. Muchos han sacrificado sus días de descanso, otros han sacrificado el estar cerca de sus muertos y hablarles y honrarlos como de por sí hablamos y honramos a nuestros muertos en México. Sí, en estos días, muchos y muchas mexicanas y mexicanos volteamos a mirar a nuestros muertos y los mandamos a la tierra nuestros recuerdos, las memorias que nos dejaron. Con nuestros muertos platicamos, cantamos y a veces nos reímos, tal vez por eso parecen tan vivos nuestros muertos.

Sabemos también que el viaje ha sido largo y pesado, y que los federales se los hicieron más largo y pesado. Pero así es de por sí. Ellos, los del gobierno, no quieren vernos acompañados, nos quieren ver solos y lejos de todos, sin nadie que le dé un lugar a nuestra palabra, sin ninguna voz para nuestro oído. Eso quieren y pues ya se ve que no les sale, porque aquí están pues ustedes y aquí estamos nosotros. O sea

290

que hay corazón para nuestra palabra y hay tierra buena para las palabras que traen los pasos de todos ustedes.

Y abusando de su paciencia, pero aprovechando el vuelo que traen todavía, quisiera que me permitieran platicarles una historia, una historia que tiene que ver con el siete, con el sacrificio, con los antepasados, con la tierra, con la palabra.

La historia que les voy a contar viene de muy lejos. Y no estoy hablando de distancia, ni de tiempo, sino de hondura. Porque las historias que nos nacieron no caminan el tiempo y el espacio, no, se quedan ahí nomás, estando, y estando les va pasando encima la vida y les va haciendo más doble la piel, porque eso es la vida y eso el mundo es, la piel con la que la historia se va abrigando para estarse. Así nomás se van juntando las historias, una sobre otra, y las más primeras están mero adentro, muy lejos. Por eso, cuando digo que la historia que les voy a contar viene de muy lejos, no estoy hablando de muchos kilómetros, no de años, no de siglos. Cuando los más viejos de los viejos de nuestros pueblos hablan de historias que vienen de lejos, señalan la tierra para enseñarnos que dentro de ella están las palabras que caminan verdades. Morena es la tierra y es morena la morada en donde descansa la palabra primera, la verdadera. Por eso nuestros más primeros padres y madres tenían la piel morena. Por eso, con el color de la noche anda el rostro de quienes traen la historia a cuestas.

La historia de los mundos que hacen este mundo viene de muy lejos. No se encuentra así nomás, colgada de un libro o pintada en un árbol. No anda ni el paso del río ni el vuelo de la nube. No se lee la historia de los mundos que somos agotando calendarios. La historia de cómo nos fuimos naciendo y haciendo no está escondida detrás de letras y papel, no. Esa historia está muy lejos, muy hondo está pues, muy dentro. Pero no es la historia de este mundo en el que caminan tantos mundos la que les voy a contar. O tal vez sí. Tal vez todas las historias son hijas y madres de la historia primera, de la más lejana, de la más profunda, de la más verdadera.

Cuentan los más viejos de los viejos que viven estas montañas, que ya había muchos hombres y mujeres viviendo en este mundo antes de que hubiera día. Grande era el número de la gente y todo seguía siendo noche y agua. El cielo se estaba como dormido. Y de por sí era porque los más grandes dioses, los que nacieron el mundo, los más primeros, dormidos se estaban. Largo se habían trabajado estos dioses primeros. De por sí mucho cansa nacer un mundo nuevo. Dormidos se estaban, pues, los más grandes dioses y dormidos los acompañaba el cielo. En cama de noche y agua soñaban los más primeros dioses. Habían ya hecho las montañas, que fue la primera tierra que del agua sacaron. Y algunas fueron aplanadas y otras fueron hendidas y hubo así montañas, valles y quebradas. La primera tierra fue montaña. Por eso, dicen nuestros viejos más viejos, que es en la montaña donde vive la historia más primera, la que se está más lejos.

Cuando los hombres y mujeres se cansaron de tanta agua y noche se dieron en protestarse y regañar mucho. Mucha bulla hacían estos hombres y mujeres que eran muchos y muchas, sí, pero eran los primeros que andaban el mundo y eran también ya muchos los colores que pintaban sus pieles y palabras. Con tanto ruidero, despertaron los dioses más primeros, los más grandes, y preguntaron que por qué tenían ese gritadero los hombres y mujeres que vivían el mundo. Todos y todas empezaron a hablar al mismo tiempo, y a gritar, y a arrebatarse la palabra, y a pelear por ver quién hablaba más y más fuerte, y así tardaron.

No muy entendían los dioses primeros, que eran grandes y habían nacido el mundo pero no podían saber qué querían los hombres y mujeres porque no hablaban sino que puro gritadero y peleadera hacían. Y menos podían dormir los primeros dioses y entonces llamaron a los hombres y mujeres que de maíz habían hecho, los verdaderos, y les preguntaron qué pasaba.

Los hombres y mujeres de maíz tenían el corazón de la palabra, y sabían bien que no es gritando o peleando como la palabra camina para abrazar a hombres y mujeres. Porque cuando nació la flor de la palabra, los más grandes dioses, los que nacieron el mundo, los más primeros la sembraron en el corazón de estos hombres y mujeres de maíz, porque la verdad es buena tierra para que nazca y crezca la palabra. Pero esa es otra historia.

Resulta que fueron estos hombres y mujeres de maíz a hablar con los dioses primeros. *"Aquí estamos, pues"*, dijeron. Y los dioses preguntaron: *"¿Por qué mucho gritan y pelean esos hombres y mujeres? ¿No saben que con tanto ruidero como hacen, no dejan dormir? ¿Qué quieren pues?"*.

"Quieren la luz", dijeron los hombres y mujeres verdaderos a los más grandes dioses.

"La luz", dijeron los dioses primeros. *"La luz"*, repitieron los hombres y mujeres verdaderos. Se miraron entre sí los dioses y clarito se vio que se estaban haciendo patos porque de seguro a alguno le tocaba lo de la luz, pero nada dijeron. *"Esperen"*, les pidieron los más grandes dioses a los hombres y mujeres verdaderos, y se fueron a hacer una su asamblea y tardaron, tal vez porque de por sí tarda sacar acuerdos grandes, porque la luz no era poca cosa, era la luz pues. Regresaron luego los dioses y les dijeron a los hombres y mujeres verdaderos: *"La luz de por sí está, pero no aquí está"*.

"¿Dónde pues está la luz?", preguntaron los hombres y mujeres de maíz.

"Allá", dijeron, los dioses y señalaron hacia uno de los siete puntos que orientan el mundo. Y los siete puntos que

marcan el mundo son el frente y el atrás, el uno y otro lado, el arriba y el abajo, y el centro es el séptimo punto y el primero.

Hacia uno de los lados señalaban los dioses y siguieron su palabra: *"Mucho pesa la luz, por eso no la trajimos. Allá quedó. Mucho pesa. Ni nosotros que somos dioses primeros podemos cargarla y traerla, por eso allá quedó"*. Se quedaron callados y apenados los dioses primeros, porque aunque eran los más grandes, los que nacieron el mundo, no habían podido traer cargando la luz que los hombres y mujeres necesitaban para caminarse los mundos que forman el mundo. Y el más apenado de todos era el Hurakán, también nombrado Caculhá Hurakán, que quiere decir "rayo de una pierna" o "relámpago", porque aunque era muy grande y poderoso, no había podido traer cargando la luz porque sólo una pierna tenía.

Pensando se quedaron los hombres y mujeres de maíz, los verdaderos, pero como era mucha la gritadera que se traían los demás hombres y mujeres, pues se subieron a una montaña y ahí quedaron callados para buscarse la palabra, y callados la encontraron. Y la palabra les habló diciendo que lo que se necesitaba era hacer algo que pudiera cargar la luz aunque mucho pesara y la trajera hasta este lado del mundo y no nomás se quedara del otro lado. *"¡Ya está pues!"*, se dijeron los hombres y mujeres verdaderos, *"sólo se necesita hacer algo para cargar la luz y traerla hasta acá"*. *"Sí pues"*, se volvieron a decir los hombres y mujeres de maíz.

Y entonces se pusieron a pensar en cómo hacer esa cosa que pudiera cargar la luz y traerla desde muy lejos hasta este lado. Y pensaron con qué podrían hacer esa cosa y vieron que la tierra era buena. Pero la tierra se desmoronaba nomás juntaban un tanto. Y entonces le echaron agua y ya duró un poco, pero cuando se secaba otra vez se desmoronaba. Y entonces agarraron un tanto de tierra y le echaron un poco de agua, y la acercaron al fuego y se puso dura y resistente un rato, pero a luego el mismo fuego la rompió con su calor. Y entonces se dieron la idea de soplarla cuando estuviera al fuego. Y vieron que así duraba bastante la tierra, ayudada por el agua, el fuego y el viento. Fue así como, desde entonces, el barro sirve para cargar y tener cosas. Y muy contentos se pusieron los hombres y mujeres verdaderos porque ya tenían con qué hacer la cosa que cargaría la luz que muy lejos se estaba.

Y entonces se pusieron a pensar que cuál forma le daban a la cosa que traería la luz de este lado. Y entonces se pensaron que, de todas las cosas que en el mundo andaban y se estaban, la mejor forma la tenía el ser humano y entonces se pensaron de darle la forma de un ser humano a la cosa que cargaría la luz para traerla al mundo de todos. Y así que le hicieron una su cabeza, unos sus dos brazos y unas sus dos piernas. Y muy requete contentos se pusieron los hombres y mujeres de maíz porque ya tenía sustancia y forma el carro que traería la luz cargándola desde lejos.

Pero muy oscura estaba la cosa esa y era seguro que se iba a perder en el camino porque de por sí todo era noche y agua y muy tristes se pusieron los hombres y mujeres verdaderos. Pero entonces vino el Hurakán, el corazón del cielo, que así también llaman al relámpago, al trueno, a la tormenta, que sólo un pie camina pero fuerte es y brilla. Y el corazón del cielo, también llamado "Hurakán", talló la piel de la cosa oscura para pegarle el brillo de su único pie, y mucho talló y raspó el corazón del cielo y por fin brilló la cosa esa, pero ya su forma no era de una cabeza con dos brazos y dos piernas, sino que de tanta talladera se afiló y ahora tenía cinco puntas: una donde estaba la cabeza, dos donde estaban los brazos y dos más donde estaban las piernas. Pero siempre algo brillaba la cosa esa de cinco puntas y contentos se pusieron los hombres y mujeres verdaderos porque con ese brillo seguro que no se perdía en el camino para ir a traer cargando la luz que estaba lejos y mucho pesaba.

Y ya todo parecía estar listo, pero la cosa esa no se movía. Sí brillaba y era fuerte y hasta bonita se veía con sus cinco puntas, pero nada que se caminaba. Y mucho la empujaban los hombres y mujeres verdaderos, pero ahí se estaba nomás. "*¿Y ora?*", se preguntaron los hombres y mujeres de maíz. "*Saber*", se respondieron y rascaban su cabeza para ver si así salía la idea, por eso desde entonces los hombres y mujeres, cuando no saben, rascan su cabeza para ver si la idea no se quedó pegada por ahí o dormida. Pero por más que se rascaban no encontraban su idea.

Y fueron a preguntar con los viejos más viejos de su comunidad. Y esto fue lo que les dijeron los más viejos de los viejos. "*Esa cosa no camina porque no tiene corazón, sólo caminan las cosas que tienen corazón*".

Y entonces muy felices se pusieron los hombres y mujeres verdaderos porque ya sabían por qué no caminaba lo que hicieron. Y entonces dijeron: "*Pongámosle corazón a esto que hemos hecho para que así camine y vaya a traer la luz que lejos está y mucho pesa*". Pero no sabían cómo o de qué tenía que ser el corazón de esa cosa, y entonces se arrancaron el corazón que cada uno y una llevaba en el pecho, y juntaron todos los corazones e hicieron un corazón muy grande y fueron y lo pusieron en el centro de las cinco puntas de la cosa que habían hecho. Y esa cosa empezó a caminar y muy felices se estaban los hombres y mujeres de maíz, porque aunque se habían quitado el corazón, así habían hecho que esa cosa se moviera.

Pero la cosa andaba de un lado para otro, y venía y se iba y daba vueltas y brincaba, y por más que la empujaban y le señalaban el lado por el que debía de andar para ir a traer la luz que mucho pensaba y lejos estaba, nomás no *enrum-baba*, o sea que no agarraba camino de una vez. Y, después de mucho rascarse la cabeza, se desesperaron un poco los hombres y mujeres verdaderos, y fueron otra vez a preguntar con los viejos más viejos de su pueblo: *"Ya se mueve porque el corazón le dimos, pero anda de un lado a otro, no agarra el buen camino que queremos, ¿qué hacemos pues?"*, preguntaron.

Y los más viejos de los viejos les respondieron: *"Las cosas que tienen corazón se mueven, pero sólo las que tienen pensamiento pueden darle rumbo y destino al paso"*.

Y otra vez que se ponen contentos los hombres y mujeres de maíz y se dijeron: *"Ya sabemos cómo hacer para que tenga rumbo y destino lo que hicimos"*. *"Sí"*, se dijeron, *"démosle pensamiento de donde le dimos sentimiento"*; y de su pecho sacaron la palabra buena, la verdadera, y fueron y con ella besaron a esa cosa que mucho se movía, y sí, la cosa esa se quedó quieta un rato y luego habló y preguntó: *"¿A dónde debo ir y qué debo hacer?"*.

Aplaudieron los hombres y mujeres verdaderos porque ya habían nacido con qué cargar la luz que mucho pesaba y lejos estaba para traerla a iluminar a todos los hombres y mujeres de todos los mundos. Y así quedó hecha esa cosa, que muy grande y poderosa era, y siete fueron los elementos que la formaron: la tierra, el agua, el fuego, el aire, el rayo, el corazón y la palabra. Y desde entonces siete son los elementos que nacen y hacen los mundos nuevos y buenos. Y entonces aplaudieron los hombres y mujeres de maíz y ya le dijeron a la cosa por dónde debía ir y lo que debía hacer, y hasta un su mecapal le dieron para que se ayudara porque bien sabían que tanto pesaba la luz que ni los dioses más grandes, los que nacieron el mundo, los más primeros, habían podido cargarla. Y se fue la cosa esa y algo tardó. Y sentados en la montaña, los hombres y mujeres verdaderos pasaron un buen rato mirando hacia allá, hacia aquel lado. Y la noche seguía estando y no se movía nada. Y los hombres y mujeres de maíz no se desesperaron, tranquilos se estuvieron porque bien sabían que iba a llegar de por sí la luz, porque para eso le habían dado el corazón y la palabra a quien habría de cargar y traer la luz, no importa que muy lejos estuviera y que mucho se pesara.

Y así pasó que algunos ratos después se vio a lo lejos que venía despacio la cosa esa. Paso a pasito se fue llegando hasta este lado, caminando el cielo. Y ya luego que llegó, otro rato pasó, y entonces ya detrás llegó la luz, y hubo sol y hubo día y los hombres y mujeres del mundo se alegraron y siguieron su camino así, buscando con la luz, buscando a saber qué, porque de por sí cada quien busca algo, pero todos buscan.

Esta es la historia que les quería contar, la historia de cómo llegó la luz a este mundo. Tal vez ustedes piensen que es sólo un cuento o una leyenda de ésas que pueblan las montañas del Sureste mexicano. Tal vez. Pero si ustedes velan la noche que abraza nuestros suelos, podrán ver de madrugada, al oriente, una estrella. Ella anuncia el día. Algunos la llaman "estrella del amanecer" o "lucero del alba". Los científicos y los poetas la han llamado "Venus". Pero nuestros más antiguos la llamaron *Icoquih*, que quiere decir "la que sobre sus hombros lleva el sol" o "la que lleva el sol a cuestas". Nosotros la nombramos "la estrella del mañana", porque ella anuncia que la noche está por terminar y que otra mañana llega. Esta estrella, que hicieron los hombres y mujeres de maíz, los verdaderos, camina con sentimiento y pensamiento, y llega como es ley, es decir, de madrugada.

298

Y si les cuento esta historia no es para entretenerlos y quitarles el tiempo que necesitan para ver todas las cosas que tienen que ver en esta reunión. No. Se las cuento porque esta historia que viene de tan lejos nos recuerda que es pensando y sintiendo como se trae la luz que ayuda a buscar. Con el corazón y el cerebro tenemos que sernos el puente para que los hombres y mujeres de todos los mundos caminen de la noche al día.

Hermanos y hermanas
de las Coordinadoras de la Provincia mexicana:

Bienvenidos a las montañas del Sureste mexicano. Las montañas de nuestros más primeros, las montañas de todos ustedes, nuestras montañas. Lugar donde vive el guardián de la palabra, el Votán–Zapata, que así llaman también al guardián y corazón del pueblo, el barro moreno que muy poquito brilla, apenas lo suficiente para no extraviar el camino por el que debe traer, cargando en el mecapal de la historia, la luz que todas las noches es expulsada abajo por los de arriba, y que siempre regresa, para enojo de los poderosos y contento de los pequeños, por oriente y de madrugada.

Bienvenidos a La Realidad.

Bienvenidos a esta reunión que busca, con sentimiento y pensamiento, hacernos puentes para los mundos que caminan la noche de este mundo y que, como todos nosotros, buscan la forma de traerse el mañana y hacerlo de la única forma que es posible, es decir, en colectivo.

Bienvenidos a tierra zapatista, que quiere decir "tierra digna y rebelde". Bienvenidos a esta tierra donde la pobreza es dolor y esperanza, y es arma de lucha para que todos y todas los mexicanos y mexicanas tengan...

¡Democracia!
¡Libertad!
¡Justicia!

Desde las montañas del Sureste mexicano
Por el Comité Clandestino Revolucionario Indígena–
Comandancia General
del Ejército Zapatista de Liberación Nacional
Subcomandante Insurgente Marcos
La Realidad de México, 31 de octubre de 1999

Las Siete Casas

Noviembre de 1999

*"Canek lo pensó pero no lo dijo. Los indios que
estaban cerca de él lo adivinaron. En el momento
del ataque, los indios delanteros tenían que esperar
que el enemigo hiciera fuego. Entonces los indios de
atrás avanzaban caminando sobre sus muertos".
Canek. Historia y leyenda de un héroe maya*
Ermilo Abreu Gómez

Compañeros y compañeras:

Queremos darles a todos las gracias por estos días que han
estado con nosotros. Al verlos, al saberlos cerca, se ha crecido

nuestro corazón y somos ya mejores y más fuertes. Los vemos y vemos gente, hombres y mujeres, que está comprometida con una lucha, con una causa, que es la nuestra y que es también suya. Al venir, ustedes nos han dado una fuerza muy grande que nos ayudará a resistir más y mejor. Por eso queremos darles las gracias. Yo sé que tal vez no me entiendan, pero su estar aquí es muy pero muy hermoso.

En todos nuestros pueblos, nuestros compañeros y compañeras tojolabales, tzotziles, tzeltales, choles, mames, zoques, mestizos, su caminar hasta nosotros es recibido con esperanza y esperan no sólo que todo haya salido bien, como de por sí salió, sino también están esperando que nosotros les informemos lo que aquí se habló, se discutió y se acordó.

Este día, en todos nuestros pueblos, en nuestras montañas, los muertos caminan de regreso hasta nosotros y nos vuelven a hablar y a escuchar. En todas las champas, en todos los campamentos, en un pequeño lugar una ofrenda saluda a nuestros muertos y los invita a comer, a reír, a fumar, a tomar café, a bailar. Sí, a bailar, porque muy bailadores son nuestros muertos. Muy bailadores y también muy platicadores son nuestros muertos. Ellos nos cuentan historias. Porque era contando historias como nuestros más primeros enseñaban y aprendían a caminar. De ahí que nuestros muertos tienen el mismo modo y el mismo tenemos también los muertos que somos.

Días de flores son los días de muertos en nuestras montañas. Y si ayer la historia que les conté era de luz, estrella y madrugada, la de hoy es de luz, flor y madrugada.

Cuentan los más viejos de los viejos de nuestras comunidades, que nuestros más primeros ya vivían en rebelde lucha, porque ya mucho tiempo tiene que el poderoso sojuzga y mata. El poderoso lo es porque se bebe la sangre del débil. Así, el débil se hace más débil y más poderoso el poderoso. Pero hay débiles que dicen ¡ya basta! y se rebelan contra el poderoso y dedican su sangre no a engordar al grande, sino en alimentar al pequeño. Esto pasa así desde hace mucho tiempo.

Y si desde entonces hay rebeldía, desde entonces hay también castigo con el que el poderoso castiga al rebelde. Hoy hay cárceles y tumbas para castigar al rebelde, antes había casas de castigo.

Y siete eran las casas de castigo que antes había para castigar al rebelde y hoy son también siete pero otro nombre llevan.

Las siete de nuestros primeros eran:

La Casa Oscura en su interior no tenía nada de luz. Pura oscuridad y vacío había en la Casa Oscura. El que ahí llegaba perdía el rumbo y se extraviaba y ya nunca volvía ni se iba, perdido se moría.

La Casa Fría en su interior tenía un viento muy helado y fuerte que congelaba todo lo que ahí se entraba, frío hacia el corazón y fríos los sentimientos. Lo humano de los humanos, pues, mataba.

La Casa de los Tigres tenía puros tigres que dentro estaban encerrados, hambrientos y feroces. Estos tigres se metían dentro del alma del que habitara la casa y le llenaban el alma de odio a todo y a todos. Con odio y en odio, pues, mataba.

La Casa de los Murciélagos sólo poseía murciélagos que chillaban y gritaban y mordían, y mordiendo chupaban la fe del que se entrara y en nada creía ya, e incrédulo moría.

La Casa de las Navajas en su dentro tenía muchas navajas cortantes y afiladas y el que ahí se entraba quedaba cortado de su cabeza o sea de su pensamiento y así moría sin pensar ya, muerto del entendimiento.

La Casa Dolorosa puro dolor habitaba y tanto era el que

tenía que de puro dolor enloquecía a quien la habitara y doliendo lo hacía olvidar que hay otro y diferente, olvidando y olvidado moría el muerto sin memoria.

La Casa Sin Gana tenía dentro un vacío que se comía todas las ganas de vivir, de luchar, de amar, de sentir, de caminar que tuviera el que la entraba y entonces vacío lo dejaba, muerto aunque vivo, porque vivo sin gana es vivo muerto.

Y éstas eran las siete casas de castigo para el rebelde, para el que no aceptaba, inmóvil, que su sangre engordara al poderoso y su muerte diera vida al mundo de la muerte.

Y hace mucho tiempo vivieron dos rebeldes. Hunahpú e Ixbalanqué se llamaban, también llamados los cazadores de la madrugada. El mal vivía en un profundo agujero, nombrado Xibalbá, del cual había que subir mucho para llegar a la tierra buena.

Eran el Hunahpú y el Ixbalanqué rebeldes en contra de los malos señores que habitaban la gran casa del mal. Y entonces los malos señores mandaron traer con engaños a Hunahpú e Ixbalanqué para que bajaran hasta su mala morada.

Engañados llegaron, pues, los cazadores de la madrugada y los malos señores los encerraron en la Casa Oscura y les dieron un ocote y dos cigarros. Les dijeron que debían pasar la noche dentro de la Casa Oscura y al día siguiente tenían que entregar el ocote completo y los dos cigarros enteros. Y un guardián habría de vigilar que toda la noche se viera la luz del ocote y de los cigarros encendidos. Si al otro día no estaban ocote y cigarros enteros, entonces morirían Hunahpú e Ixbalanqué.

Los dos cazadores de la madrugada no tuvieron miedo, no. Contentos dijeron que está bueno así como dicen los malos señores y se metieron a la Casa Oscura. Y entonces usaron su pensamiento y llamaron a la guacamaya, que era el ave que guardaba todos los colores, y le pidieron prestado el rojo y con él pintaron la punta del ocote y de lejos se veía como si estuviera encendido. Y el Hunahpú y el Ixbalanqué llamaron a las luciérnagas y le pidieron a dos su compañía y con ellas adornaron las puntas de los dos cigarros y de lejos bien que se veía como si los dos cigarros encendidos estuvieran. Y amaneció y el guardián informó a los malos señores que toda la noche había estado encendido el ocote y que mucho fumaron su cigarro los dos cazadores de la madrugada. Y contentos se pusieron los malos señores porque así tendrían buen pretexto para matar a Hunahpú e Ixbalanqué porque no cumplirían lo de entregar el ocote y los cigarros enteros. Y entonces salieron de la Casa Oscura los dos cazadores de la madrugada y entregaron enteros el ocote y los dos cigarros. Y mucho se enojaron los malos señores porque no tenían buen pretexto para matar a Hunahpú e Ixbalanqué y se dijeron entre ellos: "Mucho y muy inteligentes son estos rebeldes, busquemos pues una forma de matarlos con un buen pretexto". "Sí", se dijeron, "que duerman ahora en la Casa de las Navajas, ahí morirán sin remedio, cortado su entendimiento". "No basta", dijo otro señor del mal, "porque mucho entendimiento tienen estos rebeldes, entonces hay que ponerles un trabajo más pesado para que así no cumplan y, si no los matan las navajas, entonces nosotros tengamos buen pretexto para acabarlos". "Está bueno", se dijeron los malos señores, y fueron a donde estaban Hunahpú e Ixbalanqué y les dijeron:

"Ahora van a descansar y ya hablamos mañana, pero claro les decimos que mañana al amanecer queremos que nos regalen flores". Y los malos señores se reían un poco porque ya habían avisado a los guardianes de las flores que no dejaran que nadie se acercara de noche a cortar flores, y que si alguien se acercaba, lo atacaran hasta matarlo.

"Está bueno", dijeron los cazadores de la madrugada, "¿y de qué color quieren que sean las flores que habremos de regalarles?".

304

"De colorado, blanco y amarillo", respondieron los malos señores, y agregaron "y claro les decimos que si mañana no nos regalan estas flores coloradas, blancas y amarillas, entonces será una gran ofensa para nosotros y los mataremos".

"No tengan pena", dijeron Hunahpú e Ixbalanqué, "mañana tendrán sus flores coloradas, blancas y amarillas".

Y se metieron los dos cazadores de la madrugada a la Casa de las Navajas. Y ya las navajas los iban a cortar en muchos pedazos cuando el Hunahpú y el Ixbalanqué las pararon y les dijeron "hablemos". Se detuvieron las navajas y escucharon. Y así hablaron los dos cazadores de la madrugada: "Si nos cortan a nosotros poco tendrán. En cambio, si nada nos hacen entonces les daremos las carnes de todos los animales". Y los cuchillos se estuvieron de acuerdo y nada les hicieron a Hunahpú e Ixbalanqué. Y por eso desde entonces los cuchillos son para cortar la carne de los animales, y si algún cuchillo corta carne de humano, entonces los cazadores de la madrugada los persiguen hasta hacerlos pagar su delito.

Y ya estaban Hunahpú e Ixbalanqué quietos en la Casa de las Navajas, completos y vivo su pensamiento. Y se dijeron: "¿Cómo haremos ahora para conseguir las flores que quieren los malos señores, si ya sabemos que han alertado a sus guardianes y éstos nos matarán si nos acercamos a cortar flores de sus jardines". Y pensando quedaron los dos cazadores de la madrugada y entonces llegó en su entendimiento que necesitaban el apoyo de otros pequeños y llamaron a las hormigas cortadoras y les hablaron así: "hermanitas hormigas cortadoras, necesitamos que nos ayuden en nuestra rebeldía porque los malos señores quieren matar nuestra lucha". "Sí pues", les dijeron las hormigas cortadoras, y preguntaron "¿Qué hemos de hacer para apoyar su lucha contra los malos señores?".

"Por favor les pedimos que vayan a los jardines y corten las flores coloradas, blancas y amarillas y acá las traigan, porque nosotros no podemos ir porque los guardianes tienen órdenes de atacarnos, pero a ustedes, como son pequeñas, ni las van a mirar y no se van a dar cuenta". "Sí pues", dijeron las hormigas, "estamos muy dispuestas porque de por sí lo pequeño tiene su modo para combatir a los malos señores, aunque muy grandes y poderosos sean".

Y se fueron las hormigas cortadoras y eran muchas pero pequeñas y entraron en los jardines y los guardianes no las vieron porque eran muy pequeñas las hormigas. Y ya empezaron su cortadera y cargadera las hormigas y unas cortaban y otras cargaban, y unas cortaban y cargaban flores coloradas, y otras cortaban y cargaban flores blancas, y otras cortaban y cargaban flores amarillas. Y rápido terminaron y rápido llevaron las flores a donde estaban los dos cazadores de la madrugada. Al ver las flores muy contentos se pusieron el Hunahpú y el Ixbalanqué y así hablaron a las hormigas cortadoras: "Muchas gracias hermanitas, mucho es su poder aunque pequeño, y como les agradecemos bastante, entonces siempre van a ser muchas y nada grande podrá acabarlas". Y por eso dicen que las hormigas siempre resisten, y aunque muy grandes sean quienes las atacan, no pueden derrotarlas.

Al otro día llegaron los malos señores y los dos cazadores de la madrugada les entregaron las flores que querían. Y los señores malos ya estaban sorprendidos de ver que no los habían cortado las navajas, pero más se sorprendieron cuando vieron las flores coloradas, blancas y amarillas que Hunahpú e Ixbalanqué les entregaron y entonces mucho se enojaron los malos señores y se dieron a buscar más pretextos para acabar con los rebeldes cazadores de la madrugada.

Hermanos y hermanas:

Esta es la historia que nos traen nuestros muertos y así nos platican. Ellos nos traen su palabra para que nosotros la caminemos. Porque de por sí nosotros caminamos sobre nuestros muertos, sólo así avanzamos.

Y creo que esta historia que nos contaron a nosotros nuestros más primeros, y que yo les cuento a ustedes ahora en estos días de muertos, se puede caminar de muchas formas. Y todos los que somos pequeños nos encontramos en esta historia. Y en veces somos los cazadores de la madrugada ingeniando formas para resistir las mentiras de los poderosos y para eso traemos las luces de otros pequeños. Y en veces somos guacamayas que prestamos nuestros colores para pintar la resistencia. Y en veces somos luciérnagas que adornamos con luz la soledad de hermanos pequeños. Y en veces somos buenos entendedores para hablar y enderezar a quienes nos toman por rivales siendo otros sus enemigos. Y en veces somos hormigas que saben hacer, de su ser pequeñas, fuerte lucha y apoyo para el que espera la muerte.

Y creo que eso somos todos, ustedes y nosotros, color, luz, buena palabra que convence y endereza, fuerza pequeña que sumando se hace grande.

En estas reuniones hemos descubierto que podemos dar y recibir apoyo y ayuda, que el contacto no es sólo entre el EZLN y la sociedad civil, es también entre el EZLN y uste-des como Coordinadoras compañeras, y es también entre ustedes como Coordinadoras hermanas. Y en esta relación que estamos aprendiendo a hacer, en veces daremos color, en veces luz, en veces palabra que enderece, y en veces ser fuerza multiplicada, pequeña rebeldía que se une y se convierte en grande desafío para quien oprime y engaña. Y ahora quiero pedirles que seamos fuerza multiplicada y luz compañera para dos bondades que resisten y resistiendo ofenden al poderoso.

La una la hacen los estudiantes de la UNAM que sos-tienen una huelga demandando educación pública gratuita para todos nosotros. Acosados por los malos señores, estos jóvenes universitarios sabrán como quiera encontrar el entendimiento que los haga fuertes y poderosos. Nosotros habremos de ir a nuestros suelos a juntarles saludos y apoyos que como flores, habremos de mandarles para hacerles saber que los pequeños nos ayudamos y apoyamos.

Por eso les pido a todos que, en sus respectivos estados, regiones y municipios, expliquen la lucha de los estudiantes de la UNAM y le manden a esos hombres y mujeres, estudiantes en huelga, todos los saludos que juntemos. Cada quien conoce su suelo y su cielo y sabe cuánto y qué puede mandar y cuándo. Yo les pido que nos acompañen a nosotros, los zapatistas, en este saludo colectivo que levantaremos para esos estudiantes y "estudiantas" que por nosotros luchan por una educación gratuita.

Por eso pregunto si están de acuerdo, compañeros y compañeras de las Coordinadoras de Provincia.

La otra bondad que es perseguida y acosada es la que se llama Centro de Derechos Humanos "Miguel Agustín Pro Juárez" (Prodh). Las personas que ahí trabajan han sido perseguidas, amenazadas y asaltadas por el gobierno. Una de ellas, la licenciada Digna Ochoa y Plácido, ha sido secuestrada, perseguida y amenazada. El día 28 de octubre de 1999, en horas de la noche, estuvo a punto de ser asesinada por sujetos que le preguntaban por rebeldes de México. El lugar donde trabaja el "Agustín Pro" fue asaltado al día siguiente y dentro del local les dejaron amenazas de muerte.

Las personas que trabajan en el centro "Agustín Pro" defienden los derechos humanos de todos y todas los

308

perseguidos, asesinados, encarcelados y desaparecidos por el gobierno. Además de defender a los pequeños, los hermanos y hermanas del "Agustín Pro" denuncian al mal gobierno en su política de violación de los derechos humanos. Por eso los quieren callar con amenazas, con asaltos y con muerte.

Así pasa en México. Quienes asesinan y roban son gobierno, están libres e impunes. Quienes defienden la vida y los derechos son perseguidos y asesinados.

No podemos quedarnos callados frente a esta agresión. No sólo porque están agrediendo a personas que nunca se han quedado ni se quedarán calladas si cualquiera de los mexicanos y mexicanas es atacada en sus derechos humanos. También porque nunca debemos quedarnos callados ante cualquier agresión a los pequeños que somos todos.

Por eso les pido que juntos, ustedes y nosotros, demandemos:

1. Cese inmediato a las acciones de agresión física y psicológica contra los integrantes del Centro de Derechos Humanos "Agustín Pro".

2. Que el Estado mexicano cumpla su obligación de respetar, proteger y defender el trabajo profesional de los abogados, abogadas y defensores de derechos humanos.

3. Que las autoridades correspondientes tomen las medidas suficientes y eficaces para garantizar la seguridad personal y el trabajo de los integrantes del Centro de Derechos Humanos "Agustín Pro".

4. Que se garantice la seguridad de las instalaciones, infraestructura y documentos del Centro de Derechos Humanos "Agustín Pro".

5. Que la investigación iniciada por estas agresiones presente resultados convincentes a la mayor brevedad.

Estas cinco demandas están siendo levantadas en todo el país por organizaciones no gubernamentales, sociales, políticas honestas, y por individuos. Por eso yo les pido que nos sumemos a estas demandas y que se agreguen los nombres de cada una de las Coordinadoras presentes en este encuentro, del EZLN y de las Coordinadoras que no están presentes pero estén de acuerdo, a quienes las levantan frente a los gobiernos.

Por eso pregunto si están de acuerdo, compañeras y compañeros de las Coordinadoras de Provincia asistentes a este encuentro.

Bueno compañeros y compañeras. Pues ya terminamos esta reunión de trabajo. Pensamos que salió un poco bien y que debemos repetirla. Y entonces les decimos que los estaremos invitando para que vengan a platicar con nosotros, en veces varias coordinadoras, en veces sólo una. Y también les decimos que sería bueno que, cuando es posible por tiempo y distancia, también se reúnan entre ustedes y platiquen sus avances, sus problemas y sus dudas.

Si alguna vez se les olvida cuál es el trabajo o para dónde hay que caminar o qué hay que hacer, basta que esperen una madrugada y atiendan la llegada del "Icoquih", o vean un color, o una luz pequeña, o una buena palabra, o una hormiga. En cada una de esas cosas y en todas ellas, habrá respuestas, razones, rumbos y metas, que eso es lo único que necesitan los puentes para tenderse.

Compañeras y compañeros:

Falta mucho, pero ya es menos. De todas formas ya recordamos, con la compañía de los muertos nuestros, que no estamos solos. Ni ustedes, ni nosotros, ni ningún pequeño estará ya solo. Con todos, y desde La Realidad mexicana y

310

desde todos los rincones del país, sigue alta la bandera de, para todos y todas

¡Democracia!
¡Libertad!
¡Justicia!

Por el Comité Clandestino Revolucionario Indígena–
Comandancia General
del Ejército Zapatista de Liberación Nacional
Subcomandante Insurgente Marcos
La Realidad de los Pequeños
México, 1° de noviembre de 1999

Chiapas: la guerra
II. La máquina del etnocidio
(Carta 5.2)

Noviembre de 1999

"Ya anochecido y por un atajo llegaron al pueblo Ramón Balam y Domingo Canché. Escapaban de la matanza que los blancos hacían entre los indios. Balam había recibido un machetazo en la espalda y sangraba. Jacinto Canek le dijo:
Ya se cumplen las profecías de Nahua Pech, uno de los cinco profetas del tiempo viejo. No se contentarán los blancos con lo suyo, ni con lo que ganaron en la guerra. Querrán también la miseria de nuestra comida

y la miseria de nuestra casa. Levantarán su odio contra
nosotros y nos obligarán a refugiarnos en los montes
y en los lugares apartados. Entonces iremos, como las
hormigas, detrás de las alimañas y comeremos cosas
malas: raíces, grajos, cuervos, ratas y langostas del
viento. Y la podredumbre de esta comida llenará de
rencor nuestros corazones y vendrá la guerra.
Los blancos gritaron:
"¡Se han sublevado los indios!".

Canek. Historia y leyenda de un héroe maya.

Ermilo Abreu Gómez

Octubre-noviembre de 1999, agencias internacionales de noticias.
La Secretaría de Relaciones Exteriores puso en marcha una cam-
paña de información vía Internet, para dar a conocer el trabajo
que realiza el gobierno mexicano para acabar con la pobreza en
Chiapas. El texto que se difunde, escrito en español, inglés, fran-
cés, italiano y alemán, dice que las autoridades han logrado en
Chiapas grandes avances en educación, salud, reparto agrario y
desarrollo agrícola. Sin embargo, el documento no menciona la
situación del conflicto armado ni la situación de los indígenas
desplazados.

A la sociedad civil nacional e internacional
De: *Sup* Marcos

Señora:

En estos días estará circulando un documento elaborado por
la Secretaria de Relaciones Exteriores, sobre el estado mexicano de Chiapas, donde se detallan las acciones gubernamentales en materia de educación, salud, reparto agrario y
desarrollo agrícola. Con el fin de completar lo que "informa"
el gobierno mexicano, el EZLN lanza el siguiente folleto
titulado **CHIAPAS: LA GUERRA**, que puede ser reprodu-
cido total o parcialmente, citando fuente o sin citar, y se puede

también hacer un avioncito de papel y arrojarlo en la cara del embajador o cónsul mexicano de su preferencia, o clasificar en el rubro de "horrores" en la "H" de "historia". También puede entregarse a alguna alta comisionada para los Derechos Humanos de la ONU[32] a la que le quieran ver la cara de Rabasa. Sale y vale:

En sus manos tiene usted el folleto. En la portada se ve la imagen de un mapamundi que, curiosamente, tiene el mismo contorno geográfico del suroriental estado mexicano de Chiapas. Arriba, con letras *bold* o *black* (o como se les diga a las "negritas") y en mayúsculas, se lee

Chiapas: la guerra

Abajo del mapamundi "chiapanizado", en letras más pequeñas se dice: "*¿Así son las últimas guerras del siglo xx? ¿O así serán las guerras del siglo xxi?*".

En la parte de atrás, o sea en la contraportada, la imagen es un pasamontañas, en el hueco donde debieran estar los ojos hay un espejo. Abajo se lee: "*Se permite, es más, se exige la reproducción total o parcial de lo que habla este folleto y, sobre todo, de lo que calla*".

En la primera de forros están algunos datos:

País: México
Superficie: 1 967 183 kilómetros cuadrados
Población: 91 800 000 (1994)
Población Indígena: 10 millones (las cifras oficiales hablan de poco más de 5 millones)
Estado: Chiapas
Superficie: 74 211 kilómetros cuadrados
Población: 3 607 128
Población indígena: Más de un millón de personas (el gobierno sólo menciona a 706 mil).

La primera página empieza, sin anestesia, declarando que: *Para encontrar "México" en un mapa moderno debe usted apurarse, porque los gobernantes actuales se han empeñado en destruirlo y, si tienen éxito, pronto no aparecerá más en los mapamundis. Localice primero el continente americano. Bien, ahora ubique lo que se llama "norteamérica". Ahora, eso que aparece al sur de los estados norteamericanos de Texas, Arizona, Colorado y California, no es (todavía) una más de las estrellas en la bandera estadounidense. Observe con atención ese pedazo del continente cuyo costado occidental es acariciado por el Océano Pacífico, previa cuchillada que le dejó la península de Baja California como solitario y diestro brazo, y cuyo vientre se adelgaza para darle un lugar privilegiado al Océano Atlántico (protegido por el pulgar de la península de Yucatán). ¿Qué le parece? Sí, tiene usted razón, su figura es la de una mano que espera. Bien, ése es México. ¡Uff!, es bueno saber que aún está ahí.*

Ahora anote usted los datos que aparecen en la primera de forros. Conforme avance en la lectura de este folleto, el número de la población indígena en Chiapas irá disminuyendo. El gobierno mexicano lleva adelante una guerra cuyo primer paso contempla la eliminación de casi medio millón de indígenas (precisamente los "faltantes" en su censo, que son los indígenas que habitan en la llamada "zona del conflicto").

Fuentes gubernamentales estiman en cuando menos 450 mil el número de indígenas que son zapatistas o simpatizan con la causa del EZLN, *ergo*, son "zapatistas potenciales", es decir, "eliminables".

Con balas, bombas, granadas, paramilitares, esterilización forzada, secuestro y tráfico de infantes, deterioro del medio ambiente, asfixia cultural y, sobre todo, con olvido, los indígenas mexicanos son aniquilados en una guerra cuya intensidad en los medios de comunicación sube y baja, pero es constante e inexorable en la cuota de muerte y destrucción que cobra en la realidad chiapaneca.

Bueno, ahora concéntrese usted en la esquina suroriental del mapa de México. Esa zona morena y llena de montañas es Chiapas. Sí "Chiapas" y no "Chapas", como lo pronuncia Zedillo. ¿Quién? ¿Zedillo? ¡Ah! Es el que está al frente del grupo que gobierna México. Bueno, no al frente, más bien atrás. No, quiero decir, a un lado. No, es mejor decir que está debajo de. En fin, algunos lo llaman "el presidente de México" pero en este país nadie toma en serio esa afirmación. Bueno, no nos distraigamos. Tome usted un lápiz de color rojo y coloreé esa esquina, la última, de México. ¿Por qué de rojo? Bueno, quiere decir varias cosas: "lucha", "conflicto", "alerta", "peligro", "emergencia", "sangre", "lucha", "resistencia", "deténgase", "guerra". Chiapas quiere decir todo eso, pero ahora sólo tomaremos el rojo como "guerra".

Sí, hay aquí una guerra. Sí, soldados, aviones, helicópteros, tanques, ametralladoras, bombas, heridos, muertos, destrucción. ¿Las partes confrontadas? Bueno, por un lado está el gobierno mexicano; por el otro están los indígenas. Sí, el gobierno contra los pueblos indios. ¿Qué? No, no le estoy hablando de algo que pasó, es algo que ocurre actualmente. Sí, en este fin del siglo XX y cuando ya desempaca su equipaje de incertidumbres el siglo XXI, el gobierno mexicano le hace la guerra a los habitantes más primeros de este país, los indígenas.

¿Qué dice usted? ¿Qué el gobierno de México dice que no es una guerra sino un "conflicto"? Bueno, veamos algunos datos que pueden ser comprobados *in situ*, con el simple método de la observación, viendo y escuchando. El problema es que, para el gobierno mexicano, las acciones denotadas por los verbos "ver" y "escuchar" están tipificadas como delitos. Cualquier ciudadano mexicano o de cualesquiera de los países de los cinco continentes debe ser mudo y ciego, so pena de cárcel, expulsión, amenaza, desaparición o muerte.

Pero supongamos que usted no quiere arriesgarse a ser encarcelado, perseguido, amenazado o desaparecido si es mexicano, o, si usted es de otra nacionalidad, amenazado, hostigado y expulsado de nuestro país por autoridades gubernamentales que odian a los que vienen a comprobar *in situ* las informaciones periodísticas. ¿Qué hacer? Bien, para eso está este folleto, en él le diremos sólo lo que es comprobable a simple vista, y no lo que requiere de una investigación a fondo y "contactos" muy arriba en el gobierno... norteamericano. Como aval moral de esta información, le diremos que nosotros nunca le hemos mentido y no tenemos por qué hacerlo ahora. Pero aún así usted tiene el pleno derecho de dudar, así que puede usted recurrir a la prensa internacional y nacional, o arriesgarse a visitar las tierras indias del Sureste mexicano. Verá usted que no hay duda de que bajo estos cielos se libra una guerra, y que esta guerra es contra los pueblos indios.

Primer dato de guerra: la presencia de un número extraordinariamente alto de fuerzas armadas gubernamentales.

Según la cifra oficial, son 30 mil los elementos del Ejército Mexicano destacamentados en Chiapas. Cálculos no oficiales aseguran que son cerca de 70 mil. Por la irrupción del Ejército Zapatista de Liberación Nacional el 1 de enero de 1994, el gobierno federal envió, en la primera semana de enero, a la zona de conflicto a cerca de diez mil soldados del Ejército Mexicano; 200 vehículos (jeeps artillados y tanquetas, entre otros) y 40 helicópteros. Pero en diez días de conflicto el número de efectivos se incrementó a 17 mil. En ese mismo año, el gobierno federal restringió el conflicto armado a cuatro municipios: San Cristóbal de Las Casas, las

Margaritas, Ocosingo y Altamirano. Y luego se extendió. En 1999 el Ejército Mexicano amplió su radio de acción a 66 de los 111 municipios de Chiapas. Sí, más de la mitad de los municipios chiapanecos viven en situación de guerra. En ellos la autoridad máxima es la castrense.

Para la guerra en el Sureste mexicano, el Ejército Federal está organizado en la séptima Región Militar, que cuenta con cinco zonas militares: la 30 con sede en Villahermosa, la 31 en Rancho Nuevo, la 36 en Tapachula, la 38 en Tenosique, y la 39 en Ocosingo. Además cuenta con las siguientes bases aéreas militares: Tuxtla Gutiérrez, Ciudad Pemex, Copalar.

Oficialmente la fuerza principal del Ejército Federal, la llamada *Fuerza de Tarea Arcoiris,* cuenta con 11 agrupamientos: San Quintín, Nuevo Momón, Altamirano, Las Tacitas, El Limar, Guadalupe Tepeyac, Monte Líbano, Ocosingo, Chanal, Bochil y Amatitlán.

Pero basta un vistazo a vuelo de pájaro para darse cuenta de que esto es falso. Existen grandes guarniciones militares cuando menos en los siguientes lugares:

Zona Selva: San Caralampio, Calvario, Laguna Suspiro, Taniperla, Cintalapa, Monte Líbano, Laguna Ocotalito, Santo Tomás, La Trinidad, Jordán, Península, Ibarra, Sultana, Patiwitz, Garrucha, Zaquilá, San Pedro Betania, Yulomax, Florida, Ucuxil, Temó, Toniná, Chilón, Cuxuljá, Altamirano, Rancho Mosil, Rancho Nuevo, Chanal, Oxchuc, Rancho el Banco, Teopisca, Comitán, Las Margaritas, Río Corozal, Santo Tomás, Guadalupe Tepeyac, Vicente Guerrero, Francisco Villa, El Edén, Nuevo Momón, Maravilla Tenejapa, San Vicente, Rizo de Oro, La Sanbra, Flor de Café, Amador Hernández, Soledad, San Quintín, Amatitlán, Río Euseba.

Zona Altos: Chenalhó, Las Limas, Yacteclum, La Libertad, Yaxmel, Puebla, Tanquinucum, Xoyeb, Majomut, Majum, Pepentik, Los Chorros, Acteal, Pextil, Zacalucum,

Xumich, Canonal, Tzanen Bolom, Chimix, Quextik, Bajoventik, Pantelhó, Zitalá, Tenejapa, San Andrés, Santiago El Pinar, Jolnachoj, El Bosque, Bochil, San Cayetano, Los Plátanos, Caté, Simojovel, Nicolás Ruiz, Amatenango del Valle, Venustiano Carranza.

Zona Norte: Huitiupán, Sabanilla, Paraíso, Los Moyos, Quintana Roo, Los Naranjos, Jesús Carranza, Tila, E. Zapata, Limar, Tumbalá, Hidalgo Joexil, Yajalón, Palenque, Chancalá, Salto de Agua, Roberto Barrios, Playas de Catazajá, Boca Lacantún.

Esto sólo en la llamada "zona de conflicto". Para cumplir con la cifra oficial de 30 mil soldados en Chiapas, estas guarniciones deberían de tener un promedio de 300 soldados, cosa que es evidentemente falsa. Las guarniciones pequeñas tienen, en promedio, ese número. Pero los grandes cuarteles superan con mucho diez veces esa cantidad. Los grandes cuarteles de Rancho Nuevo, Ocosingo, Comitán, Guadalupe Tepeyac y San Quintín cuentan entre 3 mil y 5 mil efectivos cada uno.

Según organizaciones indígenas y sociales de Chiapas (distintas y distantes al EZLN), el Ejército Mexicano tiene actualmente en Chiapas 266 posiciones militares, lo que significa un considerable incremento respecto a los 76 puestos que tenía en 1995. En una carta dirigida a Ernesto Zedillo y al secretario de la Defensa Nacional, Enrique Cervantes Aguirre, las agrupaciones con presencia en las cañadas de la selva de Chiapas, manifestaron que tan sólo en los municipios de Ocosingo, Altamirano, Las Margaritas, La Independencia y La Trinitaria se encuentran destacamentados 37 mil soldados.

En esos cinco municipios, agregan, la población no llega a los 300 mil, lo que significa que hay un soldado por cada nueve habitantes. Por eso, señalan en el documento, "el retiro del Ejército Mexicano de nuestras comunidades constituye la principal demanda de los pueblos indígenas de Chiapas; y no responde a intereses de unos cuantos".

Además de las fuerzas "regulares" encuadradas en las zonas militares del Ejército y Fuerza Aérea en Chiapas, el gobierno cuenta con 51 Grupos Aeromóviles de Fuerzas Especiales (GAFE), de los cuales cuando menos cinco están en Chiapas: uno en El Sabino, otro en Copalar, otros en Terán, Tapachula y Toniná. Para entrenamiento de estos GAFE, Estados Unidos destinó 28 millones de dólares en 1997 y 20 millones en 1998. En 97–98 unos 2 500 militares se entrenaron en Fort Bragg, North Carolina y Fort Benning, Georgia, Estados Unidos.

También en Chiapas, un cuerpo de Infantería de Defensas Rurales, seis batallones de infantería, dos regimientos de caballería motorizada, tres grupos de morteros y tres compañías no encuadradas. Además de doce compañías de Infantería no encuadradas en Salto de Agua, Altamirano, Tenejapa y Boca Lacantún.

El promedio de tropa por compañía es de 145 a 160 soldados, y el de un batallón de 500 a 600 aproximadamente.

Paramilitares. Cuando menos siete grupos de paramilitares: Máscara Roja, Paz y Justicia, Mira, Chinchulines, Degolladores, Puñales, Albores de Chiapas. El responsable de su activación en 1995 fue el general Mario Renán Castillo, entrenado en Fort Bragg, Carolina del Norte, EU, y en ese entonces jefe de la séptima Región Militar. El equipamiento para esta guerra es sorprendente (sólo manejamos las cifras que son públicas).

Compras en 1994. Cuatro helicópteros S70A *Blackhawk* de la empresa Sikorsky. Otras empresas Bell, MacDonell-Douglas; 7 573 rifles lanzagranadas, 18 lanzagranadas M203P1 de 40 milímetros, 500 rifles de francotirador, 473 mil *ítems* de campaña, 14 mil *sleeping bags*, 660 mil raciones, 120 mil cinturones con funda de pistola, 608 apuntadores láser y 208 equipos de visión nocturna, 500 armas antitanque belgas, 856 lanzagranadas automáticos HK19, 192 ametralladoras M2HB. También usan RPG-7 y armas similares al B-300.

En 1996 el Congreso norteamericano autorizó la venta a México de 146 617 738 dólares. Diez millones en refacciones para aeronaves, seis millones de cartuchos, millón y medio de dólares en *herbicidas*, 378 lanzagranadas, tres helicópteros MD–500, máscaras antigás, más de 61 mil dólares en productos *químicoantipersonales*.

En 1997, 10 mil pistolas, 1 080 rifles AR–15, 3,193 M–16, y refacciones para tanques y vehículos artillados. En 1999 se tienen previstas compras por, cuando menos, 62 millones de dólares. (Los datos están tomados de *Las Fuerzas armadas mexicanas a fin de milenio. Los militares en la coyuntura actual*. López y Rivas, Gilberto; Sierra Guzmán, Jorge Luis; Enríquez del Valle, Alberto; Grupo Parlamentario del PRD, Cámara de Diputados 57 Legislatura).

La Fuerza Aérea Mexicana, según un informe de la Secretaría de la Defensa Nacional, durante los cinco años del sexenio de Ernesto Zedillo, ha incrementado sus operaciones aéreas en 37% con respecto al sexenio anterior. Ahora se realizan hasta 110 operaciones diarias (contra 87 en el sexenio pasado). Desde 1995, la dotación de aviones y helicópteros creció 62%. Al inicio de la administración de Zedillo se contaban con 246 aeronaves, ahora hay 398 (sin contar los 74 helicópteros *Huey* que se regresaron a EU, con datos del Boletín de la Fuerza Aérea Mexicana y *El Universal*).

Cada 29 días tienen un accidente, un accidente fatal cada 105 días y se pierde una aeronave militar cada 86 días.

Cada 26 días tienen "incidentes" que se pueden tipificar dentro de lo que se llama "presión de guerra" (war stress). Los "incidentes" tendrán un incremento superior a 43% con respecto al sexenio anterior.

Los proveedores de las máquinas aéreas de muerte para México son Estados Unidos, Suiza y Rusia (con datos de la publicación Airpower Journal International, con datos del teniente coronel Luis F. Fuentes, de la Fuerza Aérea de Estados Unidos). Con su apoyo se han armado cinco escuadrones de contrainsurgencia. Uno de los escuadrones de contrainsurgencia (cuenta con cinco helicópteros Bell 205A-1, cinco Bell 206 JetRanger y 15 Bell 212) está destinado a Chiapas y sus 25 helicópteros están artillados. En el rubro de aviones de reconocimiento, de los dos escuadrones de aerofotogrametría (para el levantamiento de planos) con 10 Rockwell 500S Commander que existen, cuando menos cuatro aviones operan sobre la "zona de conflicto"; y de la unidad de búsqueda y rescate, que cuenta con nueve aeronaves IAI-201 Arava, cuando menos dos están destinadas a la aéreovigilancia del territorio rebelde.

Con respecto a los helicópteros, son de notar las nuevas adquisiciones de unidades de fabricación rusa, y el total de aparatos: 12 Mi-8, 4 Mi-17, cuatro Bell 206, 15 Bell 212, tres aerospatiale Sa-330 Puma y dos Bell UH-60 Black Hawk.

La FAM (Fuerza Aérea mexicana) utiliza al Lockheed AT-33 como nave de combate, porque están dotados de una variedad de armamentos, como ametralladoras Browning M-3 calibre .50 en la trompa, así como dos puntos bajo las alas para soportar cargas de bombas de 500 libras y/o lanzacohetes. Según la versión oficial, la FAM no los utilizó en el conflicto de Chiapas (La Jornada).

La realidad es otra. Existen videos tomados los días 5 y 6 de enero de 1994, donde aviones Lockheed AT-33 bom-

bardeaban los alrededores de San Cristóbal de Las Casas, Chiapas. Estos videos fueron tomados por Amnistía Internacional, e incluyen fotos de esquirlas y pedacería de las bombas o "rockets" ("Chiapas: 1984", doctor Steven Czitrom, México, 1999).

Por si fuera poco, un grupo de 17 observadores extranjeros, encabezados por la organización estadounidense Global Exchange, denunció la existencia de trampas *cazabobos* que construyen los militares, como parte de una guerra de baja intensidad en contra del EZLN. Explicó que estas trampas consisten en hoyos cavados en el piso, los cuales son tapados con hojas y tienen al fondo estacas de unos 40 centímetros de largo. Agregó que las trampas fueron descubiertas en las cercanías de la comunidad de Amador Hernández. Por otra parte, los observadores dijeron que el armamento que le proporciona Estados Unidos a México, no se utiliza para el combate al narcotráfico sino para la guerra en contra de los pueblos indígenas.

Después de leer, en un pequeño recuadro: *México, rehusó en 1993–1995 la ayuda de EU, pero en 96–97 aceptó 7 millones de dólares de parte del Pentágono para entrenamiento y equipo (Nacla, vol. 32 # 3 nov–dic. de 1998).*

Usted cambia de página y se encuentra con el siguiente subtítulo:

El otro negocio de la guerra

Todo este gigantesco aparato militar tiene su razón de ser. Aunque el gobierno insiste inútilmente que se trata de una fuerza de "contención" frente a los rebeldes zapatistas, la verdad es que es un contingente de guerra. Una guerra que tiene como objetivo la destrucción de los pueblos indios rebeldes primeramente, y después de todos los demás indígenas. No se trata sólo de una eliminación física, sino más bien de una eliminación en tanto que cultura diferente. Lo que se persigue es destruir, aniquilar todo referente indígena de estos pueblos. El delito es cuádruple: existen (y en el neoliberalismo la existencia de la diferencia es un delito), no responden a las leyes del mercado (no tienen tarjetas de crédito, no conciben la tierra como una mercancía), habitan sobre un territorio pleno de riquezas naturales (véase la *Carta 5.1 Chiapas: la guerra. Entre el satélite y el microscopio, la mirada del otro*, exposición del CCRI–CG del EZLN ante la CCIODH (Comisión Civil Internacional de Observación por los Derechos Humanos) el 22 de noviembre de 1999, de próxima publicación internacional), y son rebeldes.

No nos extenderemos más en este aspecto, puesto que este folleto sólo pretende mostrar la evidencia de un dispositivo militar guerrero y una guerra en acción en las montañas indígenas del Sureste mexicano. Le hemos mencionado antes que existen en Chiapas cuando menos 266 posiciones militares. Ahora cuente usted por cada cuartel o guarnición, un burdel y al menos tres expendios de bebidas alcohólicas; 266 nuevos prostíbulos y cuando menos 798 cantinas. Los *administradores* de estos prostíbulos y cantinas son los generales. Están *coludidos* con los *polleros* para traficar con mujeres procedentes de Centroamérica, cuyo *estatus* de ilegalidad impide que tengan la mínima defensa ante sus *patrones* castrenses.

Además de la proliferación de enfermedades venéreas, la llegada de la prostitución *importada* ha hecho florecer la *local*. Es común que en las comunidades indígenas afines al PRI, las mujeres se conviertan en prostitutas que *laboran* en los cuarteles que ocupan sus terrenos. La entrada de alcohol ha incrementado la violencia *intrafamiliar*, y crece el número de mujeres y niños golpeados por varones borrachos. Además de que, al posicionarse sus unidades, el Ejército invade terrenos ejidales (y viola la ley que dice defender), y de que el poder *de facto* de los soldados encuentra cómplices dóciles en las presidencias municipales, en el gobierno del Estado y en la prensa local, el tráfico de seres humanos llega a su máximo horror: el tráfico de infantes.

En el hospital del viejo Guadalupe Tepeyac, la doctora María de la Luz Cisneros, se dedica a proporcionarle al general al mando de la guarnición local, los recién nacidos que roba. Juntos colaboran con una red de traficantes de niños. El procedimiento es muy sencillo: una mujer indígena llega a parir a este *hospital*. Da a luz y la mencionada doctora le exige a la mujer que presente su identificación porque sin ella no le puede entregar al niño, atemoriza a la mujer y consigue que se retire sin el niño. Otras veces la doctora *comunica* a la mujer que el niño nació muerto y que no le van a entregar el cadáver porque "no tiene papeles". Los niños robados, con la colaboración del general al mando del cuartel del viejo Guadalupe Tepeyac, son enviados a un lugar desconocido. ¿Cuánto vale un niño o una niña indígena probablemente zapatista? ¿Cuánto valen sus órganos si se venden "por partes"? Estas preguntas sólo las pueden responder la doctora Cisneros y el cómplice con grado de general.

Al tráfico de mujeres y de niños (o de partes de niños), los altos mandos militares *destacamentados* para *contener* a los zapatistas, tienen un gran negocio en el narcotráfico. Hasta febrero de 1995, cuando los zapatistas tenían el control total del territorio de la "zona de conflicto", los narcotraficantes se vieron impedidos de usar la selva Lacandona como "trampolín" hacia los Estados Unidos; y la siembra, el tráfico y el consumo de estupefacientes en ese territorio se redujo a cero. Pero cuando el Ejército "recuperó la soberanía nacional", los grandes *capos* de México y Sudamérica encontraron la *comprensión* de los generales y, además de que proliferan desde entonces los plantíos de mariguana y amapola, operan a su máxima capacidad las aeropistas bajo control militar. El *narco* internacional cuenta así con un territorio donde sólo sus socios, los militares, pueden entrar. La tajada que los generales llevan en esta operación no es pequeña.

No sólo los militares tienen negocios gracias a esta guerra vergonzante. Los gobiernos federal y estatal también se enriquecen con la militarización. La gran inversión en viviendas para soldados y cuarteles tiene un beneficiario oculto, el hermano del señor Ernesto Zedillo Ponce de León. Nombre: Rodolfo Zedillo Ponce de León (datos de *Debate Sur–Sureste,* número 2, marzo de 1999) que es dueño de la constructora que levanta complejos habitacionales, centros de tortura, almacenes y puestos de mando del Ejército Federal en Chiapas. El padre del señor Ernesto Zedillo se encarga de las instalaciones eléctricas de estos cuarteles mediante su empresa Sistemas Eléctricos s.a. de c.v.

¿Cómo detener la militarización si eso significaría que la familia de Zedillo perdería una importante fuente de ingresos? Con sangre indígena se alimenta el "bienestar de la familia" de Ernesto Zedillo Ponce de León.

El Croquetas Albores no se queda atrás. Según denuncia del diputado local del PAN, Cal y Mayor, el producto ("desayunos escolares" les llaman) que el DIF–Chiapas reparte a 675 mil niños, está elaborado con "pasta de soya forrajera" y necesita aditivos como "metabisulfito de sodio y azufre para poder texturizar". La empresa Abasto global s.a. de c.v., es la que distribuye y es propiedad de Albores Guillén, a través de prestanombres. El gobierno del estado paga 1.56 pesos por cada desayuno a esta empresa que se creó el 17 de febrero de 1998 para "la compra–venta y representación comercial de productos agrícolas, agropecuarios e industriales".

Si usted no está asqueado al llegar a este punto, entonces de la vuelta a la página y entérese de lo siguiente.

Los paramilitares

En la Cámara de Diputados, el procurador Jorge Madrazo Cuéllar reconoció que en Chiapas actúan 15 organizaciones civiles "probablemente armadas": los Chinchulines, Paz y Justicia, Abu–Xú, Guardián de mi Hermano. Tomás Múnzer, MIRA, Tzaes, Guaches, Pates, Botex, Xoxepes, Xiles y Los Mecos, todos ellos del municipio de Pantelhó, además de las organizaciones Bartolomé de los Llanos, Fuerzas Armadas del Pueblo, Casa del Pueblo, OCEZ–CNPA, Primera Fuerza y Máscara Roja.

Salvo referencias de prensa, no existen ningún otro tipo de pruebas o evidencias respecto de los grupos denominados MIRA, *Tomás Múnzer, Primera Fuerza y Máscara Roja.*

La historia de los paramilitares en Chiapas se remonta a 1995. Cuando fracasó la ofensiva del Ejército Federal en febrero de ese año, y visto el desprestigio que trajo a las fuerzas gubernamentales, Zedillo optó por activar diversos grupos paramilitares. El encargado fue el general Mario Renán Castillo, que había ya traducido del inglés el manual norteamericano que recomienda el uso de civiles para combatir a fuerzas insurgentes. Destacado alumno de la escuela estadounidense de contrainsurgencia, Renán Castillo se dedicó a seleccionar a un grupo de militares para la capacitación, dirección y equipamiento. El dinero lo puso la Secretaría de Desarrollo Social (Sedesol), y los "soldados", el PRI chiapaneco.

Paz y Justicia fue el nombre ideado por estos militares para el primero de estos grupos. Su área de operación es el norte del estado de Chiapas y su impunidad llega a tal punto que controlan el tránsito en ese territorio. Nada ni nadie entra o sale en esa zona sin la "autorización" de Paz y Justicia. Los "méritos en combate" de estos paramilitares no son pocos. Cuando menos un atentado de muerte en contra de los obispos Samuel Ruiz García y Raúl Vera López, decenas de indígenas asesinados, decenas de mujeres violadas y miles de desplazados. Pero los "logros" de Paz y Justicia palidecen ante su hermano menor: Máscara Roja. Preparado y entrenado para operar en Los Altos de Chiapas, Máscara Roja tiene la medalla de la matanza de Acteal, el 22 de diciembre de 1997. En esa "acción", los paramilitares hicieron palidecer a los *kaibiles* guatemaltecos. El accionar de Máscara Roja ha provocado la existencia de casi 8 mil desplazados de guerra tan sólo en Chenalhó.

El éxito de Paz y Justicia y de Máscara Roja, alentó al Ejército para armar otro grupo, ahora asignado a la selva Lacandona: el Movimiento Indígena Revolucionario Antizapatista (MIRA). El MIRA no ha tenido más éxitos militares que el asesinato de algunos indígenas, y su principal función es prestarse a los teatros de "desertores zapatistas" que cada tanto monta *El Croquetas* Albores Guillén. *El Croquetas* no quiso quedarse atrás y fundó el grupo paramilitar Albores de Chiapas, que tiene características muy versátiles: lo mismo acarrean indígenas a las movilizaciones de "apoyo al gobernador Albores", desalojan campesinos o ejecutan sumariamente a los señalados por la pezuña que habita el palacio de gobierno en Tuxtla Gutiérrez. La acción de militares y paramilitares necesita el "acompañamiento" de otras fuerzas. Así que pase usted a la siguiente sección y lea...

Los otros perseguidos

El *quehacer* de militares y paramilitares es complementado por los caciques locales. En Tuxtla Gutiérrez, empresarios priístas chiapanecos presentaron ante el *sustituto* Albores, la llamada Fundación Social para Chiapas, A.C. El empresario gasolinero, Constantino Narváez Rincón, es el presidente de la fundación, y la coordinadora de campaña de recolección es María Elena Noriega Malo. Esta fundación pretende recabar un fondo de 200 millones de pesos, entre el gobierno del estado de Chiapas, empresarios del estado y del país, para dar atención integral en nutrición, educación y salud a los habitantes de 134 comunidades de alta marginación pertenecientes a los siete municipios de reciente creación. Los empresarios agregaron que tienen experiencias en campañas similares de otros países. El proyecto de la presunta organización independiente avala el programa oficial de Remunicipalización y la Ley sobre Derechos y Cultura Indígena propuesta por el sustituto, *El Croquetas* Albores Guillén.

Sin embargo, en un artículo de Lourdes Galaz, titulado *"Netwar contra el EZLN"*, publicado en el diario *La Jornada*, el 29 de agosto, se indica que los objetivos de la fundación son desprendidos del proyecto *The Advent of Netwar* (1996), creado por los analistas del Instituto de Investigaciones para la Defensa Nacional, de Santa Mónica, California en Estados Unidos, John Arquila y David Rondfeldt.

Señala el artículo que en algunos círculos políticos y académicos, advierten que ya habría una definición del gobierno zedillista para enfrentar el problema de la guerrilla zapatista en Chiapas.

La estrategia de la guerra de redes está enfocada a analizar y contener, aislar, desestructurar e inmovilizar las redes sociales, así como las del narcotráfico, de terroristas y de grupos delincuentes. Según esto, la estrategia debe enfocarse no sólo al EZLN, sino a todas las organizaciones, frentes e individuos que forman parte de la amplia red de apoyo al zapatismo.

Los analistas recomiendan que deben imponerse todo tipo de acciones y tácticas que van desde las clásicas de corte contrainsurgente (hostigamiento, amenazas, acciones psicológicas, secuestros, ataques de grupos paramilitares, ejecuciones individuales, etcétera) hasta campañas de desinformación, espionaje, creación de ONG financiadas por el gobierno para contraponerlas a las independientes (vinculadas con la red), entre otras.

Como resultado, los más vigilados en esta guerra que se niega a decir su nombre, no son los delincuentes que pululan sobre todo en el palacio de gobierno. Los más vigilados y acechados son los defensores de derechos humanos. Personas que trabajan en ONG chiapanecas, en la Academia Mexicana de Derechos Humanos, en la Comisión Mexicana de Defensa y Promoción de los Derechos Humanos, A.C., en el Centro Mexicano de Derechos Humanos Miguel Agustín Pro Juárez, y, en general, quienes forman parte de la red "Todos los derechos para todos", son blanco de vigilancia, hostigamientos y amenazas de muerte.

El hecho de que los defensores de los derechos humanos sean considerados como objetivo militar en esta guerra no es gratuito. Para el gobierno mexicano, el riesgo de esta guerra no es la muerte y la destrucción que provoca, sino que se conozca. Y este es problema con los defensores de los derechos humanos: no se quedan callados frente a las injusticias y arbitrariedades.

Pero si para los defensores mexicanos de los derechos humanos hay amenazas, persecución y hostigamiento, para los observadores internacionales hay mentiras. El Ejército Mexicano, cuya maquinaria de guerra en Chiapas es evidente, se esfuerza, inútilmente, en mostrarse ante la opinión pública como un "trabajador social". Las siguientes son "perlas" capturadas por un excelente servicio alternativo de noticias:

Nuevo Amanecer Press Europa, Darrin Wood, director.
dwood@encomix.es

*Séptima región militar, Tuxtla Gutiérrez, Chiapas, 11 de
septiembre de 1999.*
"En el marco de la coadyuvancia con el gobierno del estado de
Chiapas, las tropas destacamentadas en la séptima Región
Militar llevaron a cabo el día de ayer las siguientes actividades:
ocho cortes de pelo..." (*comunicado de la Sedena*).

*Séptima región militar, Tuxtla Gutiérrez, Chiapas, 12 de
septiembre de 1999*
"Como parte de las actividades que desarrollan las tropas de la
séptima región militar para garantizar el bienestar y la seguridad
en diferentes comunidades del estado de Chiapas, el día de ayer
se llevaron a cabo las siguientes actividades: seis cortes de
pelo..." (*comunicado de la Sedena*).

*Séptima región militar, Tuxtla Gutiérrez, Chiapas, 22 de
septiembre de 1999.*
"Al continuar con el desarrollo de actividades para garantizar la
seguridad y proporcionar bienestar a las comunidades del estado
de Chiapas el día de ayer se efectuaron las siguientes acciones:
seis cortes de pelo..." (*comunicado de la Sedena*).

*Séptima región militar, Tuxtla Gutiérrez, Chiapas, 23 de
septiembre de 1999.*
"Las tropas destacamentadas en la séptima región militar
continúan apoyando al gobierno del estado de Chiapas
realizando actividades de labor social en auxilio de la población
civil en diversas zonas del estado, llevando a cabo las siguientes
actividades: cinco cortes de pelo..." (*comunicado de la Sedena*).

*Séptima región militar, Tuxtla Gutiérrez, Chiapas, 24 de
septiembre de 1999.*
"En el marco del auxilio a la población civil y el apoyo que se
brinda al gobierno del estado de Chiapas, las tropas de la
séptima región militar, llevaron a cabo en diferentes zonas del
estado el día de ayer las siguientes actividades: siete cortes de
pelo..." (*comunicado de la Sedena*).

¡Sí, leyó usted bien!, en cinco días los más de 60 mil soldados acuartelados en Chiapas hicieron la labor social de... ¡32 cortes de pelo! Sí, tiene usted razón, son los cortes de pelo más caros y más sangrientos de la historia de la humanidad.

Con esta "humanitaria" imagen del Ejército en Chiapas se termina este folleto. Si usted es una alta comisionada de la ONU y está de visita en nuestro país, no se sorprenda; que nada de esto coincida con el lamentable tinglado que el gobierno mexicano ha montado. Resulta que la mentira es también un arma. Ya se verá si usted se rinde o, como enseñan los indígenas de acá, resiste a la mentira.

Todo lo que le he referido es cierto. Puede ser comprobado directamente o consultado en reportes periodísticos. Aún no refleja la totalidad del horror que esta guerra significa. Pero lo sorprendente no es esta gigantesca máquina de guerra destruyendo, asesinando y persiguiendo a más de un millón de indígenas. No, lo realmente extraordinario y maravilloso, es que es y será inútil. A pesar de ella, los zapatistas no sólo no se rinden ni son derrotados, además crecen y se hacen más fuertes. Según cuentan por estas montañas, los zapatistas tienen un arma secreta muy poderosa e indestructible: la palabra.

Bueno, ya me despido señora. Así están las cosas por acá. No importa lo que le digan, le cuenten o le muestren los siniestros personajes que pululan en las secretarías de Estado, en las embajadas y en los consulados, esta es la verdad. Pero si no me cree, venga a comprobarlo usted personalmente. Sabrá que ha llegado si mira hacia los de arriba y se da cuenta de que abundan los tanques, los retenes militares, los interrogatorios policiacos de los agentes de migración, los cuarteles, los puestos de bebidas alcohólicas, los burdeles, la mentira.

No olvide mirar también hacia los de abajo, ahí se dará cuenta de que la luz puede ser también morena y bajita, que hay quien debe ocultar el rostro para ser mirado y que debe esconderse para mostrarse. Pero si cualquiera de estos datos no le confirman que ha llegado, porque ciertamente son muchos los rincones de la historia que así pintan arriba y abajo, hemos pensado en facilitarle su visita. A la entrada, verá usted un letrero no muy grande, con letras de colores y torpe trazo que dice:

Bienvenidos a Territorio Zapatista, último rincón de la dignidad rebelde

Y no crea que decimos eso de "último rincón" en el sentido de histórico o de consecuencia, porque ciertamente son muchos los rincones que el mundo guarda para su rebelde dignidad y son todos ellos consecuentes. Cuando decimos que somos el "último rincón" queremos decir sólo que somos los más pequeños...

Vale. Salud y, si viene, le esperamos, aún cuando ya no estemos. Ande con cautela porque es muy sencillo llegar a estas tierras, lo difícil es irse.

Desde las montañas del Sureste mexicano
Por el Comité Clandestino Revolucionario Indígena–
Comandancia General
del Ejército Zapatista de Liberación Nacional
Subcomandante Insurgente Marcos
La Realidad en Guerra. México, noviembre de 1999

P.D. Que advierte. ¡Ah!, se me olvidaba. Tenga usted mucho cuidado cuando llegue a suelos rebeldes. Resulta que, desde el 1 de enero de 1994, acá se declaró la abolición de la *Ley de Gravedad* y es común que, en algunas madrugadas, la luna se desnude y se muestre como lo que es realmente, es decir, una de las manzanas que desafió a Newton...

Chiapas: la guerra
III. Amador Hernández, la disputa por la tierra
Carta 5.3

Diciembre de 1999

Tomemos entonces, nosotros, ciudadanos comunes,
la palabra y la iniciativa. Con la misma vehemencia
y la misma fuerza con que reivindicamos nuestros
derechos, reivindiquemos también el deber de
nuestros deberes.
José Saramago, *Discursos de Estocolmo*

A: *José Saramago*
Planeta Tierra

De: *Sup Marcos*
Montañas del Sureste mexicano

Don José:

Le escribo estas líneas con la esperanza de que lo alcancen cuando su paso aún camine por estos suelos indígenas. Claro, para saludarlo, pero no sólo para saludarlo. Y no sólo para saludarlo a usted, también a la Pilar. Sobre todo para saludar su palabra, esa inquieta e irreverente palabra que usted esgrime y que, como no queriendo, va dejando heridas y raspones que no hay ungüento que los alivien.

Pero, creo que ya lo dije, le escribo no sólo para saludarlo. También para contarle algo y pedirle una cosa. Sabe usted, la mar puso en mis manos un su libro de usted que se llama *De este mundo y del otro*. Empecé a leerlo de atrás para adelante, que es la prueba más estricta que acá tenemos para ver si un libro debe estar cerca nuestro. Si se puede empezar a leer por el final o por cualquiera de sus páginas, entonces es un libro de esos que uno debe tener siempre cerca. Yo sé que, como criterio literario, eso es más bien excéntrico, pero eso permite explicar que acá algunos libros compartan la humedad, los desvelos, el ruido de las aspas de los helicópteros artillados, el ronroneo de los aviones bombarderos, el constante rugido de los motores de los tanques de guerra, la impertinencia de no pocas cucarachas, el empecinado tejido de arañas de todos los tamaños, y el inevitable ir y venir de las hormigas. Entre esos libros (que no reseñaré porque para el gobierno mexicano pueden ser sospechosos de subversión, y creo que a Cervantes, Shakespeare, García Lorca, Neruda, Hernández, Cortázar, Sor Juana, y a otros y otras, no les faltan títulos y honores como para agregarles el de "transgresores de la ley") está ahora su libro *De este mundo y del otro*.

Pero no era para platicarle de los libros que acá duelen que le escribo. Resulta que estaba hojeando y ojeando su libro, cuando mis ojos se detienen en el texto que se titula "Un azul para Marte". El argumento es sencillo: usted ha pasado diez años en Marte y sabe que los marcianos no conocen las guerras, ni hay diferencias para ellos entre las ciudades y el campo, y otras cosas muy marcianas. Pero el problema que tienen en Marte es que sólo tienen dos colores,

334

el blanco y el negro, y las distintas tonalidades que van de uno a otro. Los marcianos esperan encontrar los colores para ser completamente felices. Usted duda si llevarles el azul. Y esto viene al caso porque acá los zapatistas estamos luchando por un mundo donde quepan todos los colores sin dejar de ser lo que son, es decir, colores diferentes.

Una nueva hojeada y llego a "La sonrisa", que se rebela en contra de que "sonreír" sea definido como un verbo intransitivo y una mueca carente de sonido. Y entonces yo veo que sí, que el verbo "sonreír" no sólo no es intransitivo sino que es demasiado transitivo, como lo es la sonrisa del Ezequiel (tojolabal, 3 años), que más que sonrisa es una puerta (una puerta a su ser niño, indígena y zapatista, y una puerta a los adultos, indígenas y zapatistas, que luchan porque Ezequiel –y otros niños como él– tenga una puerta abierta, o sea una puerta transitiva, y no una puerta cerrada, o sea una puerta intransitiva). No sé, ahora me entra la duda: ¿es "puerta" un verbo intransitivo? En fin, asunto de lingüistas.

Seguí hojeando el libro y mi mirada llegó a "La nieve negra" y a su reflexión sobre lo que la muerte pinta en el dibujo de un niño que decide que la naturaleza debe ser cómplice y solidaria del dolor humano (y de su alegría, digo yo, pero eso no viene en el texto). Y veo que también viene al caso porque, para no ir muy lejos, acaba de acercarse la Yeniperr (tojolabal, 5 años) a mostrarme un su dibujo donde el cielo sigue siendo del azul que desean los marcianos, pero en lugar de pájaros lo pueblan helicópteros, y la tierra, quiero decir, el suelo que pinta la Yeniperr, se llena de montañas y, en lugar de flores, de la tierra nacen pasamontañas. Voy a obviar la aclaración de que la Yeniperr me trae el dibujo porque quiere que lo "descambiemos" por un chocolate con nuez que tengo en la mesita. Yo he defendido ese chocolate con nuez como si fuera el último, no sólo porque, en efecto, es el último, pero sobre todo por eso. Como quiera, la Yeniperr se va con el chocolate con nuez y yo me quedo con un dibujo donde el cielo es azul, hay helicópteros en lugar de pájaros, y en la tierra florecen pasamontañas y no flores. Me quedo pensado en que es seguro que a los marcianos no les interesará un azul así, con tanto helicóptero y pasamontañas, dejo el dibujo a un lado y entonces sigo dando vuelta a las hojas y encuentro lo que estaba buscando (claro, sin saber que lo estaba buscando). Ahí está:

"El silencio es la tierra negra y fértil, el humus del ser, la melodía callada bajo la luz solar. Caen sobre él las palabras. Todas las palabras. Las palabras buenas y las malas. El trigo y la cizaña. Pero sólo el trigo da pan".

"El silencio es la tierra negra y fértil". Sí. Y no sólo eso, acá la guerra que se libra entre gobierno y pueblos indios es por ese silencio, por esa tierra. Y sí, en esta guerra caen sobre esta tierra palabras buenas y malas. Unas y otras nombran a la tierra de forma diferente.

Porque cuando un gobernante mexicano dice "tierra", lo dice anteponiendo "compro" o "vendo", porque para los poderosos la tierra es sólo una mercancía.

Y cuando un indígena dice "tierra", lo dice sin anteponerle nada pero diciendo también "patria", "madre", "casa", "escuela", "historia", "sabiduría".

Porque para los indígenas zapatistas la tierra es azul, pero también es amarillo y rojo y negro y blanco y marrón y violeta y naranja y verde (que es el color del que se ponen los marcianos por la envidia de saber que acá la tierra es todos esos colores), y la tierra también es una puerta transitiva, como lo es la sonrisa (aunque se enojen los lingüistas), y si la tierra ahora tiene helicópteros en vez de pájaros y pasamontañas en lugar de flores es precisamente porque los indígenas zapatistas quieren defender la tierra de aquellos que la ven como mercancía y no como lo que es: una puerta abierta y de todos los colores.

Claro que, en el caso de Chiapas, la tierra no representa para los poderosos sólo una mercancía. Para los mercaderes de la globalización, la tierra de aquí es una "mina" que hay que explotar hasta secarla. En el caso de la tierra india chiapaneca, la "mina" tiene petróleo. El gobierno se niega a reconocer que, detrás de su guerra, está el ansia por la posesión de esa mina. No es para explotarla que la quiere, sino para venderla.

En el área de Marqués de Comillas, en la Selva Lacandona, se encuentra una reserva potencial estimada de mil 498 millones de barriles de crudo, que se localizan en una extensión de 2 250 kilómetros cuadrados. Y en el área de Ocosingo se espera incorporar una reserva potencial estimada de 2 178 millones de barriles, que cubrirá una extensión de 5 550 kilómetros cuadrados, y se tiene considerada la perforación de 21 pozos exploratorios. A inicios de los 90, Petróleos Mexicanos (Pemex) estaba planeando una inversión para toda la gran región petrolera, en lo que ellos llaman el Macroproyecto Exploratorio Ocosingo–Lacantún, lo que comprende Ocosingo y Marqués de Comillas, de 2.7 billones de pesos de los de 1991, lo que equivale hoy aproximadamente a mil millones de dólares (*El Financiero*).

Así que esa "mina" tendría, al menos, tres mil quinientos millones de barriles de petróleo. A precios actuales, esos barriles representan unos 80 mil millones de dólares, es decir, unas 80 veces más de lo "invertido". Pero el proyecto gubernamental no es explotar esos yacimientos, sino vender la totalidad de ese territorio a manos extranjeras. Las razones por las que las megaempresas tienen interés en estas tierras superan los 80 mil millones de dólares en muchos ceros. Y la razón está en que ellas sí tienen los estudios reales de las reservas potenciales que hay en la selva Lacandona. Biodiversidad, agua y petróleo son las riquezas de Montes Azules, reserva de la biosfera ubicada en el corazón de la Selva Lacandona. Sin embargo, el deterioro en esta área natural protegida continúa y corre el riesgo de quedar fracturada por los planes estatales de construir la carretera San Quintín–Amador Hernández–cañada del río Perla.

Paralelamente, la selva de la cuenca alta del río Usumacinta y la cuenca del río Tulujah fue establecida como zona de protección forestal. No obstante, quedó sin protección Marqués de Comillas y la parte norte de la selva, áreas donde Petróleos Mexicanos (Pemex) emplazó sus principales zonas de exploración. Pero también han contribuido empresas nacionales o trasnacionales.

Pemex acepta que antes de 1995 se exploraron en la zona una decena de yacimientos petroleros, y antes, desde la década de los 80, se confrontó con la entonces Secretaría de Desarrollo Urbano y Ecología por la devastación ambiental ocasionada con la apertura de caminos, explosiones y excavaciones en la selva. El mismo Instituto Nacional de Ecología (INE) presenta como principales "amenazas" para la reserva de Montes Azules la colonización de la selva y su consecuente cambio de uso del suelo, y también acepta que la apertura de la Carretera Fronteriza del Sur y la exploración y explotación petrolera han sido elementos que acentúan la deforestación de la selva. A esta situación se agregan las campañas de reforestación promovidas por la Semarnap, la cual informa que la reciente participación del Ejército Mexicano en la reforestación de zonas comunales aledañas a Montes Azules estaba prevista desde 1995 y que el uso de las especies (árboles de caoba, cedro y maculis) "son las de mayor saqueo en la zona y presentan mayor dificultad para restablecerse". Biólogos y otros especialistas aseguran que la mejor manera de restaurar las zonas perturbadas de la selva es dejándolas descansar, no reforestándolas. Pero además, cuestionan, "¿por qué no toman en cuenta a las comunidades para realizar ese trabajo? Ellos, más que los soldados, conocen su medio ambiente" (*El Financiero*).

Aunado a todo el problema de la Selva Lacandona, ahora la reserva de la biosfera tiene que afrontar una agresión más: la construcción de la carretera San Quintín–Amador Hernández–cañada del río Perla; este último desemboca en Montes Azules y ese camino sí cruza la reserva. Pero no sólo los lineamientos de construcción de la carretera San Quintín–Amador Hernández–cañada del río Perla deterioran el ecosistema de la reserva de la biosfera. También la presencia de los militares. Soldados del Ejército Federal Mexicano, ubicados en las comunidades de El Guanal y Amador Hernández, desmontaron un área considerable de la selva para construir hasta dos helipuertos donde los helicópteros procedentes de San Quintín transportan tropa, bastimentos, hachas y rollos de malla en espiral con dos puntas, además de ametralladoras de tripié, lanzallamas, defoliantes químicos, decenas de tambos de gas lacrimógeno, y bebidas alcohólicas.

Y así que su texto, don José, junto a la disputa por la tierra india chiapaneca, la guerra entre la mercancía y la puerta de colores, me llevan hasta la comunidad tzeltal de Amador Hernández. Ahí, desde hace más de cuatro meses, los indígenas zapatistas están plantados frente a un batallón de élite del Ejército Federal. Todos los días los zapatistas van frente a los soldados, les dicen consignas, les dan clase política, cantan el Himno Nacional. El general al mando de la invasión castrense ordenó la instalación de hasta ocho bocinas de alta potencia para "proteger" a sus soldados de las malas ideas de los zapatistas. La música preferida de este general es el piano de Richard Clayderman, así que cada vez que los indígenas zapatistas entonan el Himno Nacional Mexicano, los soldados ponen a Clayderman a todo volumen para acallar la parte que dice: "Mas si osare un extraño enemigo profanar con su planta tu suelo, piensa oh patria querida que el cielo un soldado en cada hijo te dio".

Amador Hernández, así se llama esta comunidad donde hoy se sintetiza la paradoja de la guerra del Sureste mexicano. Ahí los indígenas cantan el Himno Nacional y defienden la tierra como puerta abierta a todos los colores, como patria. Ahí los soldados del gobierno se ensordecen a sí mismos para no escuchar la palabra que los desnuda como avanzada de los mercaderes de la tierra.

Sí, en Amador Hernández la guerra se muestra tal cual es: de un lado están los soldados, rodeados de varias vallas de alambres de púas, trincheras, ametralladoras, lanzallamas, escudos y lanzagases; del otro lado están un montón de indígenas, hombres, mujeres, niños y ancianos, chaparritos, morenos como el color de la tierra, sin más armas que las palabras dichas, cantadas o escritas. Porque resulta que, para contrarrestar el volumen de las bocinas, los zapatistas guardaron silencio y sacaron unos carteles con las mismas palabras dichas, pero ahora escritas en grandes e irregulares caracteres. Como las bocinas tapan el oído pero no la mirada, el general ordenó a sus soldados que se vendaran los ojos. Más de uno bajó discretamente la venda y leyó lo que sentenciaba una cartulina: "Esta tierra es de nuestros muertos, ¿cómo vas a matar a nuestros muertos?"

Don José:

Dice usted que en la tierra caen el trigo y la cizaña, y que sólo el trigo da pan. Tiene usted razón. Acá decimos que en la tierra caen el cinismo y la rebeldía, y que sólo la rebeldía da mañanas.

Acabo de leer en el periódico que usted declaró en Guadalajara que parecía que su sino era decir o hacer cosas que molestaban a los gobiernos. Así que lo que le quería pedir a usted, don José, es que, sin que nadie lo vea, tome usted un puño de la tierra que ahora pisa, que con mucha discreción la meta en una bolsita de plástico y la lleve en su bolsillo izquierdo. Cuando usted se marche en su largo paso por el mundo, cada tanto meta usted la mano distraídamente en su bolsillo y tome un puñito de esa tierra y déjela caer donde sea. No se preocupe por la cantidad, verá usted que siempre tendrá en su bolsillo tierra suficiente para regarla en cualquier parte del mundo.

No son muy sabidas por la ciencia las causas, pero la rebeldía es contagiosa. No sólo eso, desde hace más de 500 años acá sabemos que la rebeldía, además de contagiosa, pare mañanas.

Vale. Salud y ahora creo que la rebeldía también es transitiva.

Desde las montañas del Sureste mexicano
Subcomandante Insurgente Marcos
México, diciembre de 1999

P.D. Dice Durito que le manda saludos a doña Pilar (*La Pilarica*, dice él, pero yo no soy tan irreverente), que a cambio mande algo de ese café que ella prepara. Yo digo que mejor mande nueces. "¿Acaso hay nueces en Lanzarote?", me dice-regaña Durito. "Debe haber —respondo yo—. Las nueces son como los colores, hay en todo el mundo".

Epílogo

La "fuerza aérea zapatista" *atacó* al Ejército
en el valle de Amador

Amador Hernández, Chis., 3 de enero del 2000. La *fuerza aérea zapatista* atacó hoy el campamento del Ejército Federal con aviones de papel.

Unos volaban bien y se internaron derechito en la parte de los dormitorios, oculta por la vegetación y los grandes plásticos negros. Otros fallaron su vuelo y cayeron apenas tras las mallas cortantes.

Las aeronaves, de color blanco y tamaño carta, llevaban escrito un mensaje para las tropas federales que ocupan predios de la comunidad desde hace ya casi cinco meses. No sólo los alambres de la valla son cortantes: "Soldados, nosotros sabemos que por pobreza vendieron su vida y sus almas. Soy pobre también, como millones somos los pobres, pero están peor ustedes, porque están defendiendo al que nos explota, o sea Zedillo y su grupito de ricachones".

La protesta de los indígenas de la región contra la ocupación militar de sus tierras en las orillas de los Montes Azules, diaria, persistente, casi increíble, ha buscado de muchas maneras hacerse oír por las tropas, que parecen existir al otro lado de la barrera del sonido.

Esta tarde intentaron la vía aérea, en cuartillas escritas a máquina, originales y copias carbón, en la prehistoria de las técnicas de reproducción. Hicieron una y otra versión, con sus copias, para parapetar lo más posible su contingente de *Kamikazes* por escrito. El avión es la bomba:

"Nosotros no vendemos nuestras vidas. Queremos liberar nuestras vidas y las de tus hijos, su vida de sus esposas, su vida de sus hermanos, la vida de sus tíos, la vida de sus papás y sus mamás y la vida de millones de explotados pobres mexicanos, queremos liberar sus vidas también para que no haya soldados que repriman a sus pueblos por órdenes de unos cuantos ladrones".

Avioncitos de papel *vs. Carmen* de Bizet

Las noches recientes, el campamento militar ha permanecido en alerta. Se oye toda la noche, cada 15 minutos, la voz de "alerta, alerta", entre los soldados.

"Para que no se duerman", opina José, campesino tzeltal que ha pasado las mismas noches en el campamento de los campesinos que vigilan la comunidad de Amador Hernández, y de día se las ingenian para protestar.

Entre los bailes de fin de año y las alertas de los militares, las bases de apoyo del EZLN reunieron en los días pasados a casi 400 campesinos de la región, cuando el número habitual es de 200. Hoy cambian de guardia; son menos, pues no han llegado todos los relevos, pero igual emprenden una caminata alrededor del campamento militar, gritando consignas y arrojando aviones de papel:

"Es muy grande las humillaciones que les hacen a los soldados rasos", prosigue la carta de las comunidades. "Porque, miren en todos los campamentos que tienen ustedes, el mal gobierno y sus altos mandos tienen ahí sus *tiendas de raya*, es decir los hacen comprar ahí sus mercancías porque de ahí sacan las ganancias, para que de ahí les vuelvan a pagar la vida que tienen vendida".

346

En otras ocasiones, la tropa del Ejército Federal se cubre los ojos o se taparía los oídos, por órdenes superiores, para no atender los reclamos, mensajes o imprecaciones de los indígenas. Hoy, un oficial procura recoger los aviones que cayeron en la primera línea de combate, antes de las barricadas de costales y ramas donde los soldados apuntan, con los cascos puestos.

Al menos ahora no pusieron ópera, como les ha dado por hacer a los militares, que llevan días sonando, tasajeados y distorsionados, algunos fragmentos selectos de *Carmen, La Traviata* y *Guillermo Tell* para que nada se oiga.

"Esta parcela no es cuartel, fuera Ejército de él", corean hombres, mujeres y chavitos, en fila india, rondando el campamento en más de 2 hectáreas de terreno. El helipuerto es un erial donde no crece la vegetación, y viene a la memoria aquel Atila, que donde pisaba ya no creía la hierba.

"Alerta, alerta", imita una indígena de pasamontañas a los soldados, y luego pasa a un "alerta que camina el Ejército Zapatista por América Latina".

Un hombre enjuto, de edad imprecisa, con una gorra beisbolera que dice *Just do it*, comenta el vuelo de las octavillas: "Allí les va una probadita de nuestra fuerza aérea zapatista". No sabe cuántos soldados hay actualmente en el campamento militar que cuida un camino que ya no se va a construir. "¿Acaso se enseñan?", pregunta a manera de explicación.

El mensaje que quién sabe si los "soldados rasos" llegarán a leer prosigue: "Soldados, despierten ya, abran sus ojos para que miren. La paga de sus almas no se las pagan rápido, ¿saben por qué? Claro que no. Pues es porque a sus altos mandos no les conviene que lo sepan. Miren, tardan para pagarles porque su dinero lo meten a los bancos para que les genere ganancias. Imagínense cuántos millones roban por la paga de sus vidas".

Algunas mujeres caminan cargando y amamantando criaturas. Algunos son ancianos. Del lado de la instalación militar, sólo se dejan ver cinco policías militares totalmente pertrechados contra motines (casco, chaleco, escudo de acrílico), así como un fotógrafo y dos camarógrafos de video, con grados de oficial, que no pierden detalle de los campesinos, los estudiantes que los acompañan, y especialmente de los enviados de *La Jornada*, a quienes dedican considerables cantidades de película y tiempo.

Desde una barricada abierta por la vegetación, el mando del puesto sigue, mediante unos binoculares, las incidencias de la modesta ofensiva de papel contra las posiciones de avanzada del Ejército Federal en el Valle de Amador, uno de los vértices de la selva Lacandona.

Melancólicos milenios

Los gorgoritos y las operáticas carcajadas de la partitura de Georges Bizet son, además de marchas militares y música de supermercado, parte de la barrera con que se defienden los soldados.

La melancolía del quinto mes de resistencia, más la melancolía de por sí del año 2000, lleva de pronto a los tzetzaleros encapuchados a guardar un largo silencio que se oye tan fuerte como los gritos.

Un estudiante de la Escuela Nacional de Antropología e Historia se aproxima a la alambrada y le habla al oficial que los videogrababa a pocos metros:

—¿A quién de ustedes se le salió un balazo hace rato? Hasta allá en el pueblo se escuchó. Tengan cuidado, no vayan a lastimar a alguien.

Pero como todas las demás interpelaciones desde fuera del cerco de malla cortante, la del estudiante queda sin respuesta.

Refiere *José* que en días pasados acompañaron a los indígenas "un grupo de estudiantes y sociedad civil, pero orita siguen aquí nomás unos cuantos", y me entregan el texto de otro avioncito, que repite seis veces en las páginas la siguiente letanía: "Quiero crear la paz del futuro, quiero tener un hogar sin muros, quiero unos hijos pisando firme, mirando alto, cantando libre, quiero llevar".

—¿Y esto? —le preguntó.

—A ver si ese lo leen —explica, señalando al campamento de "los ejércitos", mudo y oculto tras las ramas.

Con eso de que ahora el gobierno dice que la historia de México no se mide en años ni en siglos, sino en milenios, ¿cuántos milenios necesitarán estarse allí los campesinos zapatistas del Valle de Amador Hernández para poder entrar en las cuentas largas de la historia?

Hermann Bellinghausen
La Jornada, *5 de enero del 2000*

Notas

¹ Secretario de Gobernación que sustituyó a Esteban Moctezuma Barragán en febrero de 1995, después del fallido ataque militar en contra del EZLN; en enero de 1998, fue reemplazado por Francisco Labastida Ochoa.

² Al asumir el cargo como secretario de Gobernación, declaró: "No deseo ni quiero ni es la instrucción del presidente, terminar mi gestión sin resolver el conflicto armado en Chiapas". Sin embargo, a menos de un año, se postuló como candidato del PRI a la Presidencia de la República.

³ Secretario de la Defensa Nacional durante el sexenio de Ernesto Zedillo.

⁴ Gobernador interino por el estado de Chiapas, que entró en lugar de Eduardo Robledo Rincón y fue destituido a raíz de la masacre de Acteal.

⁵ Jefe de Asesores de la secretaría de Gobernación. Fundador de la organización maoísta "Línea Proletaria", que tuvo presencia en Chiapas en los años setenta, cuando entró en conflicto con Samuel Ruiz García. Muchos de los cuadros políticos de Orive, son parte activa en el conflicto chiapaneco, como los principales líderes de Solidaridad Campesina Magisterial (Socama), matriz del grupo paramilitar Paz y Justicia.

⁶ Secretaria de Relaciones Exteriores, quien ha recibido severas críticas por mostrar una imagen "virtual" de México en el extranjero.

⁷ Coordinador para el Diálogo en Chiapas, y cuya labor se ha limitado a pronunciar críticas y descalificaciones en contra del EZLN. Durante su gestión, jamás ha tenido un acercamiento con el grupo rebelde.

[8] Nombrado gobernador interino a la salida de Julio César Ruiz Ferro (por lo que resulta "interino del interino"); reconocido dentro del medio periodístico gracias al apodo que le endilgara el Subcomandante Marcos: *El Croquetas*. Continuó el desalojo de los municipios autónomos con violencia (matanza de El Bosque, 10 de junio de 1998) y ha gastado cantidades millonarias en propaganda e *inserciones pagadas* en medios impresos, en apoyo al PRI y al gobierno federal, especialmente durante las campañas electorales.

[9] Procurador General de la República; antes de este cargo, era presidente de la Comisión Nacional de los Derechos Humanos.

[10] Estos dos últimos, representantes del gobierno federal en los Diálogos de San Andrés firmaron, con el EZLN, los primeros acuerdos mínimos en materia de Derechos y Cultura Indígenas.

[11] Cabe destacar a TV Azteca, por el tono *amarillista* y tendencioso con que ha manejado el conflicto de Chiapas, del mismo modo en que lo haría más tarde con el movimiento universitario y con todo aquello que signifique una "molestia" para el Estado. Como prueba palpable, ahí está la campaña que ha mantenido en contra del PRD y el gobierno de la Ciudad de México, llegando incluso al extremo de "fabricar noticias".

[12] Mejor conocida como Sedesol, fue creada por Carlos Salinas de Gortari para "combatir la pobreza extrema".

[13] Lema de campaña de Ernesto Zedillo: "Bienestar para la familia".

[14] Fondo Bancario para la Protección del Ahorro, que fue diseñado para asegurar el dinero de los ahorradores en las instituciones bancarias, pero sirvió para transferir deudas de banqueros y empresarios, producto de fraudes, autopréstamos y operaciones ilícitas, en las que también están implicados funcionarios y servidores públicos del gabinete.

[15] Formada en noviembre de 1996, la Cosever tenía la responsabilidad de, como su nombre lo indica, verificar se cumplieran los acuerdos firmados entre el gobierno federal y el EZLN.

[16] Diario de circulación nacional, célebre por la calidad de sus notas periodísticas y por su atención especial a los problemas de carácter sociopolítico. Es el único en seguir publicando íntegros los comunicados del EZLN.

[17] En repetidas ocasiones, Marcos hace "suposiciones" que, posteriormente, suceden en verdad, como en este caso la designación de Diódoro Carrasco a la Secretaría de Gobernación, al salir Francisco Labastida para "contender" como precandidato del PRI a la Presidencia de la República.

[18] Alusión a los lugares de origen de los precandidatos del PRI: Francisco Labastida y Manuel Barttlet, respectivamente.

[19] En entrevista televisiva con Ricardo Rocha, Marcos declaró haberse casado.

[20] Miguel Alemán Valdés. Ex socio de Televisa y actual gobernador del estado de Veracruz.

[21] Rafael Sebastián Guillén Vicente, identificado por la PGR, como el "presunto" Subcomandante Marcos, cuando se dictaron órdenes de aprehensión en su contra y de otros supuestos integrantes de la Comandancia General del EZLN, en febrero de 1995.

[22] Frase con la que Francisco Labastida se refirió al EZLN, exigiéndole su rendición al no tener "representatividad" en el estado de Chiapas.

[23] Referencia al partido de futbol que se jugó en el estadio Jesús Martínez *Palillo* (15 de marzo de 1999), entre una delegación del EZLN y veteranos profesionales (cuatro ex mundialistas dentro de este equipo), como parte de las tareas de promoción de la consulta zapatista. El marcador final quedó 5 a 3, a favor de los veteranos.

[24] Mario Villanueva Madrid. Ex gobernador del estado de Quintana Roo, a quien la Procuraduría General de la República acusó de 28 delitos contra la salud, crimen organizado y "lavado de dinero". Prófugo desde marzo de 1999.

[25] Un evento de "Vive sin drogas" (parte de Fundación Azteca) fue conducido por el animador Paco Stanley, a quien le encontraron cantidades "considerables" de cocaína en el cuerpo y en sus pertenencias, después de ser ejecutado por presuntos integrantes del *cártel* de los hermanos Amezcua, con el que estaría implicado.

[26] Calificativos con los que la PGR "definió los móviles" de la masacre de Acteal en el llamado *Libro Blanco*.

[27] Lámpara

[28] Mosco diminuto de la selva, cuyo piquete es muy doloroso.

[29] Referencia al "sorpresivo suicidio" de Mario Ruiz Massieu, responsable de las primeras líneas de investigación del asesinato de su hermano José Francisco (28 de septiembre de 1994), cuando éste era secretario general del PRI. En 1995 fue detenido en el aeropuerto internacional de Nueva York, cuando intentaba viajar a España con 45 000 dólares en efectivo sin declarar. Desde entonces permaneció bajo arresto domiciliario en Nueva Jersey, mientras sus abogados evitaban su deportación a México. El ex fiscal enfrentaba 26 cargos judiciales por *lavado de dinero* (por parte de las autoridades estadounidenses) y cinco órdenes de detención por delitos contra la administración pública, peculado, enriquecimiento ilícito y vínculos con el narcotráfico. Según la versión de las autoridades, Ruiz Massieu aprovechó su puesto como sub Procurador de Justicia, para recibir dinero del llamado *cártel del Golfo* a cambio de protección gubernamental. En el *Texas Commerce Bank*, se le decomisó una cuenta con 9 millones de dólares. La PGR también lo acusó de "ocultar información" que implicaba a Raúl Salinas de Gortari en el atentado contra su hermano. Aparentemente, murió de una sobredosis de antidepresivos. Su cuerpo nunca fue mostrado a los medios de prensa y tampoco se supo de ceremonia luctuosa alguna.

[30] Mención a la columna sabatina de Jaime Avilés en el diario *La Jornada*: "El Tonto del Pueblo".

[31] El EZLN propuso *siete tareas* a las coordinadoras y brigadas zapatistas de la *Consulta por el Reconocimiento de los Derechos de los Pueblos Indios y por el Fin de la Guerra de Exterminio*, para mantener un vínculo

directo de comunicación con la Sociedad Civil. Estas tareas, son similares a las otorgadas a los Comités Civiles de Diálogo en 1996, para la formación del Frente Zapatista de Liberación Nacional.

[32] Marcos se refiere a Mary Robinson (Alta Comisionada para los Derechos Humanos ante la ONU), que por esos días tenía programada una visita a México. A su llegada, el gobierno mexicano preparó una "estrategia" para "contrarrestar la desinformación y el pesimismo" que se suele "propalar en la opinión pública" sobre la "presunta violación de los derechos humanos en territorio nacional, especialmente en Chiapas".

Índice

La edición consta de 5,000 ejemplares. Impreso
en octubre del 2000 en **Litoarte, S.A. de C.V.**,
San Andrés Atoto No. 21-A, Col. Ind. Atoto,
Naucalpan, 53519, encuadernado en
Sevilla Editores, S.A. de C.V.
Vicente Guerrero No. 38,
San Antonio Zomeyucan,
Naucalpan, 53750,
Edo. de México.